Pierre Miquel

NOUVELLES HISTOIRES DE FRANCE

★★

Fayard

IL A ÉTÉ TIRÉ DE CET OUVRAGE
300 EXEMPLAIRES RÉSERVÉS
AUX LIBRAIRES. CE TIRAGE, HORS
COMMERCE, CONSTITUE L'ÉDITION
ORIGINALE

Les émissions de Pierre Miquel
LES HISTOIRES DE FRANCE
diffusées sur France-Inter ont été reportées sur cassettes
et peuvent être obtenues en écrivant à
CASSETTES RADIO FRANCE
75786 Paris Cedex 16

1.
LA RUINE DE NICOLAS FOUQUET

Il doit tout à Mazarin. Fils de conseiller au Parlement de Paris, petit-fils de contrôleur général des finances, il est né dans le sérail, et en connaît les détours. Cet ancien élève des jésuites, dont les collèges sont alors furieusement à la mode, est avocat au Parlement de Paris à l'âge de seize ans. Il est, à dix-neuf ans, conseiller au Parlement de Metz. Va-t-il être un des messieurs du Parlement de Paris ?

Il préfère entrer dans l'administration royale comme maître des requêtes. Et il occupe tous les hauts postes administratifs, à l'armée, dans les provinces. Il est au cabinet de Mazarin. Ce parlementaire raté aurait pu faire carrière dans l'opposition. Il préfère le pouvoir : comme technicien...

Fouquet est riche. Il dispose d'une fortune personnelle. En outre, il épouse, en secondes noces, Marie Madeleine de Castille : le contrat de mariage est un épais volume, tant la dot de la mariée est importante. Elle est apparentée à toute la haute administration du royaume.

En 1653 Mazarin le fait nommer surintendant des finances. Il le lui doit bien ; Fouquet lui a montré, dans les troubles de la Fronde, la plus grande fidélité. Il ne s'est pas occupé pour rien de gérer la formidable fortune du cardinal, quand il a été exilé de Paris. Le cardinal lui montre toute sa reconnaissance. La charge est immense : le surintendant n'est pas seulement le gestionnaire des finances du roi. Il est d'abord et surtout, celui qui obtient du crédit pour le roi. Il doit inspirer confiance et trouver hardiment, pour nourrir la guerre espagnole, des sommes énormes en un temps toujours très bref. Fouquet excelle à cet exercice. Grâce à lui les armées du roi ne manquent pas de ressources.

Où prend-il l'argent ? Il emprunte à son nom. On a confiance en Fouquet, pas en la monarchie. Au besoin, Fouquet prête son propre argent. Après la défaite de Valenciennes, Mazarin, aux abois, le supplie. Et Fouquet réunit une caravane qui apporte des sacs bourrés d'écus : le nerf de la guerre...

« Je suis touché au dernier point de la manière dont vous en avez usé, lui répond Mazarin. J'en ai entretenu au long Leurs Majestés, lesquelles sont tombées d'accord qu'on doit faire grand cas d'un ami fait comme vous. »

Fouquet est *persona gratissima.* Il n'est pourtant pas désintéressé. Il faut bien qu'il récupère l'argent qu'il prête. Alors, il crée des offices, il rogne les monnaies, pour obliger l'argent à sortir des coffres et des cassettes. Il se rembourse, en somme, sur les finances du roi. Il mélange ses comptes avec ceux de l'Etat : l'erreur de tous les grands financiers du passé, de Jacques Cœur à Semblançay. Il est sur la corde raide, à la merci d'un accident de parcours.

Naturellement, les filous profitent du désordre pour trafiquer sur l'argent emprunté par l'Etat. Les créanciers sans appuis ne retrouvent jamais qu'une faible partie de l'argent qu'ils ont prêté, mais les habiles, ceux qui sont introduits, touchent d'énormes intérêts. La machine tourne à vide, Fouquet garde confiance. La guerre une fois terminée, on remettra de l'ordre.

En attendant, il faut plus que jamais inspirer confiance. Il dépense sans compter, plus fastueux qu'un souverain. Sur sa terre proche de Paris, héritée de son père, Vaux-le-Vicomte, près de Melun, il fait construire un château fabuleux, royal. Une architecture simple, brique et ardoise, raisonnable, respectable, un parc superbe à la française, des statues, des bosquets, des charmilles, des bassins. L'architecte ? Le Vau. Le jardin ? Le Nôtre. Le peintre ? Le Brun. Les sculpteurs ? Anguier, Puget. Les plus grands de l'époque. Amateur éclairé, Fouquet fait acheter dans toute l'Europe tapisseries, tableaux, médailles, bustes, livres précieux, manuscrits rares, miniatures, bibelots. Les services de table sont éblouissants en or et argent massif. Les tapis sont de Perse, les brocarts de Venise, les tapisseries de Bergame. Les meubles sont somptueux. Il y a des centaines d'orangers et des milliers de tulipes de Hollande.

Tout le monde veut être invité à Vaux. Le cuisinier est Vatel, un grand anxieux. Il doit servir parfois cinq cents couverts. La fête mondaine, la fête des arts et des lettres est continuelle à Vaux.

Fouquet est un mécène alors que le roi a tout juste les moyens d'entretenir ses armées. C'est Fouquet qui subventionne Corneille, qui pensionne La Fontaine et Scarron. Les nymphes de Vaux voient défiler d'autres nymphes, les plus belles de la cour, et plus d'une a des faiblesses pour Fouquet. On voit défiler les traiteurs, les généraux de finances, les grands voleurs du fisc, ceux qui récupèrent la taille à leur profit, avec la complicité des officiers du roi. Le profit nourrit la fête, profit éhonté, qui fait enrager parfois les grands seigneurs et le jeune roi.

Après la mort de Mazarin, celui-ci maintient sa confiance à Fouquet. Le moyen de faire autrement ? Il a en main toutes les affaires. Mais il nomme un autre Premier ministre, un certain Hugues de Lionne, et derrière Fouquet, tapi dans l'ombre, l'exécuteur testamentaire de Mazarin, l'implacable Colbert, le guette. Colbert n'est certainement pas désintéressé. C'est un petit bourgeois de Reims, qui a passé quarante ans. Il a sa carrière et sa fortune à faire. Intendant du cardinal, il a utilisé des moyens peu orthodoxes. Il s'est lui-même beaucoup enrichi : devenu marquis, conseiller d'Etat, il a un château et des laquais. Il parle avec beaucoup de fierté de ses fourches patibulaires, l'endroit où il a, en théorie, le droit de faire pendre ses vilains.

Celui que Mme de Sévigné appelle « le Nord », en raison de son visage toujours renfrogné, ne fait pas fortune au détriment des affaires de l'Etat. Il profite mais n'abuse pas. Surtout il

De: **jean paul valour** jean-paul.valour@orange.fr
Objet: Pour se joindre le 29 mars
Date: 28 mars 2015 14:55
À: undisclosed-recipients

Bonjour,

Voici les numéros de portables de chacun, délégués et/ou surveillants de la dernière heure et du dépouillement. Afin de pouvoir se joindre pendant cette journée du dimanche 29 mars.

Dominique Vialon	06/98/91/89/11
Frédéric Battie	06/50/23/52/12
Guys Desnoues	06/60/86/08/45
Sylvain Dubard	06/52/68/36/63
A.M.Sahuc	06/59/52/03/43
Sylvain Garau	06/26/22/26/19
Marie Di Sotto	06/72/38/56/03

Jordan Cottier	06/59/93/33/49
Jeannine Giband	06/18/14/44/21
Olivier Riocreux	06/88/26/04/46
Marc Teissier	06/86/22/82/60
Serge Horvath	06/48/23/33/25
Patrick Wolff	06/83/12/50/92
Philippe Faurand	06/68/66/59/70
JP Valour	06/18/83/10/38

A 2 heures du matin il sera 3 heures !!!!

Merci à toutes et à tous.

lante défense, où il chargeait Mazarin et Colbert lui-même, fut condamné à l'exil. Le roi, qui attendait la peine de mort, commua l'exil en détention perpétuelle. Fouquet fut enfermé dans la forteresse de Pignerol, où il mourut en 1680 après seize ans de réclusion.

Ses amis n'ont pas toujours été très courageux. La sentence très dure prononcée à son égard s'accompagnait de la confiscation de ses biens. Le roi en profita pour condamner plus de quatre mille financiers à des restitutions. C'était voler les voleurs. Fouquet pourtant ne fut pas totalement abandonné. La Sévigné, la Scudéry le défendirent courageusement. Le plus ardent à le défendre fut La Fontaine, indigné des procédés du roi. Sans doute les « nymphes de Vaux » ont-elles beaucoup pleuré. Mais il n'est pas bon de s'enrichir, même si l'on est honnête homme, dans un royaume en peine, et d'ailleurs, comme l'a dit Louis XIV, et c'est sans doute la vraie raison de la condamnation de Fouquet, il n'est pas bon qu'un homme puisse « se rendre l'arbitre souverain de l'Etat ». Au temps des rois, les financiers payaient parfois très cher leurs années de vaches grasses. Surtout quand ils avaient des Colbert pour dresser la facture.

2.
UN RÊVE DE COLBERT

« Il faut rédiger un bel et bon discours, monsieur l'Académicien, le roi vous en sera reconnaissant. »

C'est Colbert qui parle. L'académicien ? Ce n'est ni Racine, ni Corneille, ni Boileau, c'est un homme obscur, du nom de Charpentier, qui passe alors pour être une des plus belles plumes de l'Académie française. Il en est le secrétaire perpétuel. Il est connu pour prendre en toute occasion la défense de la langue française. Il lutte en particulier pour que l'on compose en français, et non en latin, les inscriptions gravées sur les monuments publics. Il est surtout célèbre par l'immense ridicule de ses discours, qui font rire même en province.

« S'agit-il d'un discours en vers ? demande Charpentier.

— Que non point. Le roi veut que vous fassiez l'éloge des grandes entreprises maritimes pour lancer une souscription en faveur de la nouvelle Compagnie des Indes orientales. Il faut que vous parliez à tous les bons Français. La richesse de ces Hollandais est un scandale. Monsieur Charpentier, savez-vous que les navires venus d'Orient et de tous les points du monde apportent chaque année à la Hollande plus de 12 millions de tonnes de marchandises, que les Hollandais sont presque les seuls à revendre dans tous les ports d'Europe ? Savez-vous que leur compagnie de commerce verse des dividendes de 25 à 30 % ?

— Diable, diable ! murmure le secrétaire perpétuel.

— Et les actions montent. Elles étaient à 3 000 florins, elles sont à 18 000. C'est un scandale, monsieur Charpentier. Tout le monde veut être actionnaire chez les Hollandais. Je le sais, il y a des mauvais Français qui font des bassesses pour y placer leur argent. Faites un discours, très vite. Nous avons besoin de votre prestige.

— Mais sur quel sujet ? demande Charpentier, et croyez-vous qu'un discours...

— A quoi nous sert-il d'avoir des académiciens, s'ils ne peuvent vanter le mérite de nos entreprises ? Voyez-vous la Hollande ? Ses marchands ont tous les gens d'esprit à leur service. Il n'y a si grand philosophe qui ne brûle de rendre service à ces bourgeois. Le roi de France serait-il moins heureux ?

— Excellence, je suis votre serviteur. Mais me direz-vous...

— Le roi crée une Compagnie française des Indes orientales. Pendant cinquante ans la compagnie aura le privilège de la navigation dans les mers d'Orient et du Sud, depuis le cap de Bonne-Espérance jusqu'au détroit de Magellan. La Compagnie a dans ses concessions, en particulier, la grande île de Madagascar, que nous appelons l'île Dauphine. Vous n'êtes pas sans savoir, monsieur Charpentier, que le grand Cardinal...

— Mazarin ?

— Mais non, voyons, Richelieu. Il avait déjà dépêché un capitaine en reconnaissance dans ces îles lointaines, Rigault. Il a occupé certaines îles, reconnu les autres, bref fait son travail. C'est un de ses hommes, Pronis, qui a construit Fort Dauphin. Un huguenot, de La Rochelle je crois.

— Un huguenot ?

— Ecoutez. Le commerce n'a que faire des rivalités de religion. J'enverrais volontiers le diable aux Indes, s'il me rapportait de l'or. Pour faire votre discours, lisez donc la *Relation* de Flacourt. C'est un homme habile, qui a malheureusement disparu en mer. Il connaissait bien Madagascar et ses richesses.

Et l'académicien se met à l'œuvre. Il ne ménage pas sa plume. C'est une honte, explique-t-il aux « bons Français », d'être distancés par les Hollandais : le Roi-Soleil doit être présent sur toutes les mers du monde. Il y a fortune à faire partout. C'est des Indes orientales, explique Charpentier, « que l'on tire l'or et les pierreries. C'est de là que viennent ces marchandises si renommées et d'un débit si assuré, la soie, la cannelle, le gingembre, la muscade, les toiles de coton, la ouate, la porcelaine, le poivre, les bois qui servent à toutes les teintures, l'ivoire, l'encens, le bézoard, et mille autres commodités, auxquelles les hommes étant accoutumés, il est impossible qu'ils s'en passent ». Le bézoard, c'est l'antidote, le contrepoison. Il a des propriétés merveilleuses. Demandez donc à nos médecins s'ils veulent se passer de bézoard ? Le pays le plus admirable de l'Orient est certainement, enchaîne Charpentier, la grande île Dauphine, dont la terre est admirable. On peut en faire « un vrai paradis terrestre ». Et « durant les grandes pluies et ravines d'eau, les veines d'or se découvrent d'elles-mêmes le long des côtes et sur les montagnes ». A Madagascar, il suffit de se baisser pour ramasser l'or à poignées...

Le roi donne l'exemple. Il souscrit le premier. Il achète les actions de la Compagnie des Indes orientales. Les grands seigneurs suivent son exemple, les reines, les princes du sang. Colbert recommande aux parlementaires d'en faire autant. Ils obéissent. Les grands patrons des finances royales les imitent, pour ne pas risquer la disgrâce. Les villes riches souscrivent, car Colbert leur a écrit. Le meilleur moyen d'être bien vu du roi, leur dit-il est de « mettre dans le commerce des Indes ». Et les villes obéissent, comme les seigneurs, comme les hauts fonctionnaires, comme tout ce qui dépend directement du roi.

Pourtant Bordeaux résiste. Les Bordelais connaissent bien la navigation maritime, et leurs navires sont présents sur toutes les mers. Mais ils savent distinguer les affaires du mirage, et ils n'aiment pas la carte forcée. Si la Compagnie est une bonne affaire, ils souscriront. Mais qu'on ne les oblige pas. Les Hollandais ont-ils jamais obligé personne ? On se bat pour travaille, sans relâche, c'est un homme de dossiers, de chiffres, de procès, d'affaires compliquées. Plus la tâche est ardue, plus il s'accroche : le serviteur idéal. Quand une affaire est passée entre ses mains, il n'en ignore rien, il la pousse jusqu'au bout. Il a de l'ordre dans ses archives, et toujours sous la main le bon dossier. Rien de commun avec Fouquet, qui fait de la finance « en artiste », improvisant. Colbert est à Fouquet ce que Boileau est à La Fontaine, un besogneux, mais qui n'est pas sans talent. C'est l'homme le plus renseigné du royaume, et aussi le plus adroit à profiter de ses renseignements.

Sur Fouquet, il sait tout. Et naturellement il fait savoir ce qui est de nature à le perdre. Fouquet ne s'est-il pas flatté d'être bientôt Premier ministre, d'avoir la puissance de feu le cardinal ? Le roi, qui veut régner lui-même, enrage quand Colbert lui rapporte ces propos.

Pourquoi le roi l'a-t-il engagé ? Parce qu'il est las des grands seigneurs d'Eglise ou de haute noblesse. Parce qu'il se méfie des grands financiers. Parce qu'il veut un serviteur, un bourgeois. Pour lui Colbert, c'est d'abord le « domestique de M. le Cardinal », l'homme qu'il lui faut. Il aime sa silhouette rassurante, courtaude, trapue, son habit noir, son sac de velours noir qui ne le quitte jamais car il y enfouit ses précieux dossiers. De sa petite écriture fine, il écrit les mémoires qui permettent au roi de briller en son Conseil. Sans avoir aucun titre, il y est déjà présent. Colbert est un homme de coulisse.

Comme tous les souffleurs, il veut un jour monter en scène et enrage de voir Fouquet parader. Il se doute, par l'attitude du roi, que le surintendant est moins en cour qu'il ne croit.

Et pourtant...

« Tout le monde a été reçu à Vaux, dit un jour le roi. Je serais heureux, mon cher Fouquet, de connaître votre beau château. »

Fouquet ne se méfie pas. Il a vendu, sur un mot du roi, sa charge de procureur général au Parlement, qui lui aurait permis de se défendre, en cas de besoin. Il en a tiré une somme formidable. Il a versé un million de réserve, à la demande du roi, sur la caisse de l'épargne et croit qu'en obéissant aveuglément au roi, il endort ses préventions.

A la mort de Mazarin, l'attitude du roi était franchement hostile. Mais Fouquet avait remonté la pente. Il lui avait démontré que ses erreurs, ses malversations, ses désordres étaient dus aux exigences de Mazarin. Le roi, qui connaissait trop bien son cardinal, n'avait osé demander des comptes. Il avait feint de passer l'éponge. Mais le luxe des partisans, des fermiers généraux, de Fouquet lui-même fait jaser. Le royaume est pauvre, l'argent est rare et cher. Il n'y a que dans les caisses des financiers qu'il coule à flots. La noblesse enrage, la riche, la nantie, qui est jalouse de tous ces parvenus. Mais aussi la pauvre, la petite noblesse de province, qui se demande qui est roi en France. Un jour, deux de ces petits nobles ruinés se rendent à une partie fine, une partie de pêche, donnée par un richard sur ses domaines. La nuit, ils jettent des tonnes de clous et de fers à cheval dans les réserves de pêche. Et le lendemain le richard pêche des clous... Le roi sait tout cela. Mais est-ce la faute de Fouquet si l'argent est en crise, s'il manque dans tout le royaume, si l'or d'Amérique n'arrive plus, si les Flandres et la petite Hollande sont infiniment plus prospères que le royaume ? Est-ce la faute de Fouquet si la France fait la guerre depuis si longtemps ? Il a jadis pris des précautions, acheté dans l'Atlantique une grande île presque déserte qu'il a fait fortifier. Il n'est pas bon de faire fortune dans un royaume désargenté. Mais pense-t-il à se rendre à Belle-Ile-en-Mer ? Nullement. Il songe à éblouir le roi, en lui donnant sa plus belle fête.

Et elle est splendide. Vaux déploie tous ses attraits : les charmilles, les jets d'eau, le théâtre de verdure, la troupe de Molière, les meilleurs violons du royaume. C'en est trop. Le roi découvre « un luxe insolent et audacieux ». Il applaudit du bout des doigts le ballet de Lulli avec les faunes et les satyres. Il applaudit aussi *Les Fâcheux* de Molière. Il est ébloui par le fantastique feu d'artifice que fait tirer Fouquet. Une pluie d'or l'aveugle. Le repas est somptueux. La vaisselle d'or brille sous les milliers de torches et de bougies. Le roi sourit, remercie. Le repas est véritablement royal. Le chef s'est surpassé. Oui,

Nicolas Fouquet sait recevoir. Il a les plus belles dames, les plus riches seigneurs. Tous paradent devant lui, comme si le roi était oublié. Les plus beaux esprits aussi, de Molière à La Fontaine, et les plus méchantes langues, comme Mme de Sévigné. Quelle merveille d'harmonie que ce palais, superbement éclairé la nuit dans tous ses détails d'architecture, dans toutes ses grâces !

Le roi est fou de jalousie. Le palais royal lui paraît triste, à côté de Vaux, et même la grande bâtisse de Fontainebleau, où il doit retourner en carrosse. Mais il se garde bien de menacer. Il dit toute sa satisfaction. Le lendemain, en reconnaissance, il nomme le frère de Fouquet, qui était évêque d'Agde, maître de l'oratoire de la Chapelle Royale. Il ne dit rien mais il médite sa perte. Il prévoit minutieusement l'arrestation, avec Colbert, qui en dresse les plans.

Le roi annonce qu'il se rend en Bretagne pour présider les Etats de la province. Il logera à Nantes. Comment Fouquet pourrait-il prévoir que ce voyage du roi est d'abord destiné à le mettre à portée de Belle-Isle, qu'il compte occuper sans coup férir ? De Nantes, le roi envoie un messager à Fouquet, qui est malade, pour l'assurer de toute son affection. On est en septembre 1661. Le 5 septembre Fouquet se rend auprès du roi pour travailler. Mais le roi ne dit mot. Il va souvent à la fenêtre, pour voir si le carrosse de M. d'Artagnan est arrivé. Point de carrosse. Il retourne à ses papiers, pose quelques questions, d'un air absent, puis il retourne à la fenêtre. D'Artagnan arrive enfin. Il entre dans la pièce où se tient le roi. Il s'assure de la personne de Fouquet, qui tombe des nues.

« Je croyais, dira-t-il plus tard, être mieux que personne dans l'esprit du roi. » Mais Louis XIV déclare : « Il est temps que je fasse mes affaires moi-même. » L'instruction du procès Fouquet commence en 1662 et dure jusqu'en 1664. Colbert a lui-même nourri le dossier de l'accusation : du travail d'orfèvre, un modèle de malhonnêteté. Les pièces favorables à l'accusé ne sont pas versées. Des papiers sont saisis de façon irrégulière. Colbert intervient lui-même dans l'instruction confiée à ses créatures. Les magistrats hostiles au coup de force sont limogés, remplacés par des hommes dociles. Fouquet, malgré sa bril-

acheter leurs actions. Que la marine du roi fasse ses preuves. Que Colbert commande des bateaux, et qu'il laisse les commerçants investir là où les affaires sont rentables. La politique de la contrainte n'est jamais bonne en ces matières, disent les Bordelais. On ne voit pas où le roi peut trouver avantage à ruiner ses sujets.

Bordeaux résiste ? Colbert se fâche. Il fait savoir aux responsables de la ville que « le roi examinera les privilèges de la bourgeoisie avec tant de sévérité qu'ils en seront sans doute privés d'une partie la plus considérable ». Et Bordeaux se soumet.

La participation aux finances de la Compagnie des Indes devient une obligation, une sorte de devoir fiscal. Les intendants, qui font du zèle, dépassent parfois les intentions de Colbert. Celui d'Auvergne réunit chez lui les notables.

« Vous êtes ici pour vous engager, leur dit-il. J'attends vos souscriptions. Vous ne sortirez d'ici qu'à cette condition et si vous résistez, j'emploierai le ministère des dragons. »

Voilà qui est parler. Les notables de Clermont se soumettent, comme les autres. Peut-on résister à Colbert ? Les villes se plaignent, les bourgeois pleurent. Ceux des ports montrent la difficulté de leurs entreprises, les pertes subies, les tempêtes, les hasards. A Saint-Jean-de-Luz, on se plaint de la pêche à la baleine. Et si Colbert les aidait à débiter l'huile de baleine ? Cela serait mieux pour eux que de les obliger à payer pour le commerce aléatoire avec l'Orient. Colbert balaie ces plaintes, et force tout le monde. En province, les privilégiés expriment des craintes ? N'est-ce pas une manière déguisée de leur faire payer l'impôt au roi ? Mais Colbert ne se laisse pas attendrir. Il lui faut de l'argent, pour réunir une expédition.

On envoie tout de suite quatre navires avec quatre cents hommes, des soldats, des marins et aussi des colons. La grande expédition arrive plus tard à Fort Dauphin le 10 mars 1667 : deux mille personnes, envoyées pour occuper l'île : une véritable colonisation.

Colbert en attend beaucoup. Le transport de toute cette population a demandé plus de vingt vaisseaux. Un marquis, Montdevergue, commande l'expédition avec deux « civils » qui connaissent bien l'Orient, Caron, un Hollandais qui a servi jadis la Hollande aux Indes et au Japon, et de Faye, qui est directeur commercial. Colbert a vu grand : quatre compagnies d'infanterie, un procureur général pour organiser tout de suite un tribunal. Les colons sont venus avec leurs femmes et leurs enfants, ils sont groupés, dès le départ, en dix colonies, avec des responsables.

Ils sont très vite déçus. On ne leur avait pas dit, au départ, que Fort Dauphin n'était pas une ville. Ils y trouvent des cases en feuillages et branchages. Il n'y a guère de réserves en riz et en viande. Il faut aller à l'intérieur, pour trouver des vivres. Rien ne s'y oppose, en apparence : les chefs malgaches, impressionnés par les soldats du roi de France, envoient des délégations bienveillantes à Fort Dauphin.

Un marchand, François Martin, réussit à lancer une expédition vers l'intérieur, en embrigadant les populations noires de la côte. Mais la population malgache du lac Alaotra voit d'un mauvais œil ces quatre mille Noirs armés qui progressent. Les Français sont débandés, décimés. Si les Français veulent vraiment s'installer dans l'île, il est clair qu'ils doivent en entreprendre la conquête.

Ni le roi ni Colbert n'en ont envie. Dans leur esprit, les colons doivent immédiatement mettre en culture ces terres fertiles pour subsister et entretenir la population des marchands, des soldats et des marins. Il n'est pas question de conquête. Mais qui commande alors ? Les militaires ou les marchands ?

Ils se disputent. Le marquis de Montdevergue qui demande des renforts est désavoué. Ce n'est pas une affaire de soldats, lui dit Colbert. Il finit par rappeler le marquis qui meurt en prison à Saumur.

Quant aux marchands, ils sont déçus. Le bois est d'un maigre profit. Comment l'exporter en abondance ? Le riz manque pour nourrir les gens. Il n'y a ni or, ni pierres précieuses, et les populations locales deviennent hostiles. En outre, les militaires français se sont retranchés dans un camp. Ils ne veulent pas coopérer avec les marchands. Caron se donne des airs de proconsul — il a engagé à ses frais une milice locale — et part tout seul, avec l'accord de Colbert, pour chercher des comptoirs plus rentables. Il franchit l'Océan, s'installe à Surate, prend pied, pour le compte de la France, sur le marché indien. De Faye le suit. François Martin aussi. Plus tard, il fondera Pondichéry. Colbert fait une nouvelle tentative, nomme un autre lieutenant général, Blanquet de la Haye. Il ne réussit pas davantage. Les tribus malgaches sont hostiles, il faut sans cesse les impressionner en montant des expéditions vers l'intérieur.

« Il n'y a aucun profit à occuper Madagascar », conclut en 1671 de la Haye. Il écrit à Colbert en lui recommandant d'abandonner. L'île Bourbon est plus riche, dit-il, plus facile à tenir. Pourquoi s'entêter ? Lui-même s'embarque, avec un fort parti de Français. Il en reste environ deux cents dans l'île, totalement abandonnés par Colbert. Ils vivent repliés dans leur village, en cultivant des jardins. Bientôt ils doivent se retrancher dans Fort Dauphin car les Malgaches deviennent menaçants. En 1674 la moitié de la population française est massacrée.

Il en reste soixante-trois, commandés par un certain La Bretèche. Le 9 septembre 1674, celui-ci les rassemble.

« On nous a menti, leur dit-il. Le roi ne nous aide en rien. Les chefs de l'expédition sont morts ou en fuite. Nous sommes seuls et nous allons mourir si nous ne partons pas sur-le-champ.

— Partir ? Mais où ? disent les chefs de famille.

— Nous n'avons plus le choix. Ceux qui restent seront massacrés. Ceux qui veulent survivre doivent me suivre. »

La Bretèche met le feu à tous les magasins de Fort Dauphin. Il encloue les canons. Les soixante-trois survivants se pressent dans une grande barque et prennent la mer. Ils arrivent à l'île Bourbon (aujourd'hui, île de la Réunion). Il n'y a plus un Français sur le sol de Madagascar.

La Compagnie des Indes orientales est-elle plus heureuse ailleurs ? La concurrence hollandaise lui mène la vie dure partout. Le roi manque d'argent et d'hommes ; il manque aussi de navires. Les Hollandais dominent l'océan Indien. En 1670 ils envoient aux Indes trente gros bateaux de commerce. Ils s'emparent de tous les comptoirs installés laborieusement par les Français. Les dividendes de la Compagnie hollandaise dépassent 25 %. Ceux de la Compagnie française sont nuls. Le roi doit faire distribuer des dividendes fictifs ; pour ne pas décourager les actionnaires. Colbert doit reconnaître qu'il « rencontre des difficultés presque approchantes du désespoir ». En 1682 il se résigne : il retire son privilège à la Compagnie.

Et pourtant les Français continuent à être présents sur les bords de l'océan Indien, contre toute attente. Ils s'accrochent à la côte indienne, ils résistent dans l'île Bourbon. Ils préparent les bases de ce fabuleux empire des Indes qu'un autre roi de France, au siècle suivant, abandonnera à d'autres rivaux — les Anglais, cette fois — sans contrepartie.

Et Louis XIV, devant l'échec de ses entreprises en océan Indien, dit à Colbert : « Vous voyez bien : contre les Hollandais, il n'y a que la guerre. »

3.

LES DIGUES DE HOLLANDE

Ils sont 80 000 sur le chemin de Hollande, 80 000 soldats, une force d'invasion, commandée par le roi et par le maréchal de Turenne. Tambours battants, uniformes flambant neufs, ils marchent de Charleroi vers la Meuse où ils doivent rejoindre, près de Maestricht, les 40 000 hommes de Condé. C'est le 22 mai 1672. L'armée du grand roi s'apprête à piller la nation la plus riche de la terre, la petite Hollande.

Elle domine le monde entier par ses vaisseaux, les lourds navires galbés, qui apportent sur les quais d'Amsterdam les produits les plus rares des Indes, de Chine, d'Afrique, d'Amérique, de tous les continents. Comme l'écrit Fernand Braudel, la France a manqué le grand rendez-vous de l'histoire avec la fortune, depuis la fin des foires de Champagne, depuis Saint Louis. Elle a construit des cathédrales, entrepris des croisades, elle a fait la guerre avec l'Autriche, avec l'Espagne, elle n'a jamais réussi à devenir un pays vraiment riche. Pas une ville, pas un port français pour rivaliser avec les Italiens, et maintenant avec les Hollandais. Jadis Venise était reine du monde, maintenant c'est Amsterdam. Et le roi de France est si furieux de cette supériorité, qu'il a rassemblé sa grande armée pour piller. Il faut vider les coffres de Hollande.

Pour une fois Colbert s'est réjoui d'avoir eu une grande armée. Il a assez gémi pour en payer les régiments. Mais la guerre de Hollande doit être profitable. Il vient de le dire, dans un célèbre mémoire : « Si le roi assujettissait toutes les provinces unies des Pays-Bas, leur commerce devenant le commerce des sujets de Sa Majesté, il n'y aurait rien à désirer davantage. »

Voilà qui est parler net : puisque la France ne peut être aussi riche que la Hollande, elle est plus forte, plus peuplée, plus redoutable. Elle n'a qu'à l'envahir. Et les négociants, les fabricants, les armateurs de Hollande travailleront pour le compte du roi de France.

C'est la première fois que l'on formule avec une telle brutalité la conception d'une guerre mercantile. Jadis les Français allaient piller l'Italie. Mais ils avaient des alibis féodaux. Tel roi revendiquait Naples, tel autre le Milanais, parfois les deux ensemble. Le roi de France n'a aucun droit d'envahir la Hollande. Il veut s'enrichir, voilà tout.

Son armée fait rêver tous les princes de l'Europe. C'est une armée de métier, avec des Anglais, des Ecossais et d'autres étrangers : Savoyards, Italiens, Corses, Suisses... Louvois a demandé des soldats au duc de Savoie : « Le roi, lui dit-il, ne veut pas voir diminuer le nombre de ses sujets nécessaires dans ses provinces pour cultiver la terre. » Il préfère enrôler des étrangers. Tous sont astreints à une terrible discipline. Ils perçoivent une solde de 5 sous par jour pour les fantassins, de 15 pour les cavaliers. Ils touchent un uniforme, bleu dans la maison du roi, rouge pour les Suisses, gris pour les autres corps. Ils sont armés de piques et de mousquets, mais déjà aussi de fusils (une invention allemande), pas encore de baïonnettes. Il y a dans cette armée d'invasion un petit régiment de fusiliers. Les gens de cheval ont des carabines rayées, au lieu de fusils. A côté des mousquetaires, il y a les carabiniers. Mais on compte aussi de nombreux régiments d'infanterie montée, les célèbres dragons, ainsi que des grenadiers. Tous ces cavaliers portent le sabre, et non plus l'épée. L'armée dispose d'une compagnie de canonniers et d'une logistique : des étapes ont été prévues jusqu'à la ligne du Rhin, pour approvisionner les troupes. Des magasins fournissent les unités en marche. Elles n'ont pas de temps à perdre pour trouver leur nourriture chez l'habitant. Louis XIV appelle Louvois son « grand vivrier ». Il a une tendresse toute particulière pour les 3 000 cavaliers de sa « maison », gardes du corps, chevau-légers, mousquetaires. Le roi a voulu tout étudier, tout prévoir. « Nous l'avons vu ces jours passés à son petit coucher, raconte Pellisson, en se jouant, le dos tourné à une grande carte géographique faite exprès, mettre le doigt sur tous les endroits de conséquence qu'on lui pouvait nommer. » Il met le doigt, en rêve, toujours au même endroit : sur le port d'Amsterdam. Les 120 000 soldats de sa force d'invasion n'ont qu'un but : prendre et piller la ville la plus riche du monde.

Et les Français remontent le Rhin, sans perdre de temps à assiéger Maestricht. Ils veulent la Hollande, tout de suite. Quatre villes fortes gênent leur remontée. Le roi ordonne qu'on les assiège en même temps, pour s'arrêter le moins possible. « J'espère qu'on ne m'accusera pas d'avoir trompé l'attente publique », dit Louis XIV. Il soigne l'aspect publicitaire de son expédition. L'armée est sa force, son image de marque. Il n'est pas le roi le plus riche, mais le plus grand, le plus puissant, le plus redoutable. Il faut que le monde entier le sache. Il a demandé à l'académicien Pellisson de l'accompagner, pour que le récit de cette guerre soit lu par tous.

En neuf jours les places sont prises. L'accès de la Hollande est libre, par l'est. Il n'y a qu'à s'avancer. Turenne et Condé se hâtent méthodiquement, selon les désirs du roi. Le 12 juin 1672 l'armée doit franchir le Rhin, au coude d'Arnheim. Si elle réussit cette opération, elle peut ensuite gagner facilement l'Yssel, franchir cette rivière et gagner directement Amsterdam. C'est le chemin le plus court. C'est là qu'il faut aller. L'impatience du roi est à son comble. Quoi, les Hollandais ? Ils sont là, ils ont fortifié la rive de l'Yssel. Ils attendent, avec le prince d'Orange. C'est là qu'ils vont livrer bataille, à n'en pas douter.

« En avant ! dit Louis XIV. Si nous gagnons, Amsterdam est nôtre. »

Franchir le Rhin, avant d'aborder l'Yssel, n'est pas un

problème : les Hollandais ne l'ont pas fortifié. Il faut se hâter de faire cette manœuvre. Il ne faut pas que les Hollandais attaquent l'armée empêtrée sur un pont de bateaux. Avant l'aube, des escadrons de la maison du roi passent le fleuve comme ils peuvent pendant que les pontonniers alignent les barques. Ils s'établissent sur l'autre rive. Une poignée de Hollandais les attend, des cavaliers, un régiment d'infanterie. Condé a passé le fleuve le premier, avec son fils et son neveu Longueville.

« Pas de quartiers ! » hurle Longueville, chargeant sabre au clair. Il est tué par la mousqueterie hollandaise. Condé est à cheval. Des cavaliers hollandais le cernent. Un coup de pistolet lui casse le poignet gauche, mais il s'échappe. Le pont est maintenant terminé. Le roi le franchit dans les premiers. Toute l'armée va suivre : 120 000 hommes en quelques heures. Rien ne peut plus sauver la Hollande. Pas même les 20 000 hommes du prince d'Orange, postés derrière la ligne retranchée de l'Yssel. Il faut abandonner l'Yssel. Les Français sont là. Sauve qui peut !

Oui, c'est vrai, les Hollandais semblent à merci. Amsterdam est en vue. Rien ne peut plus s'imposer à l'irrésistible avance du grand roi. Va-t-il s'emparer des Provinces-Unies sans livrer bataille ? On peut le croire un moment. Déjà Turenne a pris Arnheim. Il emporte l'une après l'autre toutes les places de l'Yssel. Et chaque province, maintenant, demande au prince d'Orange qu'on lui renvoie les troupes qu'elle a payées, pour assurer seule sa propre défense. Ainsi 8 000 hommes rentrent dans Amsterdam. Le prince n'en a plus que 12 000, qu'il concentre au-delà d'Utrecht. Utrecht elle-même a ouvert ses portes, le 20 juin. Amsterdam est à portée de cheval. Les éclaireurs y sont presque. Va-t-on la prendre ?

« Bien sûr ! rugit Condé blessé. Il faut foncer sur la ville. Envoyez quatre régiments de dragons, Amsterdam est à vous. Et Amsterdam une fois tombée, il n'y a plus de Hollande.

— Prenez-la vous-même », dit Turenne.

Mais Condé ne peut plus faire la guerre. Sa plaie au poignet s'est infectée et il a la goutte. Il doit renoncer à la campagne. Alors, le roi ?

Le roi parade. Il se donne en spectacle. L'académicien Pellisson fait la narration de la prise des villes. Les peintres le représentent à cheval, recevant la soumission des édiles. Tout d'un coup, le Roi n'est plus pressé d'entrer à Amsterdam. La mariée est trop belle. Il a tout son temps. Il perd ainsi une précieuse semaine sur les bords du Rhin, tout à ses historiographes.

Dans Amsterdam, c'est la panique. Les bourgeois pensent à prendre le bateau pour s'enfuir aux Indes, en Amérique, n'importe où. Ils redoutent le pillage. 120 000 hommes vont se déchaîner dans la ville. Qui peut arrêter maintenant Louis XIV ?

Et soudain, le 20 juin 1672 à l'aube, la nouvelle se répand dans toute la Hollande : « Ils ont ouvert les écluses », les écluses de Muyuden. L'eau bouillonnante envahit la plaine, submerge les digues, isole Amsterdam dans un lac immense. Le Zuiderzee reprend possession des terres. Il n'y a plus de terres, il y a une ville isolée, mais désormais protégée contre les raids de cavaliers. L'armée du grand roi est immobilisée. Dans toutes les provinces, on reprend courage. Les équipages de la flotte se joignent aux défenseurs des villes. On lève des hommes. Jean de Witt et le prince d'Orange travaillent la main dans la main. Il n'y a plus de querelles, plus de divisions, tous les Hollandais sont soudés contre l'envahisseur.

De Witt déclare : « Nous devons nous servir d'Amsterdam comme du cœur de l'Etat pour porter secours à tous ses membres, afin que, sous la garde de Dieu, nous disputions le pays à l'ennemi jusqu'au dernier homme avec une constance batave. »

Pourtant les Hollandais demandent la paix. Ils proposent à Louis XIV de lui laisser les villes conquises et de lui donner une indemnité. Mais les exigences du grand roi étaient immenses, il se croyait vainqueur.

A trop exiger, on provoque la colère du désespoir. Le sentiment national hollandais devient violent, révolutionnaire. Jean de Witt, jugé trop tiède, est assassiné. Le prince d'Orange règne seul. C'est un soldat, jeune, ardent, calviniste fanatique. Il galvanise la défense, fait crever toutes les digues. Les Français pataugent dans un gigantesque marais. Le roi a pris Nimègue mais il ne peut en sortir, devant la montée des eaux. Et il apprend que les alliés des Hollandais, l'empereur Habsbourg et l'électeur de Brandebourg ont enfin rassemblé leurs troupes. Les Français risquent d'avoir la retraite coupée.

Louis XIV aime la gloire, mais déteste attendre la victoire. Puisqu'elle ne vient pas, il s'en va, plantant là sa belle armée, aux ordres du maréchal de Luxembourg.

Triste hiver pour les soldats de France. Turenne doit marcher au Rhin pour battre les Impériaux. Luxembourg reste en Hollande. Mais décembre arrive, et la glace. Vive l'hiver, qui va permettre enfin de reprendre la marche. Il suffit que les soldats mettent des chiffons autour de leurs chaussures et sous les sabots des chevaux, ainsi, ils ne glisseront pas, dit Luxembourg. Et l'armée regarde de nouveau vers Amsterdam ; bientôt elle s'avance, d'un pas de patineur. Mais le redoux survient, inattendu. La glace crève. Les dragons s'effondrent, disparaissent. Il faut renoncer.

Puis les nouvelles les plus alarmantes surviennent : le prince d'Orange a réarmé des prisonniers que lui avait dédaigneusement renvoyés le grand roi. Il marche sur la Meuse, à toute allure. Il veut couper la retraite de l'armée française. Le 15 décembre, il se présente devant Charleroi. « Je suis dans une inquiétude furieuse », dit à Louvois Louis XIV. Mais Orange renonce ; il a les moyens d'inquiéter, non d'envahir. Le roi passe un Noël tranquille, morose. Les nouvelles de janvier son meilleures : Turenne a désarmé les Prussiens. Dès le printemps, Condé passe en Hollande, le roi assiégeant Maestricht. Condé essaie de trouver sous les eaux un chemin vers Amsterdam. Il n'y en a pas. Par contre les Hollandais ont placé des canons sur tous leurs bateaux, ils tirent sur tous les cavaliers qui s'approchent. Les soldats de Condé manquent de vivres. Ils sont à l'eau et au pain sec. Le roi a pris Maestricht mais désormais, une grande alliance s'est nouée contre les Français : les Impériaux, les Espagnols. Les Français n'ont comme alliés que l'Angleterre et quelques princes allemands. La guerre piétine, s'enlise. Le roi doit donner l'ordre au maréchal de Luxembourg d'évacuer la Hollande, en laissant seulement des garnisons dans les places fortes. L'ordre est exécuté à la fin de 1673. L'armée se retire d'un pays détruit après deux ans d'occupation qui l'ont saigné à blanc.

Cette occupation a été très dure : les soldats ont réquisitionné, logés chez l'habitant. Ils se sont conduits comme des bandits de grand chemin. L'intendant Robert, aux ordres de Louvois, a mis le pays en coupe réglée. Tous ceux qui ne pouvaient plus payer ont été exécutés pour l'exemple. Au moindre incident dans un village de garnison, le village était détruit, la population massacrée. Il y a eu de l'aveu de Luxembourg, « des millions de bestiaux morts ou noyés », une « furieuse quantité de peuple » mort de faim « dans les pauvres plaines ».

Les Hollandais ont des imprimeries, des presses, des journaux. Ils racontent, ils témoignent, ils inondent l'Europe de libelles sur les atrocités françaises. Ils dénoncent le crime de Swammerdam, un village martyrisé sur ordre de Luxembourg : « On grilla, écrit Louvois, tous les Hollandais qui étaient dans le village dont on n'en laissa pas sortir un des maison. » Hooghe dessine les crimes. Le libelle sur Swammerdam est traduit en allemand, répandu dans toute l'Allemagne. Non seulement Louis XIV abandonne la Hollande en vaincu, mais le grand roi, pendant des générations, apparaît en Hollande et en Allemagne comme un tortionnaire et ses officiers comme des voleurs. Le roi a-t-il compris que la guerre ne rapporte jamais ? Et Colbert ? 120 000 hommes décimés, deux ans perdus, une coalition sur les bras, voilà le « rapport » de la guerre de Hollande. Colbert fait ses comptes. Mais le roi, depuis longtemps, a cessé de compter. Il est entraîné dans la tourmente des guerres européennes dont il ne sortira plus. A sa mort, il laisse la France exsangue. Pour avoir trop voulu l'enrichir.

4.
LA MORT DU GRAND ROI

Le roi se meurt. La nouvelle se répand d'abord au château de Versailles, puis dans Paris et dans tout le royaume. Depuis le temps, on s'était accoutumé à penser que le roi ne pouvait pas mourir. Il était si vieux, Louis XIV : soixante-dix-sept ans. A l'époque, c'est considérable. Pourquoi ne vivrait-il pas centenaire ?

Mais il est très mal. Depuis longtemps déjà, on boude la cour de Versailles. Depuis que le roi est avec Maintenon la bigote, celle que la princesse Palatine appelle la vieille Guenipe, la jeunesse a fui, elle préfère s'amuser au Cours-la-Reine. A Versailles tout est si convenable, si convenu... On a certes du respect pour le roi. Mais il n'y a plus même de tendresse : depuis la terrible guerre de succession d'Espagne, il y a trop de misère dans le royaume.

Les grands ministres sont morts depuis longtemps. Louvois a disparu le dernier, en 1691. Jusqu'au dernier moment, Louis travaille, même au lit, il ne veut rien laisser au hasard, il veut, jusqu'au bout, tout voir en personne. « Lui-même, dit La Bruyère, il est son principal ministre. » Dans le privé, il subit la Maintenon. Elle est assommante. Elle a, dit-on, la manie des directions. Elle se plaît fort à Saint-Cyr, où elle éduque les demoiselles. Elle y traîne le roi, qui voit les demoiselles jouer *Esther* ou *Athalie.* Pour elle, il joue parfois le rôle de surveillant à l'entrée. Il est de toutes ses bigoteries, de toutes ses œuvres de charité. La Maintenon n'est elle-même pas heureuse de participer au métier du roi. Elle bâille au Conseil, et boude sa belle chambre de Versailles. « Quand les demoiselles de Saint-Cyr, dit-elle, auront passé par le mariage, elles verront qu'il n'y a pas de quoi rire. Il faut les accoutumer à en parler très sérieusement, et même tristement. »

La Maintenon est triste, et la cour se ressent de sa morosité. Elle sait que dans le royaume on l'appelle la « vieille guenon », on la chansonne, on la brocarde. Depuis longtemps, elle n'ose plus sortir. Elle ne se trouve bien qu'en religion, où, même sur le tard, le roi a du mal à la rejoindre.

Le roi n'a pas plus de satisfactions dans sa famille. Depuis le début du nouveau siècle, les malheurs s'accumulent autour de lui. Il n'a bientôt plus d'héritiers. Monseigneur le dauphin meurt prématurément parce qu'il a trop bu et trop mangé, en 1701. C'est un énorme repas qui l'emporte, d'une attaque d'apoplexie. Le duc de Bourgogne, son fils, mourra à Meudon dix ans plus tard, de la petite vérole. Entre-temps son frère, Louis, duc de Bretagne, est mort aussi. Le deuxième fils de Bourgogne, qui s'appelle aussi Louis, succombe à son tour de la rougeole en 1712. Le seul héritier du grand roi est le petit Louis, son arrière-petit-fils âgé de cinq ans. Y a-t-il une malédiction sur les Bourbon ?

Si le roi est triste, le royaume est dans la plus grande misère. En 1709 il a connu la peste, la famine, le froid extrême pendant l'hiver. Cette année-là, « les gens du peuple meurent de froid comme les mouches ». Dans Paris, les chansons, les pamphlets, les libelles injurieux courent contre le roi. « Notre père, qui êtes à Versailles, peut-on lire, votre nom n'est plus glorifié, votre royaume n'est plus si grand, votre volonté n'est plus faite sur la terre, ni sur l'onde. Donnez-nous notre pain qui nous manque de tous côtés. Pardonnez à nos ennemis qui nous ont battus, et non à nos généraux qui les ont laissés faire. Ne succombez pas à toutes les tentations de la Maintenon ! »

Quand le roi se rend dans Paris, ce qui est rare, les boutiques se ferment, et l'on dirait que la capitale reçoit un souverain étranger. Le roi n'est plus populaire. Les journaux, que l'on appelle toujours les gazettes, n'hésitent pas à le brocarder. En

1709 le roi a conçu des inquiétudes sur la situation dans la capitale. On pille les boulangers, on attaque les riches. Il faut faire tirer la troupe. Les femmes de la Halle veulent aller à Versailles ; il faut les arrêter à Sèvres. Même à Versailles, le peuple crie dans les rues. Le roi a mis ses meubles en gage, il a fondu sa belle vaisselle d'or, il a renvoyé des domestiques. Il vit comme un bourgeois qui a peur de la banqueroute. Ou donc est le Roi-Soleil ? « Dieu me punit, je l'ai bien mérité, dit-il à Villars. J'en souffrirai moins dans l'autre monde. »

Depuis la mort du duc de Bourgogne, Versailles est une nécropole. Depuis des années, on attend l'événement. Et le roi se prolonge, interminablement. Non pas du fait des médecins, qui sont d'une ignorance prodigieuse, mais de son exceptionnelle constitution. Depuis 1714 il a fait son testament. Le régent sera le duc d'Orléans. Toutes les affaires sont réglées. Il sait qu'il va bientôt partir. Sa santé chancelle. Ses forces l'abandonnent.

Depuis 1686 il est moins fort, moins vif. Il a subi, cette année-là, l'opération de la fistule. Depuis lors, il vit comme avant, buvant fort et mangeant beaucoup. Les médecins le saignent d'abondance, et lui donnent des purgatifs. Personne ne veut convenir de la diminution de ses forces, et pourtant, à partir de 1714, le roi décline rapidement. Mais comment le reconnaître ? Qui va lui succéder ? Le royaume est mal en point, et Orléans, le régent désigné, est bien léger. A la Pentecôte de 1715, le chirurgien Maréchal avertit Mme de Maintenon. Peu s'en faut qu'il ne soit renvoyé. On dit au roi qu'en Angleterre, on fait des paris sur sa santé. On tient qu'il ne passera pas septembre.

Le roi se redresse comme il peut. On le voit encore durant l'été passer en revue son régiment dans un grand concours de dames brillamment habillées. Mais en août, une sortie à Marly lui est fatale. On le voit en public amaigri, pâle, aux articles de la mort. Il se plaint de ses jambes, de ses cuisses ; il ne peut plus marcher. Les médecins disent : « C'est la goutte », ou peut-être la sciatique. Il vivra centenaire. Personne n'ose afficher le pessimisme. Mais on a observé, sur ses cuisses, de larges taches noires ; c'est la gangrène, le roi n'en a plus pour longtemps.

Le sait-il ? Le 24 août, il envoie chercher son confesseur, le père Le Tellier. La veille de la fête de Saint-Louis, les médecins lui déconseillent de paraître en public. Il est maigre à faire peur. « Il semblait, dit Dangeau, à voir son corps nu, à son coucher, qu'on en avait fait fondre les chairs. »

Les médecins de la cour sont nombreux à son chevet. Les plus importants sont Maréchal et Fagon. Depuis quelques jours, Maréchal a diagnostiqué une petite fièvre. « Il n'y a que les ennemis personnels de Fagon, lui a dit Mme de Maintenon, qui trouvent à redire à la santé du roi. »

Ce n'est un mystère pour personne, Fagon et Maréchal sont en rivalité. Maréchal ne dit plus rien. Et pourtant... Le 10 août, le roi s'est réveillé la nuit. A-t-il fait des cauchemars ? Il s'est plaint à Fagon. Et Fagon ne lui a pas fait de saignée. Il sait que le roi n'aime pas la saignée. Il lui a fait prendre de la poudre d'ambre jaune. C'est la pharmacie de l'époque. Le lendemain le roi a encore mal dormi, et mangé de mauvais appétit. Fagon lui a fait donner un purgatif. Mais le roi a des douleurs, il demande sans cesse à boire. Maréchal intervient. Il le fait frictionner, sur les jambes, avec des linges chauds ! Le roi est satisfait. Les douleurs diminuent.

Elles reprennent, le 13 au soir, en se rendant chez Mme de Maintenon, il ne peut plus se tenir sur ses jambes. On appelle Fagon et quatre médecins. De vrais médecins de Molière ! Tout ce qu'ils recommandent au malade est de boire du lait d'ânesse. Cette nuit-là, Fagon couche dans la chambre du roi.

Cependant le mal s'aggrave. Dix médecins nouveaux sont convoqués. Ils viennent en toute hâte de la faculté de médecine de Paris. Le 19 la jambe du roi enfle. Maréchal constate l'apparition de la gangrène. On recommande de nouveau le lait d'ânesse.

Le 24 la jambe est noire jusqu'au pied. Les chirurgiens, cette fois, sont mandés. Ils accourent. Faut-il amputer ? A quoi bon, dit Maréchal. Les chairs au niveau de la cheville sont déjà mortes. La médecine légale, officielle, baisse les bras. On fait venir un charlatan, un Marseillais de haute réputation, dont on vante l'élixir de vie. Rien n'y fait. Le mal empire. Le 28, la gangrène a dépassé le genou, atteint la cuisse. Le 31, les médecins doivent se retirer. Ils n'ont plus rien à faire dans la chambre du roi. Seul le cerveau, disent-ils, est dans son état naturel.

Le roi est resté vraiment lucide. Il s'est senti mourir. Aussi a-t-il voulu faire, jusqu'au dernier moment, son métier de roi.

Depuis le 11 août, il n'a pas mis les pieds dehors. Ce jour-là, qui était un dimanche, il s'est encore rendu à Trianon. Avec sa jambe malade. Le 12, il s'est encore couché à minuit, comme le voulait le cérémonial. Le 13, il a dû se faire porter en fauteuil dans la chapelle pour y entendre la messe. Il a même trouvé le courage de recevoir debout l'ambassadeur de Perse. Après la cérémonie, il a encore reçu les ministres pour le conseil des finances... Il a dîné, vu le chancelier après le dîner, s'est fait porter chez Mme de Maintenon pour y entendre la « petite musique » du soir des violons du roi, comme à l'accoutumée.

A partir du 20 août, on ne le voit plus chez la Maintenon. C'est elle qui vient chez lui. Mauvais signe, disent les courtisans... Le duc d'Orléans est impatient de savoir. On lui dit que le roi s'affaiblit rapidement. Le roi s'efforce de démentir les bruits pessimistes. Le 22, alors que la gangrène est déjà déclarée, il choisit un nouvel habit, très gai, en compagnie du duc de La Rochefoucauld, grand maître de la garde-robes. Ce jour-là, l'heure du coucher est avancée à 22 heures. Mais le cérémonial en est inchangé. Le 23, alors que toute sa jambe est déjà noire, il termine sa journée avec les princesses. Il soupe en public encore le 24. Il a revêtu, il est vrai, sa robe de chambre. Ce jour-là, il a trop mal. D'un signe, il doit renvoyer les courtisans. Ce jour-là, la cour attend sa mort. Inexorablement.

Et pourtant, le lendemain 25, quand les chirurgiens se demandent s'il faut l'amputer, il se traîne encore au dîner en public, en marchant comme il peut sur sa seule jambe valide.

Le 25 est le jour de la Saint-Louis, sa fête et celle du royaume. Il veut être debout. Quoi qu'il en coûte.

Il est là, devant le balcon de sa chambre, dans la cour de marbre, à Versailles. Il a demandé que l'on fasse avancer les fifres et les tambours. C'est la coutume. Les soldats de son régiment lui donnent traditionnellement une aubade ce jour-là. Il a dit qu'on les place au plus près du balcon, pour qu'il puisse les entendre du fond de son lit. Au dîner, les vingt-quatre violons ne sont pas décommandés. Ils jouent pour le roi.

Vient le soir. Il doit souper, et entendre la petite musique dans le salon de l'œil-de-bœuf. Il ne peut pas. Il est mourant. C'est l'heure des prêtres.

Il reçoit l'extrême onction. Il répète, plusieurs fois : « Mon père, ayez pitié de moi. » Il prend alors ses dernières dispositions, du fond de son lit, les plus hauts personnages de la cour défilent.

C'est d'abord le comte de Pontchartrain :

« Vous ferez porter mon cœur, lui dit-il, à la maison professe des jésuites. »

Il suit en cela l'exemple d'Henri IV. Le comte pleure en quittant la chambre.

Puis il pense au dauphin. Il dit qu'on lui apporte les plans du château de Vincennes. Il veut que le dauphin y réside désormais, car l'air y est plus sain qu'à Versailles. Mais il désire y faire certaines modifications.

Ce sont ensuite les princes, qui font leur entrée dans la chambre royale ; le duc d'Orléans, le duc du Maine, à qui il confie l'éducation du futur roi, Madame, la duchesse de Berri, les autres princesses. Il leur recommande de s'entendre bien.

Puis il dit adieu à Mme de Maintenon. Par trois fois. Il s'inquiète pour son avenir. Il est ému. « Je ne suis qu'un rien, lui dit-elle, ne vous occupez de rien. » Elle quitte Versailles, pour n'être pas là au dernier moment, pour ne pas subir les regards de la cour.

« Je vais à Saint-Cyr, c'est là ma retraite et mon tombeau. »

Entrent alors les officiers de la cour, les courtisans, grands et petits. Ils sont là, rassemblés au fond de la chambre. Le roi fait tirer les rideaux tout grands pour que tous puissent le voir, et qu'il puisse les voir tous.

« Je m'en vais, mais l'Etat demeurera toujours. »

Beaucoup de ces hommes de cour, qui ont cependant le cœur endurci, ne peuvent cacher leur émotion.

« J'espère, leur dit le roi, que vous vous souviendrez quelquefois de moi. »

Enfin le dauphin, qui a cinq ans, est porté au chevet de son lit. Le grand roi le voit très clairement. Il a, jusqu'au bout, toute sa connaissance. Il le regarde longuement et lui dit :

« J'ai trop aimé la guerre. Ne m'imitez pas en cela, non plus que dans les grandes dépenses que j'ai faites. Pensez à soulager les peuples. »

Il trouve la force de prendre dans ses bras l'enfant et de le bénir, en levant les yeux vers le ciel.

Le 30 août, le roi perd connaissance. Il se réveille un instant le lendemain, vers dix heures du soir. A cette heure, toute la cour, vêtue de noir, récite les prières des agonisants.

A la surprise de tous, le roi reprend conscience. Il récite l'*Ave Maria* et le *Credo*. Tout le monde dans la chambre entend sa voix. Puis il s'endort.

Il meurt seulement le lendemain, 1er septembre, à huit heures du matin. Comme une chandelle qui s'éteint.

Le corps du roi est exposé le premier jour dans sa chambre, visage découvert. Puis il est transporté dans le grand appartement et placé dans un cercueil. Là, pendant huit jours selon l'antique coutume, on dit des messes et des vêpres pour le repos de son âme. Le 9 septembre, dans l'après-midi, le grand roi quitte Versailles pour Vincennes, dernière étape avant la dernière sépulture, celle des rois ses pères, celle de Saint-Denis.

Il est le seul roi qui soit mort à Versailles dans la grandeur et la dignité. Le cortège funèbre de son successeur sera hué, Louis XVI quittera le château prisonnier. Malgré les quelques ennemis féroces que le roi a pu avoir sur la fin de sa vie, tous se sont accordés à reconnaître qu'il est mort comme il avait vécu : dans la grandeur.

5.

LE CHAPEAU DE L'ABBÉ DUBOIS

Sous la Régence, la mode est aux bals costumés. La haute société qui entoure le duc d'Orléans, le joyeux héritier du grand roi, ne pense qu'à s'amuser : banquets et bals se succèdent. On donne même des bals à l'Opéra. Des bals publics dont l'entrée coûte cher (6 livres) et où il faut entrer masqué, si l'on est du beau monde. Le Régent y va souvent, car l'Opéra est alors tout près du Palais-Royal. Il s'y rend, bien sûr, masqué et déguisé. L'abbé Dubois l'accompagne, masqué lui aussi ; et pour mieux assurer l'incognito du Régent, il lui donne de grands coups de pied, comme s'il traitait ainsi un laquais.

« L'abbé, lui dit le Régent, tu me déguises trop ! »

Qui est donc l'abbé Dubois ? C'est l'homme le plus sérieux, le plus travailleur, le moins débauché de toute la société de la Régence. Il ne mange pas, ne boit pas. Il regarde les marquis mourir d'apoplexie, et les marquises se décolleter jusqu'à l'indécence. Il est le témoin des débauches de la cour. Il est au besoin le complice, jamais l'acteur.

Du grand monde, il connaît les caprices. Il sait qu'une princesse des Asturies, la Montpensier, aime le scandale et la fête, tout comme la fiancée de Don Carlos, Mlle de Beaujolais. Il sait que la duchesse de Berri est folle, qu'on l'appelle dans les soupers fins la « princesse Joufflotte ». Il sait que Mme de Parabère aime trop le vin de Champagne, que la Sabran n'a ni morale ni religion, que la Brancas est appelée dans les soupers

« la caillette gaie » et la Sabran « l'aloyau ». La société aime à s'amuser. Quoi de plus naturel ? Pendant que des laquais taillés en hercules, les « mirebalais, » gardent la porte du Palais-Royal, le Régent tient la queue de la poêle à la cuisine, la Parabère fait des omelettes et la Sabran s'essaie dans les recettes espagnoles.

On ne peut pas dire que l'abbé Dubois raffole de ces dînettes. Les gens du monde l'assomment. Ils sont tristes et inconstants. Il connaît aussi bien leurs défauts que leurs vices. Les « roués », ces familiers du Régent, ont après tout, les femmes qu'ils méritent. Les Canillac, les Noailles, les de Broglie, les La Fare sont des impies et des esprits forts. La belle affaire ! Qu'ils fassent la noce. L'abbé Dubois a, lui, d'autres intentions. Il veut faire fortune.

Plus la Régence s'amuse, plus il est heureux. La belle noblesse s'épuise dans le vice plus sûrement qu'à la guerre. Elle laisse le terrain libre. Les Dubois en profitent.

L'abbé est habile et travailleur. Il s'est élevé à force de latin, de grec, de belles lettres et de bel esprit. Ce fils d'un médecin de Brive-la-Gaillarde a fait à Paris, de solides études au collège Saint-Michel. Il a fait son entrée dans le monde comme précepteur du duc de Chartres. Il fut pour quelque chose dans le mariage voulu par Louis XIV entre son élève, le duc de Chartres, et la fille naturelle du roi, Mlle de Blois. Sa fortune précoce lui vaut des ennemis. Il n'en a cure. Il n'est pas beau, il n'a pas de prestance, il bégaye, il porte une vilaine perruque blonde, il a des yeux méchants, mais vifs. Il n'arrête pas de travailler. Il n'arrête pas de réussir. Il dispose bientôt d'un revenu que bien des grands seigneurs lui envient : 630 000 livres ! C'est qu'il rend beaucoup de services, à la cour où il s'est infiltré. Ses ennemis ? Il les connaît, et les méprise : « On me reproche, dit-il, de n'être pas fils d'un duc et pair. C'est ce qu'ils appellent être né dans la boue. »

Dubois est sans scrupules, mais non sans efficacité. Il a fait fortune. Il veut maintenant les dignités les plus hautes : et quelle plus belle dignité que le chapeau de cardinal, pour un abbé qui n'est même pas ordonné prêtre ?

Rien n'est impossible, sous la Régence, quand on approche Philippe d'Orléans. Moins encore quand on fait son travail, et qu'on est régent à sa place. L'abbé Dubois conclut la Triple Alliance entre la France, la Hollande et l'Angleterre, contre le roi d'Espagne Philippe V. Il s'occupe de toute la politique extérieure du Régent. Il est vendu aux Anglais, disent ses ennemis ! Vendu, Dubois ? C'est lui qui achète au contraire. C'est lui qui séduit le Premier ministre anglais Stanhope, et probablement lui a-t-il proposé de l'argent. A l'époque, cela aidait beaucoup aux négociations. Il était, en tout cas, du dernier bien avec Stanhope puisqu'il négociait avec lui, dit-on, « en robe de chambre et bonnet de nuit ».

A Londres, il a la vedette. Il fait venir pour les dames de la société des robes de Paris, il court les bals, il est de toutes les grandes chasses, de tous les banquets. Si peu qu'il y boive, il y prend la goutte, et doit s'abreuver de lait. Quelle réussite ! Le Régent ne peut faire moins que de nommer l'abbé secrétaire d'Etat des Affaires étrangères, très officiellement, en 1718. Ce diable de Dubois ne vient-il pas de rallier l'empereur Habsbourg à la Triple Alliance, isolant ainsi Philippe V d'Espagne ? Décidément c'est l'homme le plus habile de la terre. Il déjoue le complot de la duchesse du Maine, petite-fille du grand Condé, qui voyait en Philippe V l'héritier de Louis XIV. La duchesse et le duc sont arrêtés et Dubois s'arrange pour les ridiculiser. Il fait aussi arrêter et exécuter la noblesse bretonne qui, derrière M. de Pontallec, a pris le parti de l'Espagne, dont le roi est arrière-petit-fils de Louis XIV, contre la France du Régent. Puis, quand l'Espagne est isolée, agressée par la flotte anglaise et par une armée française, c'est encore Dubois qui recommande de caresser Philippe V, de le réconcilier avec les Anglais. C'est lui qui fait marier le jeune Louis XV âgé de onze ans avec l'infante d'Espagne qui en a trois... c'est décidément un homme précieux. Ambitieux aussi. Il trouve que le Régent ne s'occupe pas beaucoup de sa fortune personnelle. Ce sont ses amis anglais, Stanhope notamment, qui interviennent pour qu'il ait le chapeau de cardinal. Un comble : c'est le roi d'Angleterre George II qui écrit au Régent, lui demandant d'intervenir à Rome pour faire de son secrétaire d'Etat un cardinal. Et le Régent obéit. Il écrit à Rome.

Un siège est vacant, à Cambrai. Celui de l'archevêque.

« Nommez Dubois sans plus attendre, écrit au Régent le roi d'Angleterre. Vous ne savez faire un cardinal, mais vous pouvez faire un archevêque. »

C'est vrai, il est dans les pouvoirs du roi de France de nommer, dans son royaume, évêques et archevêques. Va donc pour Dubois. Le voilà nommé archevêque de Cambrai. Mais il n'est qu'abbé. Il ne peut être fait évêque. On accélère la procédure. Dubois devient en un clin d'œil sous-diacre, diacre, prêtre. Il n'a jamais dit la messe. Un de ses neveux, qui est chanoine à Saint-Honoré, le lui apprend. Il est superbement sacré, en 1720, dans l'église du Val-de-Grâce, à Paris. C'est le cardinal de Rohan qui le consacre. Toute la cour est là, présente. Massillon, évêque de Clermont, assiste et cautionne. Les plus grands seigneurs ne sont-ils pas de la cérémonie ?

Voilà Dubois archevêque. On lui donne du monseigneur, on le salue bien bas. Mais il rêve toujours du chapeau que lui refuse toujours le pape.

Le pape connaît fort bien le personnage. Il connaît son cynisme, son effronterie. Mais il connaît aussi son pouvoir. S'il lui donne le chapeau, il veut le monnayer, par d'importantes concessions. Le pape ne veut rien donner sans recevoir. Il fait de la promotion de Dubois un élément de la politique européenne et de la politique de l'Eglise.

Car le pape veut briser, en France, l'opposition du haut clergé gallican, de ces évêques orgueilleux qui lui tiennent tête, de ces grands seigneurs encanaillés qui ne veulent rien entendre de la supériorité de l'évêque de Rome.

Tout le monde, décidément, a besoin de Dubois. Le Régent, le roi d'Angleterre, le roi d'Espagne et maintenant le pape. Quelle étonnante fortune, pour le fils du médecin de Brive-la-

Gaillarde !... et comme toujours, Dubois joue au plus fin. Il croit pouvoir réconcilier les jésuites et leurs adversaires, les grands de l'Eglise française et les amis du pape. Il endort, il berce, il caresse. « Dans un esprit de concorde et de charité », les plus grands noms du clergé de France semblent un moment réconciliés puisqu'ils signent en commun un texte où tous disent reconnaître l'autorité du pape. Pour que cette déclaration soit acceptée par le Parlement, officialisée en quelque sorte, Dubois pousse le Régent en première ligne. Il faut bien soumettre ces parlementaires, qui depuis plus de cent ans font la guerre au pape et aux jésuites. Et le Régent, une fois de plus, fait le jeu de Dubois. Il se rend au grand conseil du Parlement de Paris, en grand équipage, accompagné des princes du sang, des ducs et pairs, des maréchaux de France. Le Parlement essaie de tergiverser, mais finit par enregistrer.

Est-ce assez pour complaire au pape ? Dubois vient de lui apporter, sur un plateau, la soumission de l'Eglise de France réconciliée. Rome fait toujours la sourde oreille, mais Dubois poursuit avec zèle sa politique. Il fait condamner les évêques rebelles, il intimide les parlementaires, il se multiplie dans la bataille, il est partout en même temps. Quel zèle pour la sainte cause ! On disait de Dubois qu'il était plus anglais que français. On peut dire maintenant qu'il est plus romain que français. C'est vrai, le pape de Rome n'a pas plus fidèle agent dans le royaume de France que le nouvel archevêque de Cambrai.

Et tant de grâces ne suffisent encore pas. Le pape refuse toujours le chapeau. Pour quoi céderait-il si vite ? En attendant, il peut gagner encore.

« Tant que Clément XI reste sur le trône de saint Pierre, vous n'obtiendrez rien, disent à Dubois ses conseillers romains. Mais Clément XI meurt, en 1721. Dubois croit que son heure est venue. Il fait campagne, à Rome, par cardinaux interposés. Il s'emploie à faire élire quelqu'un qui lui manifeste de la reconnaissance. Les cardinaux Gualterio et Albani lui sont tout dévoués. Il en use. Le cardinal de Rohan a besoin d'argent. Il lui fait donner 30 000 écus. Trois cardinaux français sont au conclave. Dubois les tient en main, il les caresse, il les manipule. Il apprend que le « papabile » le plus probable est le cardinal Conti.

« Voyez donc Conti », dit-il à son agent à Rome, l'abbé de Tencin.

Et Tencin s'y emploie. Il rencontre Conti. Il lui dit que pas une voix française ne lui manquera. Mais il y a une condition.

« Je la connais, répond Conti. Je la connais trop bien. Vous parlez du chapeau ? »

Tencin lève les yeux au ciel.

« C'est bon, si je suis élu, vous l'aurez, dit le " papabile ".

— Hélas ! Excellence, hélas ! mon maître veut une promesse écrite. »

Le « papabile » se met en colère. Mais le conclave va se réunir. Il doit être sûr des voix françaises. Alors il signe. Une promesse en bonne et due forme. S'il est élu pape, l'archevêque de Cambrai sera fait cardinal.

Tencin revient à Paris, satisfait. On a libéré les cardinaux du conclave. Ils ont élu un pape. Et ce nouveau pape, Innocent XIII, c'est le cardinal Conti, le candidat de Dubois.

« Nous avons gagné, dit Tencin.

— Voire. » Dubois est perplexe. Le moyen d'obliger le pape à tenir la promesse du cardinal. Le pape n'est pas pressé, il fait attendre.

« Il n'y a pas de coiffure qui me paraisse aujourd'hui plus extravagante qu'un chapeau de cardinal », raille Dubois qui refuse de se prêter à un nouveau marchandage. Il a fait élire le pape. Il estime avoir payé d'avance.

Pas assez : Tencin lui rapporte que le pape a une « famille pauvre, glorieuse et affamée ». Il a besoin d'aide. Dubois envoie 100 000 livres. Il attend encore. Non, décidément le nouveau pape n'est pas plus pressé que l'ancien de voir un Dubois élevé à la pourpre. Mais est-ce sa faute si les affaires du royaume de France, de la fille aînée de l'Eglise, sont précisément entre les mains d'un Dubois ?

De guerre lasse, le 25 juin 1721, le pape cède. Et l'abbé Dubois obtient enfin le chapeau de cardinal. On chante dans Paris :

« Que chacun se réjouisse,
Admirons sa sainteté,
Qui transforme en écrevisse
Ce vilain crapaud crotté. »

Le crapaud crotté est-il satisfait ? Il porte maintenant la pourpre, comme Mazarin, comme Richelieu. Nul ne peut plus lui dire qu'il est né dans le ruisseau. On lui doit le respect, pas à cause de son adresse, à cause de son rang. Il demande tout : il entre au conseil de Régence, il est nommé Premier ministre. Il entre à l'Académie française, il préside l'assemblée générale du clergé de France. Rien ne lui est refusé. Le nouveau roi, devenu majeur, le prend dans son Conseil, aux côtés des ducs d'Orléans, de Chartres et de Bourbon. Il meurt en pleine gloire. Le 10 août 1723 d'un abcès à la vessie. Il a soixante-six ans. Le Régent meurt d'apoplexie peu de temps après, en décembre. En 1721 un magistrat bordelais, Montesquieu, publiait ses *Lettres persanes :* c'était l'étonnement de deux Persans en voyage, Usbeck et Rica, devant les mœurs de la cour de France et des usages du royaume.

6.

LYON EN GRÈVE SOUS LOUIS XV

Juillet 1744 à Lyon. La ville est en ébullition.

« Ils ont publié le règlement ! Aux armes, aux armes ! »

C'est plus qu'une grève, c'est, tout de suite, une émeute.

Le règlement ? Quiconque veut fabriquer à son compte doit payer 200 livres au roi. Quiconque veut faire fabriquer doit payer 800 livres. C'est une sorte de patente, comme on dirait aujourd'hui, mais très élevée. Ainsi se trouvent protégés ceux qui déjà fabriquent et vendent. Que les autres aillent voir en Piémont ! Pourquoi cette indignation ? Parce que les maîtres ouvriers, pour s'installer, doivent avoir la maîtrise, et donc payer. Pour payer, ils empruntent. A qui ? Aux maîtres marchands. Et toute leur vie, ils en dépendent.

Ce sont les maîtres marchands, évidemment, qui ont obtenu ce règlement de 1744. Il leur est entièrement favorable. Et c'est pourquoi Lyon est en grève. Tous ceux qui travaillent dans le textile veulent mettre fin à la tyrannie des maîtres marchands, qui exploitent durement maîtres et ouvriers. Les ouvriers, parce qu'ils ne touchent rien, les maîtres fabricants, parce qu'ils n'ont pas de bénéfice. Le travail de toute une industrie ne profite qu'aux maîtres marchands. C'est injuste !

Les compagnons ouvriers de la soie se mettent en état d'insurrection. Ils s'attroupent. Autour d'eux se groupe tout ce qui traîne dans la ville, tout ce qui attend dans la rue, le « petit peuple », la « canaille », la « populace » des sans-emplois, des

« crocheteurs, domestiques, polissons et autres gens de cette espèce », comme disent les bourgeois. Tous ceux qui sont disponibles se joignent immédiatement à la troupe des chômeurs. Ils crient plus fort qu'eux, ils sont les plus violents. Des crocheteurs ? Sur les quais de Lyon, il y a, au XVIIIe siècle, bien d'autres catégories de manœuvres, eux aussi disponibles pour la révolte, tous ceux qui transportent et déchargent les marchandises par exemple, les ballots de soie ou de coton, les voituriers, les affaneurs. Ceux-là sont aussi dans la rue, avec les mendiants, avec les vagabonds qui espèrent toujours que les troubles vont dégénérer en pillage. Il y a aussi les ouvriers temporaires, les ruraux qui s'entassent dans les soupentes de la ville, une masse énorme de journaliers analphabètes, qui n'ont pas de cadeaux à faire aux archers du gué ni aux officiers de police. Gare à la grève !

La grève du textile à Lyon, cela fait du bruit. Les travailleurs de la manufacture des étoffes de soie sont au moins 34 000. Il faut ajouter plus de 6 000 personnes travaillant pour les bas de soie dans une autre manufacture. Plus de 1 000 fabriquent des passementeries et des galons de soie, d'or et d'argent. Enfin près de 5 000 Lyonnais travaillent dans une manufacture de chapellerie. Cela fait une population ouvrière de près de 50 000 personnes, dont beaucoup, il est vrai, sont des femmes et des enfants. Les ouvriers de la soie ont de grandes familles. On connaît même, à cette époque, une famille de vingt enfants. Il faut les nourrir.

Ils s'entassent dans des maisons sales, étroites, dans des pièces minuscules à raison de 35 à 40 par maison. Il y a dans Lyon 4 000 maisons pour 150 000 habitants, dont un tiers travaille dans le textile, dans la soie. C'est une énorme population que celle de la grève de 1744.

Elle a été soigneusement préparée par les responsables de la profession. Ils connaissent leur adversaire, le contrôleur général Orry. Ils savent que cet ancien militaire est un homme inflexible, tout dévoué aux riches, intraitable avec les pauvres.

Il a été intendant à Perpignan, à Soissons, à Lille. Il est grand, fort, jeune encore, il n'a que trente-huit ans, et aime l'Etat, il a toute la confiance de son maître le Premier ministre du roi, le vieux cardinal de Fleury. Il se montre très dur avec les paysans qui veulent échapper à la corvée des routes. Il est pour le renforcement de ces corvées. Il est, en matière industrielle, colbertiste jusqu'au ridicule. Il ne veut pas que la France achète à l'étranger ; elle doit fabriquer tout ce qu'elle vend. Les marchandises anglaises ou hollandaises sont prohibées. Orry multiplie les inspecteurs de manufacture, qui s'assurent de la qualité du travail dans les ateliers. Ces inspecteurs doivent empêcher les ouvriers d'émigrer, acte totalement interdit, et de quitter leur travail. Ils doivent donner leur accord pour les augmentations de salaires et empêcher les ouvriers de changer de fabrique ou de métier. Ils sont même amenés à fixer la durée de la journée du travail. Orry devient ainsi, pour les Lyonnais, le « superpatron » des patrons. C'est avec lui qu'il faut se mesurer. C'est contre lui que l'on fait grève.

« A bas le contrôleur ! » crie-t-on dans les rues de Lyon.

Les maîtres marchands, dans Lyon, soutiennent évidemment Orry, qui les soutient de son tarif et de son administration. Ces maîtres marchands, les véritables profiteurs de l'industrie de la soie, sont environ 300 sur la place, grands et petits. Les maîtres fabricants, qui travaillent à domicile ou dans des ateliers parfois minuscules, sur des métiers qui sont leur propriété, sont environ 4 000. Un maître marchand peut faire travailler jusqu'à 100 « maîtres ouvriers ». Naturellement ces « maîtres ouvriers » sont, avec leurs compagnons, les véritables organisateurs de la grève de 1744.

Les réunions préparatoires à la grève se multiplient en réalité depuis le mois de juin. Les maîtres ouvriers et les compagnons se réunissent clandestinement dans les auberges et les cabarets des faubourgs. Ils sont prêts au début du mois d'août. Ils font savoir dans la profession que tous ceux qui refuseront de quitter leur métier seront mis à l'amende de 12 livres.

« Quant à ceux qui continueraient à travailler sur les métiers abandonnés, pour fait de grèves par leurs camarades, ils paieront double amende, 24 livres. »

Le 3 août au matin, une centaine de maîtres ouvriers et de compagnons se rassemblent dans le quartier de la Quarantaine.

« Il faut faire la grève générale, crient les meneurs. Il faut aller dans les fabriques avertir tous les maîtres et tous les compagnons. Tout travail doit s'arrêter dans Lyon. A bas Orry ! A bas le tarif ! »

Et les hommes se dispersent, allant porter dans les fabriques le message des maîtres ouvriers en grève.

Les responsables, aussitôt, constituent une sorte de comité qui se préoccupe d'obtenir les services de gens de loi, avocats et procureurs. Avec leur aide ils rédigent un document, un cahier de doléances à l'usage du corps municipal. Ils dénoncent les méfaits du tarif de 1744. Ils demandent que l'on retourne au régime antérieur, où chacun pouvait s'établir sans payer de droits.

Le corps municipal ne réagit pas. Il s'inquiète, sans prendre les mesures nécessaires ni pour l'apaisement, ni pour le maintien de l'ordre. Il laisse les grévistes développer leur mouvement. Le 5 août ils sont déjà très nombreux à manifester dans la rue. Plus de mille parcourent la ville pour faire fermer les ateliers.

Les consuls du corps municipal sont débordés. Ils hésitent à intervenir dans une querelle qui n'est pas la leur. Après tout, que les marchands de soie, que le roi et son contrôleur des finances se débrouillent ! les consuls lyonnais s'en lavent les mains. Tout ce qui leur importe, c'est le maintien de l'ordre.

Ils envoient au pont de la Guillotière, endroit stratégique central, une compagnie du guet et la compagnie des arquebusiers, soldats d'un autre âge ployant sous le poids de leurs armes.

Les femmes, les enfants, qui attendent le retour des ouvriers partis en cortège faire le tour des fabriques, entourent les soldats, bientôt une troupe nombreuse est là, sur le pont. Les boutiques sont fermées, rideaux tirés. Les dévideuses, qui n'ont pas de travail, se mettent à insulter les soldats du guet. Ils ne sont pas nombreux, 70 tout au plus. Bientôt ils reçoivent des pierres. La foule est en colère, elle va les étouffer. Ils se replient comme ils peuvent. Le prévôt des marchands est incapable de leur envoyer des renforts. Il n'y a pas de soldats dans la ville de Lyon. On avait arrêté quelques meneurs. Le prévôt les fait relâcher. Les émeutiers sont maintenant les maîtres de la rue, les maîtres de la ville. Ils font aussitôt révoquer le tarif de 1744.

Mais que vaut cette révocation ? Le prévôt des marchands se retourne vers l'intendant du roi dans la ville, un certain Pallu. « Que voulez-vous que j'y fasse, répond Pallu. Je n'ai pas pouvoir pour changer le tarif. Cela dépend d'Ourry. »

Et Pallu se jette aux genoux d'Ourry. Il lui décrit la situation dans Lyon, il montre la ville en proie à l'émeute.

« Ils sont actuellement les maîtres, dit-il des ouvriers, ils nous donnent la loi et nous ne sommes pas en état de ne pas la subir. La condescendance que leur grand nombre et notre peu de force nous a contraint d'avoir pour eux, le premier jour, les a portés à un tel degré de hardiesse qu'il n'y a rien qu'ils ne se croient permis, en quoi ils ne se trompent pas quant à présent. L'autorité qui nous est confiée nous devient inutile, parce que nous ne sommes pas en état de faire exécuter les ordres du roi. La justice est dans le même cas... Le procureur du roi a bien donné son réquisitoire mais c'est un secret et ni lui ni le lieutenant criminel n'osent informer ni décréter dans les circonstances présentes. »

Pourtant, comme le montre très bien Garden, qui a raconté minutieusement dans sa thèse les détails de la grève, l'ordre règne dans Lyon, l'ordre garanti par les grévistes. L'intendant Pallu a signé les textes que lui proposait l'autorité municipale. Les ouvriers ont eu confiance. Ils ont pillé quelques boutiques de marchands, dans la semaine. C'est tout. Dans tous les carrefours, à son de trompe, l'annonce de l'abolition du règlement de 1744 a suffi pour que les gens retournent à leurs ateliers, ou dans leur maison. Le 9 août, le travail a repris dans Lyon.

Pourquoi continuer la grève ? Paris va confirmer, c'est sûr, les décisions prises par l'intendant. Pourquoi persister dans l'illégalité ? Les maîtres ouvriers qui sont à l'origine du mouvement ne sont pas des aventuriers. Ils se rappellent les troubles de 1714 au début du siècle quand 20 000 émeutiers en colère ont pris d'assaut la recette du tabac : des gens sans aveu, des journaliers errants. Quel pillage, quelles violences ! Les bouchers faisant la loi, les malheureux employés de l'octroi battus à mort... Non, les maîtres ouvriers ne veulent pas du retour à la violence. Ils ont décidé la fin de la grève, sans attendre la confirmation d'Orry.

D'ailleurs l'opinion lyonnaise, dans son ensemble, a été sensible à la modération des maîtres ouvriers. Pourquoi les autres corporations défendraient-elles les privilèges des maîtres marchands de la soie, si jalousés ? Même à la municipalité, ils ne sont pas la majorité. Les autres marchands ne sont pas fâchés de les voir dans l'embarras. On a vu un marchand commissionnaire prêter sa boutique pendant la semaine de grève aux représentants de la profession. On a vu des notables proposer de servir d'intermédiaires dans la discussion. L'intendant dit tout cela dans son rapport.

« La plupart des notables de cette ville et en général presque tout le monde, de quelque état et condition qu'il soit, prend le parti de ces indignes révoltés, tout le monde les plaint, parle des règlements sans les avoir lus et quand ils les auraient lus ils ne les entendraient pas, mais cela les flatte et les entretient dans leur révolte. J'avoue que j'ai peine à entendre ces discours avec patience », dit l'intendant. Mais il ne manque pas une occasion de souligner à quel point la grève est populaire, à quel point les maîtres marchands de la soie peuvent être isolés dans la ville.

Le 10 août, la confirmation de Paris arrive sans problème. On apprend qu'un arrêt en Conseil vient de casser le règlement de 1744. A Lyon c'est la joie. On pavoise, on danse, on boit dans les estaminets. Suffit-il donc de se révolter pour faire cesser l'injustice ? Le roi serait-il, comme on l'affirmait jadis, le père de son peuple ? Est-ce le roi qui a imposé justice à son méchant contrôleur ?

Les Lyonnais doivent déchanter. Pendant des mois, ils se croient à l'abri de toute répression ; après tout il n'y a eu dans la ville ni violences ni pillages. Mais Orry n'a pas admis le recul du pouvoir. Il prend sournoisement des mesures, avec l'accord de Fleury.

D'abord, des militaires sont envoyés dans la ville, sous les ordres du comte de Lautrec, mais au début de 1745 seulement. Le comte installe son dispositif, évidemment en accord avec l'intendant et le consulat de Lyon.

Un matin les Lyonnais apprennent, par voie d'affiches, que Sa Majesté va faire justice des instigateurs d'émeutes. Immédiatement on arrête plusieurs dizaines de maîtres ouvriers et de compagnons.

Un maître ouvrier soyeux est pendu, avec un malheureux, un manœuvre, un affaneur. Les autres meneurs arrêtés sont envoyés aux galères : deux à perpétuité, deux à cinq ans. Les autres sont condamnés à des peines plus légères comme le fouet ou la bastonnade. Cette fois la ville ne bouge pas. Les hommes en armes dans la rue ne sont pas les arquebusiers de la ville mais les soldats du roi. Si ceux-là sont maîtrisés, d'autres viendront après. Les ouvriers se résignent. Ils attendent la fin de la répression. Les meneurs de 1744 qui ont échappé au comte de Lautrec se gardent bien de se montrer. Ils se cachent, ils disparaissent. Lyon accepte tout, même le retour du règlement de 1744, proclamé par un nouvel arrêt du Conseil, le 25 février 1745. Les marchands de soie, décidément, ont eu raison des factieux. Et le roi a confirmé leur privilège. Les Lyonnais n'ont certes pas fait la grève sans raison. L'ont-ils faite pour rien ? Ils se révoltent encore en 1786, puis au début de la Révolution. Ils n'obtiennent rien. « N'attendez rien des négociants, leur dit le maire girondin Viret. Ils aiment mieux mourir que de perdre leur cher argent... Ils aiment mieux voir périr leurs femmes et leurs enfants qu'en perdre la plus petite portion. Nous ne les convertirons pas car ils sont dans l'impossibilité d'être éclairés et de sentir le bien que le nouvel ordre des choses leur prépare. »

7.

MESSIEURS LES ANGLAIS, TIREZ LES PREMIERS !

1745. Le village de Fontenoy est occupé par le plus grand capitaine de l'Europe, le comte Maurice de Saxe. Où est Fontenoy ? Dans le Nord, sur l'Escaut, non loin de Tournai, en Belgique, dans la grande zone d'invasion, où chaque village ou presque porte un nom de bataille, depuis les temps lointains de Mérovée et de Clodion le Chevelu. Et le maréchal de Saxe, mélange d'Allemand, de Polonais et de Suédois, combat pour le roi Louis XV. Ce bâtard de l'électeur de Saxe est le fils de la belle Aurore de Kœnigsmark. Il n'est plus tout jeune, il a près de cinquante ans. Il fait la guerre depuis l'âge de dix ans, accompagnant son père contre Louis XIV, puis contre Charles XII de Suède. Il a tout vu, il était à Lille, pendant le siège, en 1708, il était à Malplaquet. Il a même servi en Russie, sous Pierre le Grand. A quinze ans, il commandait déjà un régiment en Poméranie. A vingt-cinq ans, le Régent le nommait maréchal de camp. Il était alors aussi connu dans la haute société, où les dames l'appelaient « le sanglier », que sur les champs de bataille. Fort, intrépide, l'œil bleu souligné par d'énormes sourcils, Saxe était la terreur des dames de la Régence, l'enfant chéri des actrices, l'amant d'Adrienne Lecouvreur, l'ancienne blanchisseuse devenue pensionnaire de la Comédie-Française. Oui, Maurice de Saxe était le plus achevé représentant du maréchalat au temps de la guerre en dentelles ; un vrai professionnel de la guerre.

« Attendez-moi pour livrer bataille, lui dit Louis XV. J'accours. » Et le roi quitte Versailles, en carrosses, avec la cour, le jeune dauphin, les dames emperruquées. On ne veut pas manquer une bataille livrée par Saxe. Quel spectacle !

Et le maréchal attend. Il dispose de 70 000 hommes, qu'il mène « à la tartare ». Ces hommes de métier ne sont pas des soldats d'opérette. Pour la moindre faute ils sont bastonnés ; s'ils désertent on leur coupe le nez et les oreilles, on les envoie au bagne. Saxe ne plaisante pas avec la discipline. Comme le roi de Prusse, il veut ses soldats à l'alignement, impeccables, manœuvrant à la perfection, jamais las de porter les armes. Il mène, dit-il, les Français « sans précaution ni détail ». C'est un maître exigeant, le maréchal de Saxe, qui ne passe rien à la troupe. Il est hydropique, il ne peut monter à cheval. Mais rien n'échappe à son œil vigilant. Pas la moindre faiblesse.

La guerre ? Un ballet bien monté, une science de plus en plus exacte. Les Anglais et les Hollandais sont là, devant lui. Pas plus de 50 000. Pourquoi leur être supérieur ? Saxe laisse 20 000 hommes devant Tournai, et affronte l'ennemi avec des forces égales. Mais toute la nuit du 9 au 10 mai, il fait creuser à ses soldats des retranchements et élever des redoutes sur trois points qui constituent une sorte de triangle fortifié. Fontenoy, au centre, à droite Antoing, sur l'Escaut, à gauche le bois de Barry. Dans les redoutes, les pièces de canon sont pointées. A l'aube, tout doit être prêt. Les hommes se hâtent. Ils savent que le maréchal ne plaisante pas.

Cette bataille est décisive. Jadis sous la Régence, le sagace Dubois s'était toujours arrangé pour être l'ami des Anglais. Les Anglais y voyaient leur avantage. Ils avaient un ennemi commun, le très catholique roi d'Espagne, allié aux Autrichiens. Mais désormais les Français et les Anglais sont en rivalité. C'est que la puissance anglaise a considérablement augmenté depuis le début du siècle : puissance financière et commerciale, puissance maritime. Les Anglais sont en passe de supplanter les Hollandais, de leur ravir la domination des mers.

Ils sont assez forts, désormais, pour les dominer. Aucun roi de France n'aurait l'idée de prendre Amsterdam. La ville où s'entassent désormais les richesses du monde, c'est Londres. Et qui serait assez fou pour vouloir prendre Londres ? On n'est plus au temps de Philippe Auguste.

D'ailleurs, les Français ne sont pas en mesure d'attaquer. Ils doivent se défendre, en Europe, sur le continent. C'est là que désormais la puissance anglaise entretient des alliés, ses vassaux, ses obligés. Fleury aurait bien voulu, comme Dubois, maintenir l'alliance anglaise. Mais comment maintenir une alliance avec un partenaire que l'on rencontre sur tous les marchés, sur toutes les mers, dans toutes les opérations coloniales ? Fleury avait soutenu l'Angleterre, quand le roi d'Espagne avait voulu prendre Gibraltar. Mais la France comme l'Angleterre avaient été entraînées, chacune de son côté, dans la longue guerre dite de la succession d'Autriche qui s'ouvrait en 1740 par la mort de l'empereur Charles VI. La guerre avait été décidée à Versailles. L'Autriche, l'ennemie héréditaire, semblait bonne à dépecer. La fille de l'empereur, Marie-Thérèse, pouvait-elle lui succéder ? Toute l'Europe attendait l'hallali. Auguste, électeur de Saxe et roi de Pologne, Charles Albert, électeur de Bavière et le roi d'Espagne, et le roi de Prusse...

Et pourtant Marie-Thérèse a trouvé un allié de poids : l'Angleterre, débarrassée du gouvernement Walpole, trop ami des Français, l'Angleterre qui veut, en une guerre, rendre à l'Autriche sa puissance en Europe, et, si possible, faire main basse à la fois sur les colonies espagnoles et sur les colonies françaises. Et l'Angleterre arme et envoie ses soldats en Europe. A vrai dire, les Anglais sont une minorité dans cette armée qui se compose essentiellement de Hollandais et d'Allemands du Hanovre. Le roi George II d'Angleterre n'est-il pas aussi roi du Hanovre ? C'est cette armée de métier qui s'aligne devant les troupes de Maurice de Saxe, à Fontenoy ; elle est commandée par le duc de Cumberland qui déclare, après boire : « J'irai à Paris, ou je mangerai mes bottes. »

Les Français ? Des vétérans des guerres de Louis XV. Des

braves à quatre poils. Comme ce Chevert, lieutenant à quinze ans, qui s'est couvert de gloire après Prague... Mais aussi des incapables, des traîne-bottes, des recrutés ivrognes et paresseux, qu'il faut mener à la baguette. Le maréchal de Saxe a un mépris immense pour son armée. « La société rassemble ce qu'elle a de plus vil et de plus méprisable et en fait des soldats », dit-il. Dans quel état sont les troupes, en Belgique ? Lamentable. « Le soldat n'est ni chaussé, ni vêtu, ni couvert... les bas, les souliers et les pieds pourrissent ensemble, parce que le soldat n'a pas de quoi se changer. » La guerre en dentelles ? Le soldat mange du pain d'exécrable qualité, boit du vin misérable et pille sur son passage pour survivre. Ses officiers ? Des freluquets, « des gens sans étude et sans expérience », dit de Saxe. Et quand on lève sur place de la milice en tant de guerre, c'est encore pire : les villages envoient à l'armée tous les plus misérables : ces « culs blancs », comme on les appelle, sont encore plus minables que les autres. L'armée de Louis XV, avec ses « colonels à bavette », ne donne guère de satisfaction à Maurice de Saxe. Quand il voit s'aligner devant lui l'impeccable infanterie anglaise, avec ses habits rouges, il doute profondément de la victoire. Mais quoi ! Il a de bons canons, une bonne position, et depuis qu'il a pris le commandement, les soldats, terrorisés, lui obéissent comme des automates. De toute façon Maurice de Saxe est sûr d'une chose, et ses soldats aussi : il les fera tuer jusqu'au dernier, implacablement, mais il aura la victoire. Car il n'est pas un maréchal d'opérette, qui doit son poste aux caprices des dames de Versailles. La guerre est son métier, son avenir, son état. Le beau maréchal doit vaincre. A tout prix. C'est une question de réputation, pas d'honneur. Cette jeune vedette de champs de bataille ne pardonnera, dans son orchestre, aucune faiblesse. Le bâtard de Saxe tient la cote. Il faut qu'il gagne.

Il regarde dans sa lunette le vaste terrain en pente douce, traversé par un ravin. Les maisons de Fontenoy sont solides, bien fortifiées. Saxe est satisfait : les redoutes doivent tenir.

Faut-il fortifier aussi le ravin boueux, entre Fontenoy et le petit bois ? A quoi bon ? dit Saxe. Qui irait s'y risquer ? Les Anglais, c'est bien connu, détestent les ronces.

Et il place les gardes françaises devant le ravin. Ce sont les meilleures troupes. Les Suisses et les Irlandais ne sont pas loin. Et puis le roi est arrivé, venant d'Alsace. La troupe est joyeuse, le petit dauphin est heureux. Il va voir une belle bataille. Les soixante-huit escadrons de cavalerie, groupés en réserve, le saluent en tirant leurs sabres.

Dès l'aube, les Hollandais attaquent. Sur Antoing. Ils sont bien reçus. Le canon tire, les dragons chargent. Les Hollandais se retirent, les six canons leur ont tué beaucoup de monde, sans résultat.

« Faites charger les highlanders ! » crie, furieux, le duc de Cumberland. Et les robustes Ecossais s'avancent, au son des cornemuses. Ils attaquent le petit bois de Barry. Saxe a dissimulé des hommes dans les taillis, des tirailleurs. Ils se lèvent au dernier moment, et déchargent leurs armes à bout portant sur les Ecossais qui reculent. Ils les suivent et les taillent en pièces au sabre d'abordage. La deuxième attaque de Cumberland échoue.

Il n'emporte pas davantage la décision sur la ligne de Fontenoy où les redoutes tiennent bon. Que faire ? Il est déjà huit heures et demie. Les Français n'ont jamais eu l'initiative, mais ils se sont bravement comportés.

C'est alors que les gardes françaises postées sur le ravin entre Fontenoy et le petit bois voient arriver des pièces de canons. Les serveurs pointent, servent, tirent. « Pourquoi aventurer ainsi l'artillerie ? » se demande Maurice de Saxe.

Il n'a pas le temps de se poser la question. 15 000 Anglais, Hanovriens, Ecossais, surgissent au coude à coude, s'empêtrant dans les ronces, pataugeant dans la boue. Les Français tirent, en rafales. Des hommes en rouge tombent. Mais ils poursuivent méthodiquement leur avance, sans perdre une seconde. Dangereuse attaque ; si elle réussit, les Français sont coupés en deux. On voit de près les officiers qui commandent les colonnes anglaises, le comte d'Albermarle, Robert Churchill, lord

Charles Hay... Ils s'avancent, tellement près que les Français arrêtent leur tir. Ils ont enlevé leurs chapeaux. Vont-ils parlementer ?

Les officiers des gardes françaises suivent l'exemple, avancent devant la ligne des troupes, mettent chapeau bas. Lord Hay, déchiré de ronces, essoufflé par la montée du ravin, tire une gourde de sa poche, un gobelet argenté, et porte un toast. Puis il crie au comte d'Auteroche, lieutenant aux grenadiers du roi.

« Faites donc tirer vos gens.

— Non, messieurs, nous ne tirons jamais les premiers, à vous l'honneur. »

Rite chevaleresque ? Il faut, à l'époque, vingt-quatre mouvements pour recharger un fusil. Celui qui tire le premier est ensuite désarmé, le temps qu'il recharge. Il est à la merci de l'ennemi. Non, certes, il n'est pas bon de tirer le premier, surtout quand on dispose de mauvais soldats, très mal entraînés.

Ce sont les Anglais qui tirent, et qui chargent. Et les Français se replient, ils reculent, et voilà les 15 000 fantassins du duc de Cumberland enfoncés au cœur de la ligne de bataille, comme un coin. Il est dix neures et demie. Les Anglais peuvent gagner la bataille.

« Sire, chaussez vos bottes et repassez l'Escaut, dit à Louis XV le maréchal de Noailles.

— Non, dit de Saxe. Il n'est pas encore temps. »

Il saute péniblement dans sa voiture d'osier — le maréchal ne peut monter à cheval —, et il va vers la cavalerie.

« C'est à vous, messieurs. »

Les soixante-huit escadrons les plus prestigieux de la cavalerie française partent au galop : le Royal-Cravate, les dragons d'Egmont, ceux de Brionne, de Penthièvre. Les cavaliers chargent comme des fous sans relâche, quatre heures durant.

Deux heures de l'après-midi. La dernière phase de la bataille s'engage. L'infanterie française attaque, le Royal-Normandie, le Royal-Vaisseaux. Saxe a demandé au comte de Lowendal de revenir de Tournai à toute allure. Il est là, avec quinze escadrons. Saxe lance son attaque générale. Les Anglais ont plus de 7 000 morts et blessés. Un officier du nom d'Isnard, capitaine du régiment de Touraine, voit que les Anglais se regroupent en carré, pour tenir tête aux charges des cavaliers de Lowendal. « Vite, dit-il, pointez l'artillerie ! »

Il amène huit pièces de canons. Il surveille lui-même le tir. Elles font un massacre terrifiant dans les rangs des Anglais. La retraite se transforme en panique. Il faut toute l'énergie du duc de Cumberland pour que les drapeaux ne soient pas abandonnés. Le sol est jonché de matériel. Les Anglais laissent toute leur artillerie. C'est la victoire.

Pour la circonstance, les uhlans saxons qui accompagnent partout le maréchal de Saxe le hissent sur un cheval. Il s'avance devant Louis XV, qui l'embrasse :

« Sire, j'ai assez vécu... Vous voyez, lui dit-il, lucide, à quoi tiennent les batailles. »

Mal gagnée, la bataille de Fontenoy ? Elle est accueillie en France par des cris d'enthousiasme. Voltaire écrit un poème sur Fontenoy, il compare Louis XV à Trajan ! Quand à Maurice de Saxe il passe l'hiver à Gand, où il se distrait en faisant venir des coqs de combat d'Angleterre et des comédiennes de France. Le maréchal de Saxe n'est pas inquiet : le roi de France a pris goût à la guerre : il y aura bien d'autres commandes de campagne pour les soldats du roi. Allons, vive la guerre, et que le peuple paye !...

8.

LE BIEN-AIMÉ EN CORSE

1730. La Corse flambe. Les habitants du Bozio se sont révoltés contre un lieutenant de Corte qui vient percevoir les impôts, pour le compte de la Sérénissime République de Gênes, maîtresse de l'île. En decà des monts, dans la plaine orientale, le mouvement de révolte gagne, contre les collecteurs d'impôts. Dans le village de Poggio, le collecteur est mal accueilli. Le tocsin sonne, on crie, on siffle, on prend les armes. Des soldats arrivent. Ils sont désarmés, bafoués, insultés. Toute la montagne s'insurge. On pille les domaines riches des grands propriétaires de la plaine, qui sont des Génois, comme les frères Spinola.

Bientôt les villes sont menacées : en février 1730, les gens de Castagniccia et de Tavagna se réunissent. Ils sont 5 000, armés jusqu'aux dents, et ils marchent sur Bastia où se tient le gouverneur de Gênes. Ces gens sont en colère, ils ont faim, ils sont pieds nus, ils veulent piller les maisons des usuriers et des spéculateurs sur les grains. C'est la révolte des barettes (les casquettes) contre les perruques... Bastia est prise, ses magasins pillés. Beaucoup de Bastiais s'enfuient, ils prennent la mer, ils vont se réfugier à Livourne, à Gênes. D'autres villes sont prises ou inquiétées : Alavi, Ajaccio, Sartène. C'est la révolte des pauvres gens. 3 000 montagnards affamés menacent Ajaccio.

Ils ont des chefs et des armes, souvent des armes de chasse, des armes de paysans. Mais les chefs sont braves et héroïques.

Les notables s'en méfient. Ils n'aiment pas le pillage. Ils se sentent souvent solidaires de Gênes, ils demandent secours à la Sérénissime République contre ces *paesani.* Pourtant les révoltés trouvent des chefs dans certaines grandes familles : les Tadei, les Giafferi. Ceux-là veulent obtenir de Gênes que les fonctions exercées en Corse soient réservées à des Corses. Ils veulent que les juges, les colonels, les évêques soient corses, et non italiens. Ils veulent l'autonomie et s'emportent contre les Corses amis des Génois, qu'ils appellent les Vittoli, car les féodaux de la côte du Sud-Ouest, les seigneurs du Sartenais et de l'Ornano, ceux-là sont fidèles à Gênes et condamnent le mouvement populaire. Ils s'indignent de voir des prêtres et des moines prendre parti pour les paysans. Qu'on les pende comme les autres, disent-ils. Mais qui va rétablir l'ordre ? Gênes ? La République est aux abois. Elle n'a plus d'argent, de flotte ni d'armée. Elle veut, pour garder l'île, composer avec les révoltés. Ceux-ci rédigent des cahiers de doléances, où ils expriment leurs plaintes : moins d'impôts, et plus de justice. Enfin Gênes trouve un secours en l'empereur Charles VI qui intervient avec ses Allemands pour mater la révolte. Les chefs sont emprisonnés : les Raffali, les Ceccaldi, les Aitelli, les Giafferi prennent le chemin de l'exil.

1733 : nouvelle insurrection. La famine en est toujours la cause. La récolte est mauvaise, les Corses meurent de faim, surtout dans la montagne. Les bandes de Giacinto Paoli et d'Ambrosi tiennent le maquis. Giafferi retourne dans l'île et lève aussi des partisans. Paoli et Giafferi se font appeler généraux des Corses. Pour la première fois, ils s'intitulent les patriotes et les nationaux. Pour la première fois, ils proclament leur intention de libérer leur patrie. Vont-ils réussir à s'entendre ?

Non : Ils sont rivaux, et se surveillent. Ils font bon accueil, en 1736, à un étonnant aventurier, un petit noble allemand nommé Théodore, ex-page de la duchesse d'Orléans, qui débarque sur une plage près d'Aleria, apparemment bien pourvu d'argent anglais. Ce Théodore est déclaré roi des Corses ! Intermède burlesque et règne éphémère. Le « roi » finit en prison pour dettes, abandonné de tous.

Décidément, disent les Génois, les Corses ont perdu la tête. Mais Gênes n'a toujours pas les moyens d'intervenir. Dans l'île les impôts ne rentrent pas, la justice n'est pas rendue, les bandes armées tiennent la montagne. Qui peut aider les Génois ? Ils savent que les insurgés corses demandent, contre eux, l'aide du pape, du duc de Toscane, du roi d'Espagne. Certes, ils n'obtiennent rien. Mais, qui sait ? Un grand Etat pourrait s'intéresser à leur cause... et Gênes serait dépossédée. Contre les insurgés corses, la Sérénissime République demande l'aide du roi de France.

Celui-ci intervient, une première fois, en 1738. Les régiments du comte de Boissieux débarquent dans l'île comme alliés de Gênes. Boissieux et Maillebois décapitent la révolte, font partir pour l'exil Luigi Giafferi et Giacinto Paoli. Ils s'engagent comme colonels dans le régiment Corsica, de Naples. Quand les Français se retirent, la résistance corse subsiste dans les montagnes, mais elle est désorganisée.

Les Corses font appel, contre Gênes, aux Anglais et aux Piémontais. Les Anglais ont des visées en Méditerranée. Les Piémontais viennent d'annexer la Sardaigne. Pourquoi pas la Corse ? Mais leur expédition échoue. Et pour la deuxième fois, Gênes demande l'aide de la France : en 1748 le marquis de Cursay s'empare de l'île, sans rencontrer beaucoup de résistance, et s'y conduit en gouverneur. Pourquoi pas ? se disent certaines familles corses de la côte ouest. Oui, pourquoi pas les Français ?

La Sérénissime République se plaint à Paris. Elle a demandé de l'aide, mais elle prétend rester souveraine de l'île. Paris n'est pas en mesure de couvrir l'action du marquis trop entreprenant. Il est rappelé en 1752. Voilà la Corse rendue aux Corses. Ils ne s'entendent pas davantage. Les clans continuent de se faire la guerre, les généraux de se jalouser, et les notables de redouter les *ladri,* les *malviventi...* les va-nu-pieds du petit peuple. Et pourtant en 1755 un vrai chef, un exilé, rentre en Corse et relance puissamment le mouvement de l'indépendance. Il a été quinze ans expatrié. C'est un authentique patriote. Il est enseigne au service du roi de Naples, l'idole des habitants de la Castagniccia, des montagnards du Nord de la Corse et le fils de Giacinto Paoli. Il s'appelle Pasquale Paoli.

C'est un homme cultivé, épris de justice et de liberté. Il a lu Montesquieu, *L'Esprit des lois,* et tous les bons auteurs latins. Il a appris la guerre à l'Académie royale militaire de Naples. En 1755, il est élu général par les Corses à Saint-Antoine-de-Casabianca. Les gens de la Castagniccia l'ont plébiscité. Il prétend désormais gouverner tout le pays.

Va-t-il réussir à réconcilier tous les clans ? Il lève des troupes, pour former une armée nationale, et essaye de constituer deux régiments. Mais il trouve, dit-il, « 2 000 officiers et pas même 200 soldats ». Il a pourtant une petite armée de montagnards vêtus de drap sombre, avec des guêtres de peau noire et des bonnets, armés de pistolets, de stylets, de fusils... Combien sont-ils ? 5 000 peut-être. Ce n'est pas suffisant pour faire régner l'ordre dans l'île. Il faut abandonner, dit Paoli, le *spirito di partito,* l'esprit de parti. Mais qui l'écoute ? Tout le monde, certes, le respecte mais déjà beaucoup le combattent. Mario Emmanuele Matra, par exemple, qui s'est fait aussi élire général. C'est le fils d'une grande famille et son clan domine à Serra, à Rogna. Il domine aussi dans la région de Corte. Et le clan des Matra ne veut pas de l'indépendance. Il redoute les émotions populaires. Il est détesté des bergers de la montagne, qui se plaignent du prix des pacages que les Matra leur font payer. A tout prendre, ces notables préfèrent la sécurité de Gênes à l'aventure nationale de Paoli. Ils ne lui font pas confiance. Mario Emmanuele Matra prend les armes contre Paoli, lui et les hommes de sa famille et de son clan. Il n'est pas le seul opposant : les hommes du Sud aussi sont hostiles. Antonio Colonna est antipaoliste parce que le Sud de l'île ne veut pas dépendre du Nord. A Ornano, à Yalavo, à Istria, on ne veut pas entendre parler de Paoli. Même si les Ornano ou les Colonna sont sensibles aux thèmes du patriotisme corse, ils sont avant tout des grands seigneurs qui détestent, autant que les

Matra, les émotions populaires. Les hommes du Sud sont les plus favorables à une nouvelle intervention française, puisque Gênes ne peut plus assumer son rôle de protection, ni faire la loi dans l'île.

Et le peuple ? Va-t-il soutenir Paoli ? Ce n'est pas évident. Paoli, dans son gouvernement, prend le parti des propriétaires contre celui des bergers, il considère les troupeaux errants comme une calamité. Il est pour les colons, à qui il recommande de planter des arbres et de la vigne, de semer du blé. Il s'appuie sur les notables des villes et des campagnes, pas sur le peuple. Et comment donnerait-il satisfaction au peuple, alors que les Génois et les Français bloquent les côtes, affament l'île, l'empêchent de recevoir des vivres ? La monnaie de Paoli, qu'il a frappée en fondant les cloches et les calices des églises, n'a pas cours sur le continent. On se moque de ses pièces à têtes de Maure, à l'effigie de la Vierge. Le général est pauvre, les impôts rentrent mal et il ne peut pas faire de commerce. Les marchés de Bastia sont déserts. En confisquant la dîme, impôt du clergé, Paoli s'est aliéné le pape et l'Eglise. La Corse est de plus en plus isolée.

Elle entre dans une période de mauvaises récoltes. Le blé est rare dans l'île. Il le devient plus encore en 1763. *Scarsa racolta !* Les récoltes de 1764 et 1765 ne sont pas meilleures. Les brouillards de printemps ont détruit les champs de blé. Même les châtaignes sont compromises. Les Corses sont indépendants. Mais ils sont, ces années-là, sans ressources.

Certes, les Génois ne peuvent rien entreprendre contre l'île. Les expéditions qu'ils lancent se heurtent à la résistance presque spontanée des partisans. A Furiani en 1763, les patriotes l'emportent facilement. En 1767 Achillo Murati et Battista Ristori dégagent le cap Corse sans difficultés. Non, certes, jamais les Génois ne reviendront. Les patriotes les en empêchent.

A quoi bon, dès lors, conserver cette île qui leur cause depuis quarante ans tant de difficultés ? Les Français sont là qui ne demandent qu'à intervenir... Pourquoi ne pas traiter avec le gouvernement de Versailles ? Les Génois, peu à peu, se résignent à l'idée de la cession.

Qu'ont-ils à perdre ? La Corse est-elle si riche ? Une île sauvage, qui compte alors des forêts touffues, des châtaigniers monstrueux dont certains ont plus de vingt-cinq pieds de circonférence. Un maquis impénétrable d'arbousiers géants, de cystes, de myrtes, de bruyères, de lauriers et d'asphodèles. Des terres à grains certes, des cultures de froment, d'orge et de millet. Des chèvres en liberté, des porcs extrêmement nombreux, des bœufs médiocres, d'excellents moutons, et tous les gibiers possibles. La population ? Une poignée de villes, sept au maximum, pas très peuplées : Corte n'a pas plus de 1 300 habitants. Bastia est plus peuplée, 6 000 environ, Ajaccio entre 4 et 5 000... Sartène n'a pas plus de 250 feux. Pas ou peu de routes. Les transports se font à dos de mulets ou de chevaux. Il n'y a que dix-neuf ponts pour la Corse tout entière. La population est surtout rurale. Elle exporte peu, importe moins encore, et pourtant elle se suffit, même en période de famine. Les riches font venir des vivres d'Italie. Les autres vont à la chasse. L'île compte 120 000 habitants environ, et ses ressources sont suffisantes. Elle exporte de l'huile, un peu de vin vers l'Italie et la Provence, des bois de mâture, des peaux, du miel et de la cire. L'île se survit surtout dans les bonnes années, mais la châtaigne est la base de l'alimentation. L'occupation génoise n'a pas été profitable aux Corses, et Gênes, en revanche, n'a guère bénéficié de l'occupation de l'île. Pourquoi ne pas l'abandonner ?

Les Génois n'ignorent pas que les Corses sont tout à fait capables de se défendre. Ils fabriquent eux-mêmes pistolets et fusils. Ils sont les spécialistes du stylet, dont la lame est blanchie dans les eaux de la Restonica. On considère qu'un Corse sur trois au moins dispose d'armes à feu. Un voyageur anglais le remarque : les Corses sont d'excellents tireurs. « Il est rare qu'avec une seule balle ils manquent leur coup, à une très grande distance, et même sur un fort petit objet. » On n'a jamais réussi à les désarmer. Le fusil, dans les années de famine, c'est la survie pour une famille, car il permet d'abattre le gibier toujours abondant. Les fusils sont cachés partout, et même sous le maître autel des églises. Les soldats n'ont-ils pas sur la poitrine des fragments d'hosties consacrées pour détourner les balles ? Ils sont intrépides, rapides à se mobiliser. La cloche de l'église les appelle, ou le sifflet, ou le cornet, ou la coquille de triton que l'on appelle colomba. Ils partent pour huit jours, avec leurs armes. Ils attaquent en rampant, et se dispersent après avoir tiré. Non, Gênes n'a pas envie de faire la reconquête de l'île. Elle la sait trop bien défendue.

Les Français s'en chargent. Depuis 1756 ils ont pris pied dans l'île. Ils ont des navires de guerre, des canons. Les Corses n'en ont pas... En 1768 ni Versailles ni Gênes ne demandent l'avis des Corses pour effectuer le transfert de souveraineté. Louis XV achète la Corse, purement et simplement. Il en coûte à la France 200 000 livres pendant dix ans. Gênes est débarrassée à très bon compte d'un problème grave. Paoli fait décréter la mobilisation générale. Il faut deux campagnes et des moyens importants pour venir à bout des Corses. Enfin, à Porto Novo, les Français restent maîtres du terrain. Certaines places résistent longtemps, comme la tour de Nonza, dans le Cap. Le comte de Grandmaison, qui a du canon, demande aux Corses de se rendre. Un feu nourri lui répond. Il hésite à donner l'assaut. Jacques Casella, qui défend la tour, exige, s'il se rend, les honneurs de la guerre. Accordé. Il sort, seul, avec une jambe de bois. Les soldats français lui présentent les armes. On attend ses compagnons.

« N'attendez personne d'autre, dit Casella. Je suis seul. »

C'est vrai, il avait inventé un système de câbles et de poulies pour actionner en même temps lui-même ses arquebuses et ses mortiers.

En 1769, c'est fait, la Corse est française. Mais la France en est-elle quitte pour autant ? Cette année-là, justement, naît un certain Napoléon Bonaparte qui fera, sous peu, l'opération inverse : la conquête de la France par la Corse.

9.
LA FIN DU QUÉBEC

20 juin 1759 : Une immense flotte paraît devant Québec. Québec est sur la rive gauche du fleuve Saint-Laurent, très difficile à remonter. Une seule marine a pu tenter l'opération, la marine anglaise. Tous les bateaux arborent le drapeau de Sa Majesté britannique. Ils transportent 10 000 hommes en armes et 20 000 tonnes de matériel et de provision, une armada.

Qui commande à Québec ? Vaudreuil, qui gouverne la colonie du Canada pour le compte de Sa Majesté très française. Et Montcalm, commandant militaire, qui dispose, à grand peine, de 6 000 hommes de troupes régulières.

Les Français sont là depuis longtemps. Ils ont occupé les îles de l'estuaire du Saint-Laurent. Ils font la pêche à la morue sur les bancs de Terre Neuve. Ils occupent l'Acadie qui est presque un désert. Ils se sont installés sur les rives du Saint-Laurent où ils ont fondé Québec, Trois Rivières, Montréal. Ils se sont infiltrés, à travers les tribus d'Iroquois, d'Illinois et ont installé des postes militaires dans la région des Grands Lacs. Fort Frontenac, à l'extrémité du lac Ontario, bat pavillon français comme le fort Niagara, le fort Saint-Joseph des Miamis. Les Français n'ont jamais été très nombreux : 12 000 environ à la fin du XVIIe siècle. Mais ils ont conquis d'immenses espaces, et exploré beaucoup de rivières et de plaines désertes. Un incroyable explorateur, Cavelier de la Salle, ancien négociant à

Rouen, a reconnu le Mississippi jusqu'à son embouchure. Il a pris possession de la Louisiane au nom du roi Louis XIV.

Hélas, les aléas de la guerre européenne ont obligé les Français à reculer au Canada. Les Anglais ont pris pied depuis longtemps sur la côte atlantique, dans la baie de l'Hudson. Marchands anglais et français sont en rivalité. Les « coureurs de bois » français ont du mal à se procurer les précieuses peaux de castors, que les Anglais enlèvent en fournissant aux Indiens un drap rouge dont ils raffolent, l'écarlatine. Louis XIV, par le traité d'Utrecht, a cédé aux Anglais l'Acadie et Terre Neuve. Les commerçants de Montréal et de Québec sont furieux. Mais que faire ? Ils ne disposent pas, contre les Anglais, d'une force militaire suffisante. Déjà au temps de Louis XIV, les Français du Canada ne sont pas aidés !

Comment pourraient-ils espérer des secours, alors que la supériorité de la flotte anglaise s'affirme tous les ans davantage ? Depuis 1723, il est vrai, la France se constitue une marine. Maurepas met des bateaux en chantier et la France dispose, grâce à lui, d'une flotte d'une cinquantaine de vaisseaux vers le milieu du siècle. Ces vaisseaux sont bien armés, bien commandés. A l'époque où la flotte anglaise attaque Québec, les Français ont en mer plus de 80 navires. Mais les Anglais en ont 226 ! Ils ont la supériorité absolue. Leur flotte est supérieure, du double, aux deux plus puissantes flottes du monde. Comment leur résister ?

Ils ont pris Louisbourg, en Nouvelle-Ecosse, sans que les Français puissent s'y opposer. Ils ont aligné pour cette opération, 40 vaisseaux de ligne et 100 vaisseaux de transport. Le colonel Wolfe, pour assiéger Louisbourg, n'avait pas moins de 12 000 soldats de l'armée régulière. Les Français étaient 3 000, et ils avaient seulement une douzaine de vaisseaux. Le 27 juillet 1758, les Anglais étaient entrés dans Louisbourg bombardée, ravagée, anéantie. Maintenant, c'était le tour de Québec.

Québec ! Une ville où il fait bon vivre. Grâce à la protection de Louisbourg, forteresse réputée imprenable, où le roi de

France a investi beaucoup d'argent, les villes du Saint-Laurent ont prospéré. La population de Québec a triplé. Les gens sont venus s'y installer et la robuste race des Français du Canada, au demeurant souvent métissés d'Indiens, a produit beaucoup de rejetons. Les gens de Québec sont heureux. La tutelle administrative de la France est relativement légère. La concurrence des autres villes est faible. Il faut une semaine de voyage pour aller de Québec à Montréal. La ville est bien protégée. De Louisbourg, sur l'Atlantique, pour se rendre à Québec, il faut au moins quinze jours de navigation. Les marchands y prospèrent. Ils s'y sont établis à demeure. A Montréal, les Français s'occupent du commerce des fourrures et des peaux, ils sont obligés de se déplacer sans cesse. A Québec, ils sont à demeure. Ils aiment leur ville et ne veulent pas la quitter. Ils savent que les Anglais, quand ils ont occupé l'Acadie que leur avait cédée Louis XIV, ont déporté 7 000 Acadiens. Les Québécois ne veulent pas connaître le même sort et souhaitent rester français.

La chute de Louisbourg les inquiète. Les Anglais ont maintenant construit leur propre forteresse, à Halifax. Ils sont désormais les maîtres de l'estuaire du Saint-Laurent. A terme, la colonie française est menacée d'asphyxie. Inquiétante perspective.

Les affaires marchent, à Québec. Les Français ont installé des forges, des chantiers de construction navale. Mais ces activités sont peu rentables faute de capitaux et de main-d'œuvre spécialisée. Le commerce des peaux donne encore de bons revenus, et les Européens achètent maintenant autre chose que des castors. Les Canadiens leur vendent des peaux de chevreuil, d'ours, de bœufs et même de ratons. Ils ont réussi à diversifier leur production. La mise en valeur des terres vierges les a fait semer de plus en plus de céréales. Ils produisent deux fois plus qu'ils ne consomment et exportent le blé dans les Antilles, en Louisiane, et jusqu'en France, dans les années de mauvaises récoltes. La superficie des terres en culture a quadruplé. Les Québécois se sont cherchés de nouvelles activités. Ils ont cultivé le tabac, le chanvre, le lin, développé l'élevage. Ils se sont mis à tanner eux-mêmes les peaux, à fabriquer des tissus et même des chapeaux. Il est vrai que la métropole ne les a guère aidés à développer l'industrie, tant elle redoutait la concurrence. Mais on n'empêche pas une population dynamique de produire. Les pêcheurs canadiens sont devenus, eux aussi, exportateurs. Mais comment exporter désormais, avec Louisbourg aux mains des Anglais ?

Dans la ville de Québec, les Canadiens supportent mal le mépris des cadres supérieurs venus de France, que ce soit dans l'administration ou à la tête des affaires. Les paysans canadiens sont libres. Ils ne payent pas la dîme au curé et il y a beau temps qu'ils ne versent plus de droits féodaux. Les gentilshommes eux aussi sont libres, libres de travailler, libres de s'engager dans les affaires. Ils sont las d'être traités avec dédain par les grands seigneurs venus de France. La vie s'organise à la colonie, sans les Français. Les Canadiens n'envoient plus leurs enfants dans les universités françaises, ils n'accueillent plus les immigrants venus de France. On leur a envoyé, dans le passé, trop de mauvais sujets des deux sexes. Ils se reproduisent entre eux, à une cadence inouïe : le taux de natalité des Canadiens français dépasse 60 pour 1 000, c'est un des plus élevés du monde. Ils sont maintenant plus de 50 000 et 5 pour 100 seulement parmi eux sont venus de la métropole.

La société canadienne est jeune, dynamique, égalitaire. Elle tend à se gouverner elle-même. Si elle accepte d'être défendue par un marquis de Montcalm, qui a des qualités militaires que personne ne lui conteste, elle a quasiment imposé, comme gouverneur, le choix d'un Canadien, un autochtone, un vrai Français de Nouvelle-France. C'est Pierre de Rigaud de Vaudreuil Cavagnial. Qu'on ne s'étonne pas si le gouverneur ne s'entend pas avec Montcalm !

Et pourtant les Anglais sont là, devant Québec. Il faut bien que les Français s'entendent. Ils sont les moins nombreux, ils risquent de perdre. Ils ne peuvent pas compter sur un secours de la métropole : il faut tenir, ou disparaître.

« S'enfermer dans Québec est une folie, dit Vaudreuil. Nous

serons forcément battus. Avez-vous vu la flotte anglaise ? Je l'estime à 150 navires au moins. Ils doivent avoir 40 000 hommes à nous opposer. »

C'est vrai, Montcalm a concentré ses forces dans les villes. Il a abandonné les forts, les points secondaires. Pourtant la tactique des Canadiens avait donné de bons résultats, en 1756. Ils prenaient par surprise les forts anglais, ils lançaient des raids qui effrayaient la population des colons. Ils pillaient les convois, ils dévastaient les territoires. Bonne tactique en vérité, bien adaptée aux « coureurs des bois », à ces trappeurs et contrebandiers impénitents. Ils faisaient du dégât dans les villes anglaises. L'offensive n'était-elle pas la meilleure des défenses ?

« Non, dit Montcalm. Il faut résister là où l'armée peut s'accrocher. On ne fait pas une guerre d'amateurs contre William Pitt et l'amiral Charles Saunders. Ces gens-là n'ont pas une armée de trappeurs, recouverts de peaux de rats.

— Avec votre tactique, répond le gouverneur Vaudreuil, vous avez déjà perdu Louisbourg. Vous perdrez aussi Québec. Où sont vos alliés indiens ? Vous les avez abandonnés...

— Je ne veux plus d'attaques en bandes. Est-ce assez clair ? dit Montclam.

— Vous êtes en train de perdre le Canada », lui répond Vaudreuil.

Tragique dialogue de sourds. Montcalm n'a pas les moyens de réagir. Les Anglais ont enlevé un à un tous les forts, tous les postes du Saint-Laurent. Les Français ne peuvent être secourus par mer. La route des lacs Champlain leur est interdite, Fort Frontenac, Fort Duquesnes ont été abandonnés. La flottille du lac Ontario, orgueil des Canadiens, est capturée. Sur les ruines du fort Duquesne, les Anglais construisent Pittsburgh. Les défenseurs du Québec n'auront pas la ressource de faire retraite sur la Louisiane. La route du Mississippi leur est coupée. Il ne reste à Montcalm qu'à résister jusqu'au bout dans Québec.

Déjà, les Anglais ont occupé la rive droite du Saint-Laurent, en face de Québec. Wolfe peut installer ses canons sur la rive droite, et dans l'île d'Orléans, plus proche. De la fin de mois de juin jusqu'en septembre, Québec est assiégée et bombardée de façon intensive, par les pièces amenées par les Anglais, et par les pièces de marine. Les maisons s'effondrent. Il n'y a plus de toits. Les habitants sont terrorisés. C'est un bombardement presque continu. Wolfe, qui commande le corps expéditionnaire anglais, connaît la valeur militaire de Montcalm. Il ne veut pas prendre de risques et pense prendre la ville par la terreur et la famine.

Car les vivres manquent. Les bourgeois de Québec sont las du siège. Ils ne peuvent pas s'approvisionner. Les combattants sont aussi fatigués d'attendre le moment de la bataille. Ils ne peuvent pas répliquer au tir nourri des batteries anglaises. Ils ne peuvent que s'enterrer et attendre. Le moral des troupes s'en ressent. Les miliciens levés par Montcalm dans la campagne sont furieux de perdre leur temps, et de voir les munitionnaires, les fournisseurs en vivres étaler leur fortune. Ces miliciens ne sont pas disciplinés. Ils n'acceptent pas volontiers les ordres de Montcalm. Ils n'ont de respect que pour leurs chefs canadiens. Enfin les Anglais donnent l'assaut dans la nuit du 12 au 13 septembre 1759. Cette nuit-là, 5 000 de leurs soldats réussissent à escalader le promontoire de Québec. Ce promontoire, en amont du fleuve, domine la ville. Celui qui s'en rend maître peut être assuré de prendre Québec.

« C'est une folie, dit à Wolfe l'amiral Saunders. Je connais Montcalm, il va vous mitrailler. »

De fait, une première tentative anglaise avait échoué, le 31 juillet. Mais Wolfe insiste. Il sait que Montcalm attend des renforts. Il faut agir vite. Il ne veut pas entendre parler de retraite. Il sait qu'il tient sa proie. C'est vrai, Montcalm attend des renforts. Mais il veut écraser les Anglais. Il sait que la population de Québec a perdu son moral. Il faut absolument qu'il remporte un succès décisif.

Et les Français attaquent, en bataille rangée comme à l'exercice. Comme à Fontenoy. Montcalm a réuni devant Wolfe 4 000 combattants. En une seule décharge, ses Canadiens se débandent. Des centaines de morts tombent sur le terrain. Voilà les Anglais maîtres du promontoire, que l'on appelle le plateau d'Abraham.

Wolfe est tué, Montcalm est tué. On rapporte la nouvelle au commandant de Québec. Que faire ? Attendre les renforts ? Les effectifs français se sont repliés dans la ville, non sans désordre. On annonce déjà l'arrivée des renforts, commandés par Bougainville et Levis.

Mais les Québécois sont à bout. Les marchands et les notables surtout. Ils savent qu'en cas de nécessité, le roi de France n'hésitera pas à les abandonner, comme il a fait jadis des Acadiens. Ils sont Canadiens. Ils veulent le rester. Le meilleur moyen de sauver Québec n'est-il pas d'obtenir une capitulation avantageuse ? Les notables font pression sur le gouverneur militaire, les marchands surtout. Le gouverneur se laisse convaincre. Il faut rendre les armes. Même Vaudreuil en est d'accord. Québec est pris. Mais les renforts ? Ils sont là, sous les murs, commandés par le chevalier Gaston François de Levis. Des fuyards de Montcalm l'ont rejoint. On les a réarmés. Levis entreprend à son tour le siège de Québec, occupée désormais par les Anglais. Il espère le secours d'une flotte française.

Une flotte paraît en effet, une flotte considérable, qui remonte le Saint-Laurent. Le roi de France a-t-il entendu l'appel des assiégés ? On se précipite, Levis prend sa longue-vue. Hélas ! La flotte bat pavillon anglais. Elle convoie des renforts envoyés par Pitt. Décidément, le Canada est perdu.

Du moins les habitants de Québec ont-ils obtenu des Anglais, après leur trop facile capitulation, les avantages qu'ils en attendaient. On leur a garanti la possession de leurs biens et la liberté du culte. Ils pourront être à leur guise catholiques, marchands de peaux et de fourrures, négociants en blé. C'est ce qu'ils voulaient. Mais pourront-ils longtemps maintenir leur identité, coupés des Français de France, dans l'océan de peuples anglophones qui s'apprête à submerger le Canada ?

10.
L'AFFAIRE CALAS

Le 3 octobre 1761, rue des Filatiers, à Toulouse. Jean Calas et sa femme soupent tranquillement chez eux. Ils sont marchands d'indiennes, des tissus de coton imprimés, importés des Indes. Jean Calas a soixante ans, sa femme quarante-cinq. Ils ont quatre fils, Marc Antoine, Pierre, Louis et Donat. Ils ont aussi deux filles, Rose et Anne. Les Calas ne sont pas des Toulousains comme les autres. Ils font partie de cette religion prétendue réformée qui est encore mal tolérée par le régime monarchique de droit divin. Et ils ont une servante catholique, qui s'appelle Jeanne Viguier.

Ils sont donc tous à table. Le vieux père a retenu à souper un jeune homme de Bordeaux, le fils d'un de ses amis, Lavaysse. Celui-ci veut être pilote dans la marine. Il va s'embarquer pour Saint-Domingue. Le repas est gai, cordial. On souhaite beaucoup de chance au jeune Lavaysse. Le fils aîné des Calas, Marc Antoine, s'excuse à la fin du repas. Il part aussitôt, ayant à sortir.

Lavaysse passe au salon, à la demande de la maîtresse de maison. On sert déjà le café à l'époque. On parle deux heures durant : une conversation enjouée, animée. Peut-être les filles Calas font-elles de la musique.

Il se fait tard. Lavaysse doit prendre congé. Le second fils Calas, Pierre, s'offre à l'accompagner.

On entend, dans le salon, des cris affreux. La mère descend, le père, toute la famille. Devant la porte, une ombre se balance. Lentement. C'est la silhouette d'un pendu. On se précipite. C'est Marc Antoine, le fils aîné. On détache le malheureux.

« Il faut appeler un médecin », dit Anne Rose.

Le père enlève le gilet de son fils, il l'ausculte.

« Trop tard. » Ses traits se crispent. La mère éclate en sanglots. « Il est mort. »

Un suicide ! comment éviter la honte d'un suicide ! et chez des protestants ! Le scandale est inévitable. La loi est dure aux huguenots. Que l'on apprenne le suicide, et le corps du malheureux Marc Antoine risque d'être traîné dans les rues de la ville, sur une claie, la face contre terre, au lieu d'être enterré en terre chrétienne. Non, surtout pas de suicide.

« Il faut dire, scande douloureusement le vieux Calas, il faut dire que Marc Antoine est mort d'apoplexie. »

Tous en conviennent : il faut éviter le scandale. Tous s'y engagent, même la servante, Jeanne Viguier. Mais il faut bien prévenir les autorités. Déjà la nouvelle s'est répandue dans la rue des Filatiers. Les voisins accourent, les passants s'arrêtent. Un pendu chez les Calas, et le fils aîné. Avec ces protestants, il faut s'attendre à tout, bien sûr, disent les commères.

Entre dans la maison David de Beaudrigue, capitoul, officier de justice criminelle. Il demande à voir le corps. Il n'ouvre aucune enquête, ne pose aucune question. Il ne consigne aucune observation sur l'état du cadavre, qui ne révèle aucune trace de lutte. Il ne se demande à aucun moment comment ce robuste jeune homme de vingt-huit ans a pu se laisser étrangler sans se faire assommer. Il fait transporter le corps à la maison de ville, et il demande aux Calas, à Lavaysse et à la servante Jeanne Viguier de le suivre pour interrogatoire. Ils sont emprisonnés, interrogés.

« Avouez donc, leur dit le capitoul, avouez donc que vous l'avez tous assassiné.

— Mais pourquoi donc ? disent les Calas d'une seule voix.

— Parbleu ! c'est tellement clair. Parce qu'il voulait se convertir ! »

Et la politique s'en donne à cœur joie. Le procureur du roi demande l'aide de l'autorité ecclésiastique dans cette affaire. Marc Antoine est proclamé martyr de la foi. Son corps avait été conservé dans la chaux vive. Quarante prêtres vont au Capitole pour lui faire des obsèques solennelles. Le cadavre est porté dans l'église des pénitents blancs. On y dresse le catafalque dans le plus pur style jésuitique : un squelette surmonte le corps, qui tient dans ses mains une palme et un écriteau où l'on peut lire « Adjuration de l'hérésie : Marc Antoine Calas ». Ainsi, dans cette région toulousaine où les huguenots, malgré la révocation de l'édit de Nantes, ont gardé leur foi dans la clandestinité, les prêtres veulent faire de la mort de Marc Antoine un exemple d'apologétique, à la demande du pouvoir municipal. Toute la ville, tous les notables toulousains, sont présents aux pénitents blancs. On remarque dans l'assistance un jeune homme pâle, aux traits crispés.

« C'est Louis Calas, le troisième fils de Jean.

— Vous voyez bien », disent les capitouls.

13 novembre 1761. Un mois après l'événement. Le tribunal des capitouls s'apprête à juger la famille Calas. L'affaire lui est retirée par le parlement, à la demande des accusés eux-mêmes : n'avait-il pas exprimé la prétention d'appliquer la torture au ménage Calas et à leur fils Pierre, non à Lavaysse et à Jeanne Viguier ? Le parlement décide de juger Calas père seul, le premier. Par sept voix contre six, il est condamné à mort. Il faut huit voix, et non sept. Mais un des juges se ravise : Calas est bien condamné à mort.

Le 10 mars 1762, l'année où Rousseau publie *Du contrat social,* Jean Calas, mis à la torture sans qu'il avoue, est conduit en chariot, chemise et pieds nus devant la cathédrale, pour y faire amende honorable, comme au Moyen Age. La foule est immense dans Toulouse, muette d'horreur. La manifestation de « fanatisme espagnol attardé » (Le Roy Ladurie) qu'elle a la curiosité d'aller voir la stupéfie. Les bourgeois de Toulouse, très attachés au libéralisme, grands lecteurs de Montesquieu, frémissent d'horreur. Mais que faire ? La sentence est prononcée, il faut bien l'exécuter. Après tout, ces huguenots sont les ennemis du roi, des traîtres en puissance, des étrangers. Oui, il faut brûler ce Calas.

Il est roué, place Saint-Georges. Sous les coups terribles qui brisent ses membres, il crie « Je suis innocent ». Il ne cesse de prier pendant son agonie. Il meurt le visage tourné vers le ciel « en peine et repentance de son crime, dit l'arrêt du parlement, pour servir d'exemple et donner la terreur aux méchants ».

Il y a dans la ville de Toulouse nombre d'esprits éclairés qui réprouvent cette exécution barbare. Quant aux étrangers de passage, ils sont atterrés. Ils ne peuvent y croire. Un commerçant marseillais, de passage en Suisse, raconte l'exécution à Voltaire qui est à Ferney.

Voltaire est exaspéré par ces histoires de huguenots. En Suisse, où il vit, il réprouve l'intransigeance des pasteurs. Il n'a pas plus de sympathie pour les protestants que pour les catholiques. Tous des fanatiques, dit-il. Il s'informe sur Calas. Il écrit à Toulouse. Ce qu'il apprend est défavorable aux Calas. Le vieux aurait bel et bien tué son fils, par réminiscence biblique peut-être, se croyant inspiré par Dieu. Oui, Calas est un vieux fou, comme il y en eut, au début du siècle, beaucoup dans le Languedoc. Il a tué « de son propre mouvement, contrairement à Abraham, et pour l'acquit de sa conscience ». Voilà la conviction de Voltaire. Sans doute le parlement de Toulouse, en le condamnant au supplice de la roue, a-t-il été chercher dans le passé les tortures les plus barbares ; mais les exemples de la sauvagerie des mœurs judiciaires abondent. La torture est alors une institution. Voltaire et ses amis protestent en vain. Non, il n'y a pas de raisons particulières pour défendre Calas.

L'affaire Calas est bien mystérieuse. Pourquoi le jeune Marc Antoine se serait-il tué ? Il était beau garçon, coureur de filles, très aimé de ses camarades. Pourquoi le père l'aurait-il tué ? Et comment ? Pourquoi l'enquête ne porte-t-elle aucune mention concernant l'état du cadavre, le maquillage du cadavre, les circonstances exactes du meurtre ?

Le mystère préoccupe Voltaire. Il est sûr, à tout le moins, qu'il y a eu bien de la légèreté à rouer ainsi le vieux Calas. Le parlement aussi s'est contenté d'une information bien fragmentaire. On dit au philosophe que l'un des fils Calas s'est enfui, qu'il est à Genève. Voltaire demande à le voir, il l'écoute, il le questionne. Puis il écrit à Mme Calas, que les juges de Toulouse avaient mise, comme Lavaysse, hors du procès. Il lui demande de lui confirmer par écrit ce que le jeune fils de Calas lui a dit : son père était innocent. Mme Calas accepte. Et Voltaire commence son enquête.

« J'ose être sûr de l'innocence de cette famille, comme de mon existence », dit-il. Il affirme, mais il ne prouve rien. Quelles preuves pourrait-il avoir ? Toute son action consiste à faire le plus de bruit possible, pour réveiller la conscience collective, provoquer une révision du procès. Alors, dans la clarté, on examinera de nouveau les preuves, et peut-être en trouvera-t-on d'autres. Voltaire écrit à tous les puissants du royaume, au chancelier Lamoignon, au Premier ministre Choiseul ; il écrit même à la maîtresse du roi, la Pompadour. Il écrit aux conseillers du Parlement de Paris. Il envoie à Paris la veuve de Calas, en demandant pour elle protection. Elle porte son appel au Conseil du roi.

Et le Conseil du roi exige que le parlement de Toulouse fournisse les pièces du procès. « Il y a donc une justice sur la terre, crie Voltaire, les hommes ne sont donc pas tous de méchants coquins ! » En juin 1764 le Conseil casse les arrêts du parlement de Toulouse. Il ordonne que la révision du procès soit faite. Le roi renvoie le procès au tribunal des requêtes de son hôtel.

Voilà la mémoire de Calas réhabilitée déjà dans l'opinion publique ; ainsi le roi a donné tort aux capitouls, tort aux parlementaires toulousains. Que vaut donc leur justice ?

En 1765 un arrêt est rendu pour la mémoire de Jean Calas. Sa veuve est déchargée de toute accusation, ainsi que son fils Pierre, l'ami Lavaysse et la domestique Jeanne Viguier. Voilà tous les Calas innocents. Voltaire exulte, il a gagné son combat contre l'intolérance, contre l'arbitraire, contre le fanatisme.

Mais si Calas est réhabilité, la famille a droit a des indemnités. On en discute. Le tribunal du roi invite les Calas à se pourvoir. Le roi finalement accepte de leur verser une réparation de 36 000 livres.

Le roi a payé. Le roi reconnaît leur innocence. Ce n'est pas une réparation, pour les Calas, c'est un triomphe. Voltaire les fait recevoir dans toute la haute société. La reine, les ministres les reçoivent à Versailles. Tout le monde veut les voir. On pleure, on applaudit sur leur passage. Ils deviennent un fait d'opinion, connu dans toute l'Europe grâce à Voltaire. En Angleterre, une souscription est ouverte en leur faveur. C'est un triomphe. Un dessinateur, Carmontel, fait un recueil entier d'estampes sur tous les Calas.

Pour Voltaire, c'est la gloire. La campagne de presse a été intense, ininterrompue depuis le procès de Toulouse. A Toulouse même, on a publié de nombreux libelles, dont beaucoup ont été brûlés sur ordre du Parlement. A Paris les « nouvelles à main » (ainsi appelait-on les journaux non imprimés, distribués sous le manteau) se sont régalées de l'affaire Calas. Des feuilles signées Gilet circulent et se payent très cher. La censure royale ne peut interdire ces publications sauvages. Mais elle peut saisir les imprimés comme ceux de Voltaire sur l'affaire Calas, comme son *Traité sur la tolérance.* Mais qu'importe ? Les « affiches » de province, ces publications très lues dans les villes, tiennent leur public au courant de l'affaire. A aucun moment Voltaire n'est seul dans son combat. L'opinion publique éclairée est derrière lui. Et l'affaire Calas est essentiellement une affaire d'opinion.

Car on a condamné sans preuve le vieux Calas. Sans même recevoir ses aveux. Cela condamne, semble-t-il, le système de la torture. Il n'est pas destiné à autre chose qu'à obtenir par force un aveu, et Calas n'a pas avoué. Même sur la roue. Il a protesté jusqu'au bout de son innocence. C'est là l'argument essentiel de Voltaire. C'est le courage de Jean Calas qui condamne l'institution judiciaire. Même si Calas est coupable, le Parlement et l'appareil de la justice n'ont pas les moyens de le faire avouer.

Ils n'ont pas les moyens de le confondre. Ils ne l'ont même pas tenté. Ils avaient une certitude. Ils ont seulement cherché à la faire confirmer sous la torture.

Mais enfin qui est coupable ? Qui a tué Marc Antoine Calas, puisque tout le monde s'accorde à penser que le beau jeune homme n'avait aucune raison de se suicider ? Voltaire a réussi à créer ce grand courant d'opinion qui a innocenté le vieux Calas, mais il n'a rien pu prouver, faute de preuves. Il s'est trouvé lui-même dans l'impasse où étaient les parlementaires de Toulouse. Un cadavre maquillé ; des témoignages douteux. Au demeurant, la mort de Marc Antoine n'intéressait pas les pamphlétaires et les justiciers. Peu importe que Marc Antoine ait été assassiné, comme on l'a supposé, par un rôdeur, par un voleur surpris ou par un mari jaloux ! Ce qui importait à Voltaire, ce n'était pas de rechercher le véritable assassin mais de réhabiliter Jean Calas. Il se préoccupait du principe, non du crime. Et l'opinion l'a suivi. Nul ne sait, encore de nos jours, qui a tué Marc Antoine Calas, mais tout le monde sait que Jean Calas était innocent, et qu'il a été roué devant la cathédrale sur l'ordre de ces parlementaires que Voltaire appelait les « bœufs tigres ». De ce point de vue, Jean Calas n'est probablement pas mort pour rien puisqu'il a permis aux philosophes de livrer et de gagner une de leurs premières grandes batailles contre l'arbitraire monarchique.

11.

JEAN FARINE CONTRE TURGOT

Dijon, le 18 avril 1775. Une bande de jeunes gens en colère parcourt les rues de la ville en criant : « Dehors, l'intendant ! » « A bas le blé cher ! » Les femmes du peuple sortent de leurs maisons ou de ces logements où des familles entières s'entassent. Elles regardent les jeunes gens.

« Que se passe-t-il ?

— Il se passe, ma commère, que le blé vient encore d'augmenter. Si cela continue, ce Turgot va nous affamer tous. »

Elles sortent en bandes, des bâtons à la main. Les hommes se joignent au cortège. Où aller ?

Le 18 avril est jour de marché à Dijon. Il y a du monde à la Halle. Des gens qui protestent, qui se joignent à la manifestation. Déjà, la veille, les poissonnières de la Halle ont insulté un certain Janty, qui trouvait leurs carpes trop chères. Elles l'ont souffleté avec les carpes mortes et il a fallu toute l'énergie du guet pour les empêcher de jeter le jeune homme dans un puits.

Cette foule mobilisée, où l'on remarque de très jeunes gens, de dix-sept à dix-huit ans, pour la plupart endimanchés, manifeste au hasard, sans but précis, sans objectif. Soudain quelqu'un crie : « Au moulin ! » Et tous se rendent au moulin de l'Ouche. Le meunier est un solide gaillard, Carré, qui les voit arriver de loin. Que faire ? Va-t-on le rendre responsable de la cherté des grains ? Sans doute. En ce cas, les meuniers ont toujours tort. Il est perplexe, Carré. Il prendrait bien la fuite. Mais il faut penser à protéger le moulin, et le bon stock de farine qui dort dans les greniers.

« Allons, Carré, donne donc ta belle farine blanche, qu'on en nourrisse les pourceaux. » La farine blanche ! C'est de la farine truquée. On accuse Carré, comme les autres meuniers, de mélanger le blé avec de la poudre de fèves et de haricots, pour gagner plus d'argent.

Les émeutiers sont au grenier. Ils ont bousculé le meunier. Ils éventrent les sacs de farine blanche, dont le contenu s'étale sur leurs têtes.

« Tiens, dit une poissarde, nous voilà tous emperruqués.

— Gâcher ainsi du bon grain, dit une vieille insultant un jeune homme, quelle honte ! Dieu vous punira ! »

Mais le moyen de leur faire entendre raison ? Ils ont aussi trouvé la réserve de vin du meunier. Du bon vin de Beaune. Le ton monte, on demande la tête du meunier. On le cherche, il est introuvable. Carré s'est enfui. Il a trouvé refuge dans la maison d'un procureur, croyant y être à l'abri. Mais les jeunes gens ont vent de l'affaire. Ils le poursuivent.

« Vite, lui dit le procureur, ils arrivent. Fuyez par le toit ! »

Et Carré prend la fuite, juste à temps. Malheureux procureur ! Sa maison est mise à sac. Quant au moulin de l'Ouche, il est entièrement détruit. La populace trouve les stocks du meunier accapareur. Au lieu de les distribuer aux pauvres, elle jette, ivre de rage, la farine dans la rivière.

« Allez nourrir les carpes ! Le grain du diable n'est pas pour les honnêtes gens. » Il ne reste plus rien du moulin, sauf la meule. En pierre massive, elle pesait plusieurs tonnes.

« Chez Filsjean de Sainte-Colombe ! crie un jeune homme. C'est lui qui mène la bande des accapareurs. »

Et la foule se précipite. Pauvre Sainte-Colombe ! Il est conseiller au Parlement, c'est un notable, un monsieur à perruque.

« C'est lui qui donne les ordres aux meuniers ! » crie-t-on.

Sainte-Colombe a vu venir la foule. Pour se dérober à l'émeute, il se cache sous un tas de fumier. Il est introuvable.

On fouille et on pille partout chez lui. Pas le moindre sac de blé. Mais quelle cave ! L'ardeur des émeutiers fléchit sous les effets du vin de Beaune. Quand les soldats arrivent d'Auxonne, de Dole et de Besançon, Dijon s'est calmée. On arrête une quarantaine de meneurs, pour la plupart pris de vin. Est-ce la fin de la guerre des farines ?

Turgot ne le pense pas. Il s'attend à d'autres troubles. A vrai dire l'émeute de Dijon était complètement prévisible, depuis que Louis XVI avait laissé son ministre Turgot proclamer la liberté de circulation des grains. Turgot est un homme juste, intelligent, sensible, un homme de progrès qui veut lutter contre les absurdités économiques de son temps. Le commerce des grains, contrôlé par le roi, en est une. Il coûte une fortune à la couronne et personne n'est content. Le prix du grain augmente sans cesse. Qu'y faire ? Soutenu par les philosophes et par tous les gens éclairés de son temps, Turgot est convaincu que seule la liberté du commerce peut permettre la baisse des prix, en année normale bien entendu. Si les récoltes sont convenables, il suffit de faciliter les communications d'une région à l'autre, de supprimer les droits qui pèsent sur la circulation des sacs de grains, les octrois, les péages. Il faut aussi permettre le stockage, les années de bonne récolte. Quand la récolte est mauvaise partout, ce qui arrive, hélas !, il faut importer du blé étranger. Mais l'Etat doit cesser d'acheter du blé cher pour le revendre bon marché dans les halles. Il se ruine pour le seul profit des accapareurs.

Cet homme résolu est en mesure d'appliquer ses idées libérales. L'opinion le soutient. Le roi lui donne sa confiance. Il n'hésite pas. En septembre 1774 il ordonne la libre circulation des grains à l'intérieur du royaume et il autorise les importations massives de blés étrangers, pour casser les prix.

Mais les clients des boulangers, les consommateurs ? Que vont-ils faire si les accapareurs se jettent sur le grain du roi, pour agir contre la baisse ? Turgot, pour les aider, a prévu de constituer à Corbeil, près de Paris un gigantesque entrepôt pour les grains et farines, une sorte de réservoir où les boulangers peuvent puiser en cas de besoin. On fabrique même un pain officiel, le « pain du contrôleur général », pour le distribuer aux indigents.

Sages précautions, mais insuffisantes : la récolte de 1774 est exécrable. Aussitôt, les ports français reçoivent les lourds bateaux de la mer du Nord, qui apportent le blé de Russie conformément au scénario prévu par Turgot. Mais ces arrivages ne sont pas suffisants. Les accapareurs stockent tout ce qu'ils peuvent, jouent la hausse. Les coffres à serrures se remplissent de grains. Chez les boulangers, plus de farine. Le gouvernement ne peut aider tout le monde. Le prix de la livre de pain grimpe à Paris et dans les grandes villes. On parle de famine. On accuse Turgot de vouloir enrichir les propriétaires de grands domaines et les accapareurs. On crie « A bas Turgot ! ».

En Picardie, dans l'Ile-de-France, des bandes en armes imitent les émeutes de Dijon. Les moulins sont pillés, les fermes, et même, sur les rivières et dans les ports fluviaux, les bâteaux qui transportent les grains. Qui sont les émeutiers ? Des jeunes gens, comme à Dijon, des pauvres, des errants, des journaliers sans travail, des mendiants, des femmes du peuple, c'est une armée sans chef, sans mot d'ordre, qui fait la guerre à la famine. On l'appelle l'armée de « Jean Farine ».

Peu à peu, les émeutiers trouvent des ressources, des armes, des mots d'ordre. Ils s'attaquent aux halles et aux marchés, ils pillent les moulins et les bateaux, ils recherchent les stocks de grain. Pour s'en emparer ? La plupart du temps, comme à Dijon, le grain est jeté à la rivière, détruit. C'est moins une émeute de la faim qu'une révolte contre le nouveau système des grains. Une révolte contre Turgot. Les troubles sont signalés sur l'Oise, à Villers-Cotterêt, à Bondy. Les émeutes se rapprochent de la capitale. Creil, Beaumont, Pontoise sont touchées. Les dépôts de grains sont pillés à Brie-Comte-Robert, à Meaux, à Saint-Maur, à Saint-Germain. Il n'y a plus de grain disponible pour Paris. Pour Turgot, c'est l'épreuve de force.

Le 2 mai, l'armée de Jean Farine est à Versailles. Pas au palais, non, dans la ville. En ouvrant les fenêtres du château, on peut entendre gronder la foudre. La jeune reine, Marie-Antoinette, est apeurée. Que fait donc ce M. de Turgot, dont le roi est si fort entiché ?

Il est justement parti pour Paris, car le lieutenant de police, Le Noir, craint des troubles dans la capitale. A Versailles on s'affole. Le roi envoie ses gardes. Ils sont insultés. M. de Poix, leur chef, revient recouvert de farine. « Retournez, lui dit-on, et rétablissez l'ordre à tout prix.

— A tout prix ? C'est bien », dit de Poix. Il fait venir les chefs des émeutiers.

« A quel prix voulez-vous le pain ?

— A deux sous », lui dit-on. Il en coûte le double. Aussitôt de Poix ordonne, aux boulangers qui protestent, de vendre à moitié prix. Tous leurs pains sont emportés.

« Sotte manœuvre », dit Louis XVI. Mais le moyen de rétablir l'ordre autrement ? Turgot, qui est rentré de Paris, impose le retour à la fermeté : les boulangers n'ont pas le droit de vendre au-dessous du cours normal.

A Paris, les Halles sont gardées, les portes surveillées par les mousquetaires du roi. Mais les émeutiers venus de l'Oise réussissent à entrer dans la ville. Turgot rentré en hâte, exige de Le Noir plus de fermeté. Les émeutiers se sont organisés. Ils ont pris d'assaut les Halles, pillé les boulangeries, jeté le pain dans les rues. Les quartiers ouvriers Saint-Martin et Saint-Antoine sont les plus touchés. Qui sont les émeutiers ? Si l'on en croit Edgar Faure, le biographe de Turgot, ces gens « portent des tabliers, ou même des tabliers de peaux, ou des bonnets, ou tiennent des sacs ». Ils sont armés de bâtons et de haches. Ce sont des vagabonds, des crocheteurs, des cordonniers, des ouvriers chapeliers. Les gardiens de l'ordre se retirent devant eux. Ils pillent à l'aise. Les boutiques de la rue Saint-Honoré ferment, abaissent leurs rideaux. La police n'arrête personne, ne tente d'arrêter personne. Comme si elle avait des ordres : ne pas provoquer, ne pas étendre l'émeute. Turgot enrage. Va-t-on laisser les émeutiers piller toutes les boulangeries de la capitale ?

A Versailles, Turgot obtient du Conseil royal la destitution du lieutenant de police et du chef du guet, Lelaboureur. La troupe investit Paris, garde les portes. Des groupes du guet et des mousquetaires réoccupent les marchés, les Halles, les boulangeries. Les émeutiers ne peuvent plus s'attrouper. On en pend deux, pour l'exemple. Le 6 mai, Paris a repris son aspect normal. Les forces de l'ordre ont gagné, mais pour Turgot, quelle défaite ! La preuve est faite, il n'a pas réussi à faire baisser le prix du pain. On ne lui pardonne pas cet échec. Dans Paris, il est chansonné.

« *Est-ce Meaupou tant abhorré*
qui nous rend le blé cher en France ?
Ou bien est-ce l'abbé Terray ?
Mais voulez-vous qu'en confidence je vous le dise ?
C'est Turgot. »

Turgot est traité d'affameur, de fauteur de famine. En vain les philosophes le défendent. Voltaire est impuissant, Condorcet aussi. On attaque ce contrôleur général qui « court après les moulins à vent ». Les privilégiés ne sont pas les moins ardents. Ils craignent en effet que Turgot, en modifiant le système fiscal, ne leur fasse payer l'impôt comme le paye le peuple. Intolérable insolence ! Quoi ! Ce Turgot veut faire payer l'impôt aux nobles ? Les princes du sang, les grands seigneurs dénoncent la perversité des idées philosophiques. « Les économistes, dit un pamphlet payé par eux, sont des charlatans qui débitent de l'orviétan pour enivrer les énergumènes. » Turgot est un « faux prophète ». Que le roi prenne garde. Il met son pouvoir en balance.

Libérer les métiers, supprimer la corvée, rendre les Français égaux devant l'impôt, c'est de fait un programme révolutionnaire. Prétendre faire baisser le prix du grain, le prix du pain, ne l'est pas moins. Mais c'est un programme qui doit sauver la monarchie. Le roi en est longtemps conscient. Et Turgot ne manque pas de l'entretenir dans la confiance qu'il lui manifeste : « L'expérience vous manque, sire, vous avez besoin d'un guide. N'oubliez jamais que c'est la faiblesse qui a mis la tête de Charles 1er sur le billot. » Mais les privilégiés s'organisent, la cabale l'emporte. Le roi ne peut rien contre l'alliance des évêques, des grands seigneurs, des parlementaires, des financiers, de son entourage propre, de la reine elle-même. Il laisse partir Turgot, il lui demande sa démission. « C'est un désastre », dit Voltaire.

« Je souhaite, écrit Turgot au roi, que le temps ne me justifie pas. »

12.
LA FAYETTE ET WASHINGTON

« Ces Français sont insupportables, dit George Washington. Qu'avons-nous à faire de leur aide. Ils nous la feront payer trop cher. Français, Anglais, blancs bonnets, bonnets blancs. Il faut tous les jeter à la mer. »

George Washington, c'est le premier président des Etats-Unis d'Amérique, le héros de la guerre d'Indépendance américaine. Non, George Washington n'aime pas les Européens, pas plus que ne les aiment les cinquante patriotes qui ont jeté à la mer, à Boston, en décembre 1773, les caisses de thé de la Compagnie anglaise des Indes. George Washington sait très bien qu'en Amérique, les Français veulent pêcher en eau trouble, et prendre leur revanche sur la guerre de Sept Ans, qui fut pour eux une véritable catastrophe. Ce que les Français reprochent aux Anglais, ce n'est pas de dominer les Américains, c'est de les avoir chassés du Québec, de Floride, de toutes les terres américaines qu'ils occupaient comme colons.

La preuve ? En juillet 1776 un certain Silas Deane, envoyé des insurgés américains, arrive à Versailles. A cette date, les ponts sont coupés entre Londres et ses colonies. Le premier sang a coulé. Le port de Boston a été fermé par les Anglais qui y ont placé une garnison. Douze colonies sur treize se sont insurgées, elles ont envoyé des délégués à Philadelphie, réuni un premier congrès. Les colons américains ont été déclarés rebelles par le roi George III. Les milices sont en armes. Elles ont attaqué à Lexington, en 1775, la colonne du général anglais Gage. Le Congrès, avec des délégués de toutes les colonies, a mis le pays en état de défense. C'est lui qui a nommé George Washington généralissime, parce qu'il avait déjà combattu dans l'armée anglaise, pendant la guerre de Sept Ans. C'est le Congrès qui a envoyé ce Silas Deane à Versailles, pour demander du secours « aux amis de l'Amérique en d'autres pays ».

« Vous verrez, dit George Washington, que les Français ne vous donneront rien. » Pourtant il faut se hâter. Le roi d'Angleterre, dit-on, recrute des soldats en Hanovre. Des renforts vont arriver. Une flotte immense se prépare.

« N'ayez pas confiance dans les Français », dit Washington.

Et Silas Deane frappe à la porte du ministre des Affaires étrangères français, le comte de Vergennes. Un personnage subtil, qui entretient dans les grandes ambassades un réseau serré d'agents secrets. Un homme habile, ambitieux, froid. Silas présente la demande du Congrès.

« Mazette, lui dit Vergennes, deux cents canons, vingt mille fusils, vingt mille uniformes ! Où voulez-vous que je les trouve ?

— Je croyais, Excellence, que vous étiez l'ami du peuple américain ? »

Car Silas a lui aussi des informations. Il sait que Vergennes brûle de s'engager. Il n'attend que l'occasion de tailler des croupières à l'Angleterre, la vieille ennemie. Les Anglais sont en difficulté, il faut en profiter. Il a un agent secret à la cour de Londres. Son nom ? Caron de Beaumarchais ? Auteur dramatique. Et Beaumarchais, qui a de bonnes informations, écrit à son ministre que la situation empire en Amérique, et que les Anglais ne pourront pas tenir.

Oui, il faut aider les Américains, se dit Vergennes. Mais comment ? Faut-il leur prêter un million, comme le suggère Beaumarchais ? Vergennes envoie en Amérique un autre agent secret, sous couvert d'une affaire commerciale. Il s'appelle Beauvouloir. Beauvouloir doit s'informer sur la force exacte des insurgents, prendre contact avec les chefs, voir si une entente est possible.

Alors pourquoi ne pas s'entendre avec Silas ? Il est là. Il demande, il implore. Prudence, se dit Vergennes. Il faut obtenir l'accord de l'Espagne, et ne pas prêter deux cent canons pour rien. La France n'est pas riche a ce point-là.

« Rendez donc visite à M. de Beaumarchais, conseille-t-il au voyageur.

— Beaumarchais ? Son excellence veut probablement dire Hortalez ? »

Oui, Hortalez, c'est le nom de guerre de Beaumarchais en Amérique. Il a organisé là-bas une maison de commerce, simple couverture pour importer en Amérique du matériel de guerre, des volontaires, de l'argent. Deane n'en revient pas... Ainsi le ministre dit non, et son homme de confiance a tout fait. Tout est prêt, les canons, les fusils, la poudre. Non, Deane n'en croit pas ses yeux. Ces Français sont décidément bien étranges, se dit-il. Il y a même des hommes incorporés, qui attendent l'embarquement. Des jeunes nobles, frustrés de guerre, qui se précipitent au bureau du soit-disant Hortalez. L'un d'eux frappe Deane, par sa prestance. Il est jeune, à peine vingt ans. Il est sérieux, sûr de lui, discret, efficace.

« Comment s'appelle ce jeune homme ? demande Deane à Beaumarchais.

— C'est le jeune marquis de La Fayette. Il est venu là avec Noailles, son beau-frère, et son ami Ségur. »

« Vous voyez bien que les Français n'interviendront pas, dit George Washington. Deane revient de Versailles. On lui a montré beaucoup, on ne lui a rien donné. Il revient bredouille, comme on dit au pays de M. de Beaumarchais.

— Laissez-moi essayer une dernière fois », dit un petit homme à grosse tête, dont les yeux, à travers les lunettes, semblent perdus dans le rêve.

Il s'appelle Franklin, Benjamin Franklin, et il s'installe à Paris rue de Passy. Tout Paris veut rendre visite à ce Socrate américain, à ce prince de la physique, la science à la mode, et quand il passe dans la rue avec ses gros souliers et son air bonhomme, les jardiniers de Passy le saluent joyeusement...

« C'est M. Franklin !

— Qui est-ce ?

— Une espèce de sorcier américain. »

Mais Franklin a beau se dépenser, Vergennes refuse toujours, il attend toujours l'Espagne, qui ne se décide pas. Les chansonniers le traitent de capon, les jeunes nobles du bureau Beaumarchais s'impatientent. Et soudain Franklin annonce la grande nouvelle, la bonne nouvelle, une nouvelle capable de décider le roi, la cour et Vergennes : les insurgents viennent de battre à plate couture une armée anglaise à Saragota. « Cette fois il faut se hâter », dit Vergennes. Les Anglais sont à bout. Un traité d'alliance est signé. Nous sommes en février 1778.

1778. Pendant des mois, la France fait la guerre, à sa manière, sans se soucier des Américains. Une guerre par à-coups, avec des beaux faits d'armes et de longues périodes d'hésitations. La marine française est au meilleur de sa forme ; les arsenaux ont bien travaillé. Mais les amiraux sont vieux, et l'alliance espagnole, enfin conclue, n'apporte pas les renforts espérés. A quoi rêvent les Français ? Le succès de la frégate *La Belle Poule* contre l'anglaise *Aréthuse* leur fait perdre la tête. Ils se croient invincibles sur mer. Les femmes arborent des frégates sur leurs perruques. *La Belle Poule* fait fureur à Versailles même... Oui, ils perdent la tête, ils rêvent de débarquer en Angleterre, de refaire, avec les Espagnols, l'Invincible Armada. Au lieu d'aider les Américains, d'envoyer la flotte outre-Atlantique, ils se préparent pour l'invasion. Même La Fayette est convaincu.

« Vous voyez bien, dit George Washington, qu'il ne faut rien attendre de ces gens-là.

— Un coup se prépare, lui écrit La Fayette, qui fera tomber la grandeur soufflée de l'Angleterre. Les Anglais sont à bout, ils vont bientôt se rendre. Je vois déjà le drapeau blanc planté au cœur de l'insolente nation »... Hélas ! le beau projet échoue, à cause du scorbut, des vents contraires et de l'incapacité des amiraux français et espagnols... Les seules opérations réussies, finalement, sont celles qu'il faut attribuer à des initiatives individuelles, comme celles de cet ancien brigadier d'infanterie, devenu officier bleu dans la marine, détesté des officiers rouges, des nobles nommés par Versailles dans la haute noblesse, comme le duc de Chartres... Ce d'Estaing fait merveille, avec sa petite escadre, sur les côtes américaines et dans les Antilles. Ce n'est pas assez pour donner confiance aux Américains. Ils n'aiment ni la France, ni l'Espagne, nations catholiques et féodales. Au fond, ils regrettent d'être en guerre contre les Anglais. Et les marins français s'étonnent de ne pas trouver les insurgents plus coopératifs. Décidément, les alliés ne s'entendent guère. Les Anglais vont-ils profiter de cette méfiance ?

Il y a La Fayette. Il est le seul à avoir la confiance de George Washington. Il aime ce jeune homme sérieux, convaincu, passionné de liberté mais conscient de ses possibilités. Washington lui a fait le grand honneur de lui donner un commandement dans son armée. Heureuse initiative. Les soldats insurgés l'appellent familièrement « soldiers friend », il devient très vite follement populaire.

Il est le seul Français qui puisse sincèrement, efficacement, plaider la cause des insurgents dans Paris et à Versailles. Il n'y manque pas. Il est reçu par Vergennes. Il demande pour les insurgents des canons et de la bonne infanterie, des régiments éprouvés, une véritable armée. C'est aussi ce que demande le bonhomme Franklin qui est resté à Paris. Un mouvement d'opinion se crée, par la presse, les salons, les sociétés de pensée, et aussi les cafés et les académies, en faveur de la révolution américaine. Les philosophes et leurs amis entrent dans la bataille. Leur presse exige de l'aide pour l'Amérique. Le mouvement, relayé par les loges maçonniques, est aussi fort en province qu'à Paris. A Toulouse, par exemple, les « affiches » publient une épître adressée aux insurgents. Elles célèbrent le nom de Washington, de La Fayette. Un avocat au parlement de Toulouse, Jean Mailhe, écrit un poème sur le triomphe de la liberté en Amérique, qui est couronné par l'Académie. Celle-ci met au concours un sujet « sur la grandeur et l'importance de la révolution qui vient de s'opérer dans l'Amérique septentrionale ». Oui, pour Mailhe, et peut-être aussi pour La Fayette, George Washington c'est à la fois Guillaume Tell et Guillaume le Taciturne.

Vergennes, une fois de plus, fait ses comptes : 33 000 Anglais bien retranchés sur les côtes américaines, 25 000 miliciens américains mal armés. Il faut faire un gros effort. Mais la situation en Europe est incertaine et les Espagnols sont des alliés peu sûrs. Vergennes temporise encore. Ce n'est qu'en mai 1780, après deux ans d'attente interminable, que le « parti américain » obtient enfin satisfaction : une armée de secours part de Brest, sous le drapeau fleurdelysé : 6 000 hommes, commandés par un professionnel, un ancien de la guerre de Sept Ans, Rochambeau. Deux mois et demi de navigation : le 11 juillet, la flotte débarque les régiments du roi Louis XVI à Newport. Elle y reste immobilisée pendant un an.

George Washington est à bout. Il a attendu deux ans l'arrivée des Français. Et maintenant qu'ils sont là, il ne peut les utiliser. Le Congrès ne peut lui fournir ni argent ni troupes. Les soldats sont las de ces luttes sans fin. Ils rentrent chez eux. On voit des régiments entiers se débander, comme ceux de Pensylvanie. La trahison est dans les rangs des insurgents. George Washington démasque à temps le commandant de West Point, un certain Arnold, qui voulait livrer aux Anglais, contre espèces sonnantes, son point fortifié. Les Anglais tiennent solidement Yorktown, et font échec à toute action offensive des insurgents. Oui, Washington est à bout. Il n'ose plus reprendre l'initiative.

Mais les Français sont là, ils veulent en finir, rapidement. Ils sont en force. Rochambeau s'est mis en route, tout seul, avec ses régiments, il a contourné New York, tenue par les Anglais ; il a de la chance, Rochambeau. Il apprend, non loin de Philadelphie, qu'il peut compter sur le secours inespéré des 3 000 bons soldats que le marquis de Grasse, qui croisait dans les Antilles, vient de débarquer à l'entrée de la baie de Chesapeake. Il peut aussi compter sur les 1 500 hommes que commande La Fayette. Toutes ces forces sont massées devant

Yorktown. Les Anglais n'ont plus la maîtrise de la mer. De Grasse domine la baie. Les Anglais sont furieusement bombardés. Ils se rendent : 160 canons, 22 drapeaux, 6 000 fantassins, 1 500 marins... un désastre pour Londres. Le 19 octobre 1781 est pour l'Angleterre un jour noir, un jour de défaite.

A Versailles, on triomphe, on pavoise. La Fayette dit : « La pièce est jouée, le cinquième acte vient de finir. » Il rentre à Paris où la foule l'acclame. A l'Opéra, en 1781, il est couronné de fleurs. A la paix de Versailles, signée deux ans plus tard, les Anglais reconnaissent l'indépendance de leurs colonies américaines. Immense succès, grande première mondiale. Les philosophes triomphent. C'est la première fois qu'une révolution réussit avec pour mot d'ordre la démocratie. La presse libérale exulte en France.

En Angleterre, où le cabinet est tombé, on est saisi de stupeur. Les Anglais ne redoutent guère les idées démocratiques des insurgents. Ils savent que les notables d'outre-Atlantique dominent fort bien leur société de trappeurs, d'esclaves et de mauvais garçons. Non, ce qui inquiète les Anglais, c'est que, pour la première fois dans l'histoire du monde, la politique coloniale est mise en question. Pour la première fois une métropole européenne perd la face. Le 17 octobre, à Yorktown, jour de capitulation, les forces françaises et américaines s'étaient alignées sur deux rangs. Et l'armée anglaise a défilé, longuement, lugubrement, pour aller déposer ses armes aux pieds des vainqueurs. Les étendards sont roulés, les drapeaux sont invisibles, les tambours sont en berne. Et les fanfares jouent un air étrange, singulièrement ironique, singulièrement révélateur : *The world turned upside down :* c'est le monde à l'envers !

Qui a mis le monde à l'envers ? La Fayette, bien sûr, et George Washington. Mais surtout le roi Louis XVI. Ses marins, ses canons, ses étendards fleurdelysés l'ont emporté à Yortown. Singulière victoire, et bientôt, amère victoire... Oui, le roi Louis XVI aura bientôt besoin de La Fayette... quand il sera contraint de coiffer le bonnet rouge, et d'arborer la cocarde tricolore.

13.

LA JOURNÉE DES TUILES

Grenoble, 10 mai 1788. Un grand seigneur sort du parlement. Seul, ou presque. Il s'appelle Clermont-Tonnerre. Il jette un trousseau de lourdes clés au concierge.

« Le parlement doit rester fermé. Tu m'en réponds sur ta tête.

— Mais, Monseigneur ? »

Le duc de Clermont-Tonnerre est déjà parti, son carrosse s'éloigne, il regagne son gouvernement. C'est lui le gouverneur de la province du Dauphiné. S'il a fermé le parlement de Grenoble, c'est sur ordre du roi. Il exécute des ordres. C'est un fort grand seigneur que le duc de Clermont-Tonnerre. Doux, intelligent, compréhensif. Dauphinois lui-même d'origine. Mais il doit faire ce que le roi lui ordonne. D'ailleurs il n'aime pas ces parlementaires. Toujours prêts à mobiliser le bas peuple pour la défense de leurs privilèges. Depuis assez longtemps ils abusent de la patience royale. Ils refusaient obstinément d'enregistrer les édits du 8 mai, ceux que le Premier ministre, Loménie de Brienne, avait dû faire enregistrer de force par le Parlement de Paris...

Ces édits, il faut bien le dire, sonnaient le glas du privilège. Mais la monarchie n'avait pas le choix, et beaucoup de grands seigneurs éclairés, comme Clermont-Tonnerre, le savaient bien : si elle voulait durer, elle devait s'adapter, se réformer, instaurer un système fiscal juste, moderne, efficace, donner la parole aux provinces, aux forces neuves de la vie économique, et non aux vieux parlementaires et aux hobereaux réactionnaires... C'était l'enjeu des réformes, et depuis quelques années elles échouaient toujours devant la résistance acharnée des privilégiés. Et l'Etat ne trouvait pas les ressources nécessaires à sa survie : il était de plus en plus pauvre, dans une France de plus en plus prospère.

Loménie de Brienne le Premier ministre voulait en finir. En finir avec ces parlementaires, les mieux organisés pour la résistance aux réformes. Brienne est archevêque de Toulouse, comme on l'est sous l'Ancien Régime, parce qu'il faut bien vivre et toucher des revenus quand on est grand seigneur. Mais c'est un grand seigneur éclairé, qui a connu Choiseul et Turgot. Il est du parti des réformateurs car il n'y a pas, en 1787 et 1788, d'autre parti à prendre. Il faut bien trouver de l'argent. Il reprend un vieux projet d'impôt sur la fortune foncière, baptisé « subvention territoriale », que devront payer aussi les privilégiés. Naturellement, ils résistent, et se trouvent unis dans leur résistance. Les grands seigneurs, dont Brienne rogne les pensions, sont la plupart du temps du côté des magistrats, qui profitent des embarras financiers du gouvernement pour revendiquer un droit de contrôle sur le budget. La fronde parlementaire s'élève, à Paris, mais aussi à Grenoble. Le roi, pour la combattre, propose ces fameux édits du 8 mai qui réorganisent complètement la justice, pour briser le monopole des parlementaires. Il les fait enregistrer à Versailles, en lit de justice. Il veut impressionner les magistrats, les désarmer définitivement. Voilà pourquoi M. de Clermont-Tonnerre avait l'ordre de fermer le parlement de Grenoble, qui avait osé résister au roi.

« Tu m'en réponds sur ta tête, a-t-il répété au concierge. Tu ne dois ouvrir à personne. »

Fermer le parlement de Grenoble ! C'est un événement d'importance. Les parlementaires sont des privilégiés, certes, mais ils ont une clientèle dans le peuple. D'abord, tous les clercs, tabellions, toutes les petites gens de la basoche. Et puis ils sont riches, ils ont des terres en province. Ils peuvent ameuter leurs fermiers, leurs métayers. Ils sont naturellement soutenus par les hobereaux des campagnes, qui ne veulent à aucun prix payer des impôts.

Le parlement est au centre de la ville, il est presque toute la ville. Grenoble ne vit que par lui. Les avocats, les procureurs sont nombreux, plus de cinq cents avocats reçus devant le parlement ! Et ces avocats sont remuants, imprégnés d'idées nouvelles, favorables aux idées philosophiques. Ils ne partagent pas l'attachement au système du privilège des vieux présidents à mortier. Ils seront bientôt illustres, les avocats de Grenoble, grâce à Mounier, futur député et bouillant agitateur, comme les juges seigneuriaux dont le plus connu, juge du marquis de Monteynard, est un certain Barnave. Ils partagent pleinement les vues de la bourgeoisie libérale de Grenoble, des négociants, des fabricants de gants, des Raby, des Dolle, des Claude Perier. Autant d'illustres familles qui ne partagent nullement la querelle des privilégiés et qui se moquent de voir le président du parlement refuser de payer l'impôt, mais qui par contre sont tout à fait d'accord avec les parlementaires pour s'élever contre le despotisme du ministère parisien et pour demander un contrôle du gouvernement royal.

Aussi quand le duc de Clermont-Tonnerre veut fermer le parlement, c'est un tollé général, non seulement chez les privilégiés et leur clientèle, mais aussi chez tous les libéraux qui protestent contre cet abus de pouvoir. Même si les jeunes avocats détestent les privilégiés, ils font cause commune avec les parlementaires brimés. Dans tout le pays la résistance est furieuse. On voit des ducs et pairs prendre le parti des magistrats. Le duc d'Orléans défend les parlementaires parisiens, et le duc de Luynes, et le duc d'Uzès, et le duc de Praslin, et tant d'autres. C'est une levée de boucliers dans la haute noblesse... Dans tout le pays les parlementaires, se sentant soutenus par tous les ordres, organisent des émeutes. On voit une inscription sur les murs du Parlement de Paris : « Parlement à vendre, ministres à pendre, couronne à louer. » On brûle Brienne en effigie, on insulte la reine. Les émeutes éclatent à Toulouse et à Dijon, le Béarn est en révolte, la noblesse bretonne attaque les soldats du roi.

A Grenoble aussi les parlementaires chassés du parlement par Clermont-Tonnerre sont soutenus par les nobles, par les hobereaux de campagne, et naturellement par le corps municipal : tous les syndics des corporations d'artisans, de marchands sont derrière eux, les avocats, les gens de justice et les très nombreux domestiques qui peuplent les maisons nobles et bourgeoises. Il n'est pas difficile de déclencher une émeute quand tout le monde est contre le pouvoir. Pour la masse populaire, elle suit sans difficulté le mouvement : le chômage et la cherté du pain rendent disponibles les troupes de manœuvres affamés venus de Savoie, du Piémont et même du Languedoc. Le service d'ordre est débordé par l'ampleur de la manifestation. Quant aux responsables, ils n'hésitent pas à prendre parti publiquement : le premier président de Bérulle réunit chez lui les parlementaires, le 20 mai. Il sait qu'il lui est interdit de le faire. Il le fait néanmoins, et il pousse l'audace — inconcevable chez un homme de son âge et de sa condition — jusqu'à écrire que si les édits de mai sont maintenus, « le Dauphiné se regarderait comme entièrement dégagé de sa fidélité envers son souverain ».

C'est la révolte ouverte, la guerre déclarée. Il faut faire savoir aux ministres, dit le premier président, « ce que peut une nation généreuse qu'ils veulent mettre aux fers ». Sus aux ministres, vive la nation ! Les mots d'ordre sont lancés. Voilà un langage que peuvent adopter aussi bien les privilégiés, jaloux de leurs prérogatives, que les bourgeois libéraux exaspérés par le ministère. « Vive la nation ! » crie le premier président. « Vive la nation ! » reprennent en chœur les Barnave et les Mounier, les jeunes avocats pleins de fougue... Et Barnave ajoute, sans hésiter, lui, le petit avocat sans cause : « Vive le Parlement ! »

Décidément tout le monde à Grenoble est contre Brienne, contre le roi. La coalition des mécontents n'attend que l'occasion de se manifester plus violemment encore. Cette occasion, c'est le duc de Clermont-Tonnerre qui va la lui fournir.

Oui, c'est Clermont-Tonnerre, encore porteur des instructions du ministère, qui fait remettre, au matin du 7 juin, les lettres de cachet qui leur donnent l'ordre, nommément, aux parlementaires de quitter la ville, de partir pour l'exil.

Le corps municipal se réunit aussitôt. Dans la rue, c'est l'émeute, spontanée : « On veut exiler ces messieurs du parlement ! » Le tocsin sonne à tous les clochers. Les curés de Grenoble ont depuis longtemps la réputation d'être des fortes têtes. Ils ameutent leurs ouailles : tous à la municipalité ! Les boutiques ferment. Les responsables des quarante et une corporations de Grenoble sont tous présents, la mine grave. Ils se rendent en délégation, sous les vivats de la foule, à l'hôtel du premier président Bérulle. A la Halle les vendeurs, les marchands emboîtent le pas, et les badauds suivent. Quand ils arrivent devant l'hôtel, il faut refluer, déjà les meneurs sont ressortis, sans entraîner le président. Ils se rendent devant l'hôtel du lieutenant général, le duc de Clermont-Tonnerre. Ils l'assiègent. Ils manifestent sous ses fenêtres. Ils lui demandent les clés du palais.

Le duc tient bon mais la foule grossit. Maintenant les gens rameutés dans les campagnes, dans les montagnes voisines sont arrivés. La foule est immense devant l'hôtel. Le lieutenant général, pour faire face, appelle la troupe, les soldats du Royal-Marine. Doivent-ils tirer ? Ils n'ont pas d'ordre. Et soudain ils reçoivent sur la tête une pluie de tuiles. Elles tombent de tous les toits, comme par un mot d'ordre. Les soldats ne peuvent relever la tête ni ajuster les fusils. Ils se débandent, tuant au passage, dans la panique, à coups de baïonnette, un pauvre vieillard.

« Il est interdit de tirer ! » hurlent leurs officiers indignés. C'est Boissieu et La Tour du Pin, les officiers du régiment, qui hurlent cet ordre. Les gens entendent. Si les soldats ne peuvent pas tirer, ils s'enhardissent... L'hôtel de Clermont-Tonnerre est bientôt envahi, la porte forcée, les pièces saccagées. Lui-même n'échappe à la mort qu'en donnant enfin les clés du parlement et en autorisant le président de Bérulle à rassembler ses magistrats.

Ainsi l'émeute a gagné. Le parlement de Grenoble peut se réunir en toute quiétude, dans l'illégalité. Les cloches sonnent victoire, les magistrats défilent dans la rue et sont couverts de fleurs. Les gens les escortent en portant des rameaux verts. Inquiétante victoire. Le premier président de Bérulle et ses collègues ne sont pas seulement des notables, ce sont des privilégiés , des officiers royaux, ils ne sont rien sans la monarchie. Ils s'inquiètent de plus en plus et finissent par se soumettre. La journée des Tuiles les a affolés, ils fuient, ils quittent Grenoble. Pas besoin d'interdire ou de fermer le parlement, les parlementaires sont aux champs.

Est-ce la fin de l'émeute ? Assurément. Mais le mouvement continue, avec d'autres acteurs. La défection des parlementaires n'a guère surpris les Barnave et les Mounier. Le 14 juin, une assemblée se réunit à l'hôtel de ville de Grenoble, avec les représentants des trois ordres, Noblesse, Clergé, Tiers-Etat. Il y a 9 ecclésiastiques, 33 nobles et 59 bourgeois. Et Mounier et Barnave dominent cette assemblée, qui devient très vite tumultueuse. L'assemblée apprend bientôt que Brienne a remplacé Clermont-Tonnerre, jugé trop tiède, par le maréchal de Vaux. Avec des soldats corses et suisses, le maréchal interdit à l'assemblée la ville de Grenoble. Il veut bien qu'elle se réunisse, mais hors des portes. Aussitôt les délégués prennent la route, pour se rendre au château de Vizille, propriété de deux fabricants de la région, les frères Perier. Les députés sont plus nombreux, ils viennent de toute la région, ce sont les Etats du Dauphiné : 165 nobles, 50 ecclésiastiques, 325 bourgeois. Mounier est élu, par acclamations, secrétaire. Le comte de Morges est président.

Est-ce une assemblée de défense du privilège ? Nullement. Animée par Mounier et Barnave, elle parle au nom de la nation, elle se veut un modèle pour la nation. Elle demande, pour les futurs Etats du Dauphiné, une représentation où le Tiers ait autant de députés que les deux autres ordres réunis, et que les votes aient lieu par tête, tous députés réunis, et non pas par ordres. Barnave veut aller plus loin, et les députés demandent que les Etats généraux du royaume soient convoqués, et qu'ils aient le pouvoir de consentir l'impôt. Ils exigent le respect des libertés et que le roi renonce aux lettres de cachets. Ils veulent obliger le pouvoir à composer avec la nation. Mounier et Barnave savent que dans la France entière , leurs idées sont partagées par les hommes de progrès. Même des seigneurs comme La Fayette, Luynes et La Rochefoucault ont fait savoir qu'ils étaient pour la réunion des Etats généraux et la rédaction d'une constitution. Ce parti « national » s'exprime pour la première fois à l'assemblée de Vizille. Tous les ordres y sont réunis. Brienne s'en étonne. Quoi, les privilégiés marchent avec le Tiers-Etat ? Hé oui ! lui dit le maréchal de Vaux, les officiers du Royal Marine n'ont pas caché à Clermont-Tonnerre leur sympathie pour les émeutiers. Et la plupart des nobles du Dauphiné se sont rendus à Vizille.

« Il fallait les en empêcher, dit Brienne.

— Quand toute la noblesse d'une province, répond le maréchal, a déclaré qu'elle tiendrait une assemblée, elle la tiendrait sous la bouche du canon. »

« Eh bien, se dit Brienne, puisque les privilégiés nous brocardent , il nous reste à rechercher l'alliance du Tiers-Etat. » Lamoignon, le garde des Sceaux, le met en garde : « Prenez garde, avant deux mois, il n'y aura plus ni parlement, ni noblesse, ni clergé. » Mais Brienne entame la procédure de convocation des Etats généraux, dont les députés doivent être élus. Il compte sur la sagesse de la nation. Il sait, Brienne, il ne sait que trop, à quel point les parlementaires de Grenoble sont maintenant convaincus qu'à laisser faire les gens les plus exaltés du Tiers, c'est toute la société, et non pas seulement le ministère, qui est par terre. Oui, Brienne en est convaincu, la journée des Tuiles lui a ouvert les yeux : la réunion des Etats généraux est le seul moyen d'éviter la révolution.

Quelques semaines plus tard, il est renvoyé. Les Etats sont convoqués, la révolution est en marche. Les députés du château de Vizille ont lancé à la nation ses mots d'ordre : liberté, constitution, égalité.

14.

LE SERMENT DU JEU DE PAUME

Samedi 20 juin 1789 à Versailles. Les députés des Etats généraux se présentent pour siéger à l'assemblée des Menus-Plaisirs, comme à l'accoutumée. C'est une vaste salle, aménagée dans un hôtel de l'avenue de Paris, non loin du château. Les députés sont nombreux. Ils travaillent depuis l'ouverture des Etats, le 5 mai. Ils ont conscience de représenter la nation. Ils ont été régulièrement élus, à la demande du roi, par une forme un peu compliquée de suffrage universel à deux degrés. Ils sont pénétrés de l'importance de leur mission. C'est à eux qu'il appartient de réformer le royaume, pour obtenir plus de justice et de liberté. Ils aiment le roi, mais ils veulent empêcher la cour et les mauvais ministres de ruiner la nation. Oui, au matin du 20 juin, les députés se trouvent à neuf heures à l'entrée de la salle des Menus, et à leur grande surprise, ils y trouvent les soldats du roi.

« La salle est fermée, vous ne pouvez entrer, leur dit un officier.

— Mais nous sommes les représentants de la nation, dit un député du Tiers.

— La salle est fermée pour travaux. Il faut la préparer pour une prochaine séance royale. Vous ne pouvez siéger ici. »

Les hommes du Tiers comprennent que la cour manœuvre, qu'on veut les empêcher de siéger. Depuis le 17 juin, la cour est en alerte, elle veut arrêter la révolution qui commence.

Car il s'agit bien d'une révolution. Jadis Brienne croyait

qu'en rassemblant les Etats généraux on ferait taire les privilégiés, que le Tiers Etat prendrait le parti de la réforme, le parti des ministres du roi. Quelle erreur ! Le Tiers Etat, dès le départ, veut aller bien au-delà. Il veut constituer le royaume en nation.

Le Tiers n'a pas, en apparence, les moyens d'imposer sa volonté : il dispose de 598 députés, contre 308 au Clergé et 290 pour la Noblesse. Mais il s'est découvert bien des amis chez les curés pauvres, les moines et même chez les nobles. Il sait qu'il a besoin d'eux pour transformer la société, il compte sur eux, il veut les séduire. Dès le 6 mai les députés du Tiers ont invité leurs collègues des autres ordres à vérifier en commun les pouvoirs des députés. Ils n'ont pas accepté, mais ils ont été souvent tentés de le faire. Le Tiers, devant leur refus, a décidé, le 10 juin, de procéder seul aux vérifications. Il sait que, désormais, il doit aller de l'avant, car les privilégiés font traîner, à dessein, les débats de procédure. Le Tiers veut brusquer les choses, contraindre les autres ordres à le suivre. C'est dans cet esprit qu'il a pris la décision de travailler seul. Et c'est avec satisfaction qu'il a vu un certain nombre de députés du clergé se joindre à lui. Le 17 juin, sur l'initiative d'un député particulièrement remuant et avisé, Sieyès, le Tiers Etat a fait une déclaration fracassante : puisqu'on ne veut lui accorder le vote par tête, puisqu'on veut l'empêcher d'accomplir son œuvre, il décide de se passer des autres ordres. Après tout, les députés du Tiers représentent, dit Sieyès, « les quatre-vingt-seize centièmes de la nation ». Nous sommes désormais une Assemblée nationale, dit le Tiers. Et aussitôt les députés réunis décident d'autoriser la perception des impôts, comme si ce droit lui appartenait. L'Assemblée nationale se conduit comme si elle détenait dans l'Etat une fonction législative, comme si elle était souveraine.

Le roi ne peut le tolérer. Il a donné des ordres. C'est à la suite de ce véritable coup de force des députés du Tiers qu'il a décidé de les empêcher de se réunir. Si les portes des Menus-Plaisirs sont fermées, au matin du 20 juin, ce n'est certes pas par hasard.

Où se réunir ? Les députés du Tiers sont perplexes. Ils ne peuvent pas siéger, tout de même, dans le parc du château.

« Allez donc au Jeu de paume, dit un nommé Guillotin. Vous aurez toute la place nécessaire.

— Il y a donc un jeu de paume à Versailles ? demande Sieyès.

— Oh ! personne n'y joue plus depuis longtemps. Il est désaffecté. Mais vous y entrerez sans difficulté. »

Va pour le Jeu de paume.

Et les Bailly, les Sieyès, les Barnave, les Mounier, les Bretons Le Chapelier et Lanjuinais, et Robespierre d'Arras, et Petion de Chartres, et Rabaut Saint-Etienne, le bon pasteur nîmois, tous les députés du Tiers entrent gravement dans la salle très allongée du Jeu de paume, leurs habits noirs s'y couvrent instantanément de poussière et leurs tricornes accrochent les toiles d'araignées. Mais la salle est bientôt prête.

Une vaste salle, avec de grandes fenêtres, des murs nus. Pas un siège, pas un tabouret. Une table et quelques bancs. Les députés ne sont pas seuls. Les gens de Versailles ont suivi le cortège. Ils se massent dans les galeries, ils restent dans la rue, prêtant l'oreille aux discours venus de l'intérieur. Le mois de juin est chaud. On peut ouvrir les fenêtres. Cette salle du Jeu de paume sent trop le renfermé.

« Pourquoi rester ici ? dit un député. Nous sommes une assemblée nationale, il faut aller à Paris.

— Oui, à Paris. »

Mais la foule versaillaise, dans la rue, dans les galeries, proteste. Aller à Paris, c'est chercher une salle, perdre du temps, quitter Versailles et la cour. D'ailleurs comment aller à Paris, comment s'y installer. Où trouver un local assez vaste ?

« Partons à pied, et sur-le-champ.

— Oui, dit Sieyès, je vais immédiatement rédiger une motion. Il faut que tout se fasse dans l'ordre et la légalité.

— A quoi bon, mes amis, dit Mounier, de Grenoble... à quoi bon prendre ce risque ? Nous sommes réunis, nous sommes prêts à délibérer. Chaque instant compte. Je vous propose de prêter serment immédiatement, comme nous l'avons fait le 17 juin. Car on peut disperser nos personnes, mais on ne peut pas diviser nos cœurs, s'ils sont unis.

— Oui, dit Bailly, le président du Tiers, il faut renouveler « cet acte imposant et vraiment religieux ». Rappelez-vous que vous avez juré « de remplir avec fidélité les fonctions dont vous êtes chargés ». Aujourd'hui, il faut aller plus loin. »

Et Mounier propose un texte, aussitôt adopté par acclamations :

« L'Assemblée nationale arrête que les membres de cette assemblée prêteront à l'instant serment solennel de ne jamais se séparer et de se rassembler partout où les circonstances l'exigeront, jusqu'à ce que la constitution du royaume soit établie et affermie sur des fondements solides. »

C'est le président Bailly qui prête serment le premier, d'une voix claire, forte, que l'on entend même dans la rue. Bailly est le premier député de Paris. Ce grand astronome, membre de l'Académie des sciences à vingt-sept ans, jouit d'un immense prestige. On l'applaudit à tout rompre quand il a fini de prêter serment. Les gens, dans la rue, crient « Vive le roi », comme si les députés avaient mission de sauver le roi contre la cour et les mauvais ministres.

Tous les députés du Tiers défilent, à tour de rôle, pour prêter serment entre les mains de Bailly. C'est une émouvante atmosphère religieuse, à peine troublée par le refus de prêter serment d'un député de Castelnaudary, l'avocat Martin, d'Auch, qui se déclare « opposant ».

Maintenant que le Tiers est uni, soudé par ce serment, il attend, il espère le ralliement des autres ordres. Le 22, les membres du Clergé se présentent, conduits par un évêque. A titre individuel, quelques ecclésiastiques avaient manifesté leur sympathie pour le Tiers et notamment l'abbé Grégoire, un curé venu de Lorraine. Cent cinquante ecclésiastiques et deux nobles du Dauphiné, le comte d'Agoult et le marquis de Blacons, se présentent. Mais ni les curés ni les nobles ne sont d'accord pour fusionner les ordres. Ils sont là seulement pour que l'Assemblée vérifie leurs pouvoirs.

Bailly s'inquiète, non sans raison. Le Conseil royal se réunit sans arrêt, et les ministres sont divisés. Necker, qui veut aller hardiment dans la voie des réformes, faire l'impôt égal pour tous, ouvrir le corps des officiers à tous les Français, est isolé au Conseil. « Prenez garde, dit-il au roi, il ne faut pas ulcérer le Tiers Etat, d'autant plus redoutable qu'il est l'écho de l'opinion publique. » Mais le garde des Sceaux Barentin, les princes du sang, le comte d'Artois, la reine enfin, sont pour la plus grande fermeté. Le Conseil royal annule les délibérations du 17 juin, refuse de reconnaître la prétendue Assemblée nationale et ordonne que l'on vote par ordre, et non par tête dans les délibérations futures.

Dans ce climat, la séance pleinière, tenue dans la salle des Menus-Plaisirs le 23 juin commence très mal. Les députés du Tiers voient dans l'avenue de Paris un grand déploiement de troupes en armes. Si leurs collègues privilégiés entrent par la grande porte, eux doivent attendre très longtemps dans une galerie de bois de la rue des Chantiers, comme si on voulait les humilier. Bailly demande des explications à un officier qui garde la porte. L'officier prévient le grand maître des cérémonies. Celui-ci s'excuse du désordre. Un secrétaire d'Etat vient de mourir On a dû improviser.

Enfin le Tiers Etat pénètre dans la salle. Tous les députés ne peuvent y pénétrer. Un certain nombre reste dehors, sous la pluie. Car il pleut, en cette matinée du 23 juin. Enfin on parvient à les placer tous. Il était temps. Déjà le roi fait son entrée, avec la reine, les princes du sang, les ministres.

« Necker n'est pas là, commente Bailly, c'est mauvais signe. Que nous a donc préparé M. Barentin ?

— C'est très bon signe au contraire, dit Mounier. Cela prouve que ces messieurs ne sont pas d'accord entre eux.

— Le roi ordonne que l'on se couvre », dit d'une voix forte le garde des Sceaux Barentin. Aussitôt les députés du Tiers coiffent leur tricorne, contrairement à l'usage : seuls les privilégiés pouvaient rester couverts devant le roi. Alors les députés des autres ordres restent nu-tête, pour protester.

Barentin prend la parole, après le roi : il annule les arrêtés de l'Assemblée du 17 juin, qu'il déclare illégaux. Quant au roi, il réaffirme sa souveraineté pleine et entière.

« Réfléchissez, messieurs, dit-il aux gens du Tiers, qu'aucun de vos projets, aucune de vos dispositions ne peut avoir force de loi sans mon approbation spéciale. » Puis il devient menaçant : « Je vous ordonne, messieurs, de vous séparer tout de suite et de vous rendre demain matin, chacun dans les chambres affectées à votre ordre, pour y reprendre vos séances. J'ordonne en conséquence au grand maître des cérémonies de faire préparer les salles. »

Que faire ? Obéir au roi ? Il est parti, il a quitté la salle, avec la reine, la cour et le gouvernement. Les évêques, les députés du haut clergé le suivent. Les grands seigneurs également.

Les amis du Tiers se comptent, dans un silence religieux. Il reste une poignée de nobles et quelques curés du bas clergé. C'est assez pour encourager Bailly, qui parcourt la salle d'un regard calme. Chaque député reste à son rang, sans élever la voix. Le maître des cérémonies fait son entrée, empanaché. C'est le marquis de Dreux-Brézé. Un jeune homme, qui garde son chapeau sur la tête.

« On se découvre devant les représentants de la nation », lance une voix dans le Tiers.

Le marquis fait comme s'il n'avait rien entendu. Il continue de s'avancer vers Bailly.

« Messieurs, dit-il, vous avez entendu l'ordre du roi ? »

Un homme s'avance alors devant le maître des cérémonies. C'est un député du Tiers et pourtant il est gentilhomme. C'est le comte de Mirabeau, élu d'Aix-en-Provence. Il a quarante ans, une tête énorme, repoussante, marquée de petite vérole. Il se campe devant Dreux-Brézé et lui dit à peu près :

« Allez dire à ceux qui vous envoient que nous ne sortirons d'ici que par la puissance des baïonnettes. »

Bailly tient à rester dans le cadre de la légalité. Il fait au marquis une réponse irréprochable :

« Monsieur, l'Assemblée s'est ajournée après la séance royale. Je ne puis la séparer sans qu'elle en ait délibéré.

— Est-ce là votre réponse, et dois-je en faire part au roi ?

— Oui, monsieur », répond fermement Bailly.

Le marquis sort. Bailly se penche sur un de ses collègues et lui dit : « Je crois que la nation assemblée ne peut recevoir d'ordres. »

Emouvante improvisation. Bailly est à la recherche d'une légalité. C'est la seule protection du Tiers contre l'arbitraire royal. Après tout, l'Assemblée « nationale » est une assemblée sauvage. C'est vrai. Elle a pris le parti, contre la volonté du roi seul souverain en droit, de se constituer en assemblée souveraine, en marge des Etats généraux. Mais si elle est sauvage, elle est cependant légale, ses députés sont bien les élus de la nation. Bailly tient à cette légalité. Il s'y accroche. Et l'avenir lui donne raison.

Que peut décider le roi ? Il reçoit le marquis de Dreux-Brézé, qui lui rend compte. Doit-il faire évacuer la salle par la troupe ? Les gens du Tiers sont populaires. Des soldats, sur leur passage, les acclament.

« Que dois-je faire, Sire ? Ils refusent de sortir ?

— Eh bien, foutre, qu'ils restent ! » répond Louis XVI.

Aussitôt l'Assemblée se déclare inviolable. Quiconque tentera d'arrêter un député sera réputé « infâme et traître à la nation ». Le 27 juin, c'est le roi lui-même qui ordonne au Clergé et à la Noblesse de se joindre au Tiers. La révolution politique est faite. La monarchie n'est plus absolue. L'Assemblée, le 9 juillet, se proclame constituante.

15.

LES JOURNÉES D'OCTOBRE

Le peuple a pris la Bastille, mais le peuple crève de faim. Trois mois après le grand événement de juillet, les 600 000 Parisiens se demandent qui va les nourrir. Le roi ? C'est à croire qu'il a le dessein d'affamer Paris. L'Assemblée ? Des « calotins » peu pressés de secourir le peuple... Mais en octobre, le peuple parisien est armé, il a conservé ses armes après la prise de la Bastille. Et il n'est pas du tout disposé à les rendre. Paris, d'ailleurs, n'est pas isolé dans la nation. Les paysans n'ont pas attendu les décrets de l'Assemblée pour brûler les papiers des châteaux. Les « calotins » ont bien dû se résoudre, pendant la nuit du 4 Août, à abolir les privilèges. Non, la France entière attend une remise en ordre. Et si le roi s'en montre incapable, Paris est prêt à en prendre l'initiative.

Mais que veut le roi ? Les Parisiens s'inquiètent. En septembre, ils ont élu une Commune où siègent à la fois des académiciens comme Lavoisier, Condorcet et Jussieu, des avocats comme Brissot, des médecins, des journalistes, des artistes, et même des banquiers, mais aussi des agitateurs comme le brasseur Santerre, du faubourg Saint-Antoine. Et ces agitateurs se rendent souvent aux séances organisées dans les églises, dans les couvents, par des sortes de clubs réunis spontanément, où des voix audacieuses se font entendre : celle d'un jeune avocat, Danton, au club des Cordeliers, par exemple. Paris est divisé en districts, et l'agitation des comités de district est très vive dans certains quartiers : par exemple au Luxembourg, où dominent les orateurs des Cordeliers, par exemple dans le quartier du Louvre.

Cette agitation inquiète le maire de Paris, Bailly, qui sait bien que les approvisionnements en grains sont insuffisants dans la capitale. Des convois de Rouen et de Chartres n'ont pas suffi à assurer les subsistances. Le pain manque, cruellement. Il est cher et de très mauvaise qualité. Les femmes font longuement la queue devant les boulangeries qui sont surveillées par les gardes nationaux, cette milice de la municipalité.

La ville est déjà désertée par les riches, qui se sont enfuis en province, à la campagne, parfois à l'étranger. La mairie a déjà délivré 200 000 passeports. Les domestiques étaient nombreux dans la ville. Les maîtres partis, ils se trouvent sans emploi. Les ouvriers sont au chômage. Les tailleurs et les perruquiers mendient leur pain dans les rues.

Pourquoi ce désordre, pourquoi la famine ? A l'inquiétude du peuple, les journalistes provocateurs répondent par des slogans : c'est le complot des aristocrates, c'est la mollesse de l'Assemblée. Un de ces journalistes devient vite célèbre. Il s'appelle Marat. Cet ancien médecin des gardes du corps du comte d'Artois enflamme tous les jours le peuple parisien dans son journal *L'Ami du Peuple.* Il dénonce les abus, le complot, les conspirations. Et les affamés s'arrachent les feuilles tachées d'encre, à peine lisibles. Ils apprennent, fin septembre, que le roi a fait venir à Versailles le régiment de Flandre. Ainsi la répression se prépare. Il faut agir. Comment ? Aller à Versailles, parbleu !

Oui, aller à Versailles. Il faut ramener le roi au Louvre, « qui n'est pas fait pour les chiens », crie un homme du peuple. Le bruit court que les fantassins de Flandre viennent chercher le roi et la cour pour les emmener à Metz. Là ils attendent des secours de l'Autriche. Il faut agir vite, prévenir la réaction, étouffer le complot de l'Autrichienne et des princes de sang. A Versailles !

C'est vrai, le régiment de Flandre a fait son entrée dans la ville de Versailles, le 23 septembre. Le 1er octobre, les officiers des gardes du corps invitent à dîner leurs collègues de Flandre dans la salle de l'Opéra. Deux cents officiers portent un toast au roi, à la reine, au dauphin, à la famille royale. Ils oublient la nation. A la fin du repas, le roi, la reine et le dauphin paraissent dans la loge, et sont longuement acclamés. On fait entrer dans la salle des grenadiers, des suisses, des chasseurs.

« A bas la cocarde de couleur, lance un officier, que chacun prenne la noire, c'est la bonne ! » La cocarde noire ? C'est celle de l'armée autrichienne...

Le 3 octobre. Nouveau banquet militaire. Cette fois les gardes du corps invitent les officiers de la garde nationale de Versailles. Beaucoup refusent de s'y rendre. Le lendemain, les dames de la cour distribuent aux soldats des cocardes blanches. Quand ces nouvelles parviennent à Paris, c'est l'émeute. Marat écrit, dans *L'Ami du Peuple :* « Tous les citoyens doivent s'assembler en armes. » Au Palais-Royal, la foule s'assemble... « Du pain ! A Versailles ! » crient les gens. La foule est aussi place de Grève où l'on peut entendre des cris de révolte : « Mort aux aristocrates, mort à la reine ! » La Commune décrète que « la cocarde rouge, bleue et blanche est la seule que les citoyens doivent porter ». Il est trop tard. Il s'agit bien de cocarde. On veut tuer tous ceux qui arborent les cocardes noires. On veut aller chercher l'Autrichienne.

Qui peut arrêter la foule ? Le 5 octobre, elle s'assemble devant l'Hôtel de Ville. Depuis longtemps Marat dénonce les aristocrates et les marchands de la Commune. Les femmes sont en majorité. Il y a les dames de la Halle, habillées de blanc, poudrées, bien coiffées. Elle demandent à voir le maire Bailly, qui les reçoit.

« Monsieur Bailly, nous voulons aller à Versailles. »

A ce moment les portes de l'Hôtel de Ville craquent. La foule s'engouffre, prend les armes, l'argent, la poudre. Puis elle se dirige sur la Bastille.

« Avec nous ! » lancent les femmes des Halles aux « volontaires de la Bastille », les vainqueurs de la journée du 14 Juillet. Les volontaires les suivent, avec des canons. Autre rassemblement sur les Champs-Elysées. Des ouvrières, des comédiennes, toutes sortes de femmes y compris les dames de petite vertu veulent aller demander du pain au roi. Elles se joignent aux dames de la Halle, aux volontaires de la Bastille et ces 6 000 femmes déchaînées prennent la route de Versailles, par Sèvres, où les magasins sont pillés.

Que va faire La Fayette ? Le héros des deux mondes est le commandant de la toute-puissante garde nationale parisienne. A Paris, le tocsin sonne à tous les clochers. Les gardes envoient des délégués à La Fayette.

« Mon général, lui disent-ils, le roi nous trompe tous et vous comme les autres. Il faut le déposer. Son enfant sera roi, vous serez régent et tout ira bien. »

La Fayette sort, marche sur la place. « A Versailles ! A Versailles ! crie la foule.

— Non, dit La Fayette. Je n'irai pas à Versailles et vous n'irez pas non plus. »

Mais les femmes sont déjà parties. La Fayette ne peut calmer les gardes. Il ne peut dominer la foule. Il insiste, il s'accroche, il plaide. On le menace : « A la lanterne ! » Déjà des sectionnaires préparent la corde pour le pendre.

La Fayette se tourne alors vers la Commune. Il demande des ordres. Bailly, affolé, l'investit de tous les pouvoirs. Il part à la tête de 15 000 gardes nationaux, suivi d'une foule immense armée de piques, de gourdins ou de mauvais fusils. Le peuple hurle de satisfaction. Cette fois, La Fayette est acclamé, follement.

A Versailles, les députés délibèrent. Ils tentent d'obtenir du roi ce qu'il a toujours refusé jusqu'ici, l'approbation des décrets du 4 août et des premiers articles de la constitution. L'Assemblée se perd dans les distinctions juridiques. Et pourtant certains le mettent en garde. « Quarante mille hommes armés marchent sur Versailles, glisse Mirabeau dans l'oreille de Mounier, pressez la délibération, levez la séance, trouvez-vous mal, dites que vous allez chez le roi.

— Je ne presse jamais les délibérations, répond Mounier.
— Mais ces quarante mille hommes ?
— Eh bien, tant mieux ! Ils n'ont qu'à nous tuer tous ! Les affaires de la République en iront mieux. »

Quatre heures et demie. Les femmes, Maillard à leur tête. Maillard, c'est un des chefs des volontaires de la Bastille — sont dans l'avenue de Paris. Il pleut à seaux. Elles sont noires de boue.

« Voyez comme nous sommes arrangées, disent-elles, nous sommes comme des diables, mais la bougresse nous le paiera cher. »

La bougresse, c'est la reine, l'Autrichienne.

« Nous l'emmènerons à Paris plus morte que vive. »

Elles vont d'abord à l'Assemblée, dont elles forcent les portes.

« Nous voulons du pain ! crie Maillard.

— Oui, disent les femmes, du pain à six liards la livre et la viande à huit sous. »

Mounier, qui préside, promet d'intervenir, et d'envoyer un message au roi, pour demander que l'on ravitaille Paris.

Justement, le roi rentre de Meudon, où il chassait. La reine s'est enfermée précipitamment dans le château, quittant Trianon, trop peu sûr. Les gardes du corps forment la haie devant la grille de l'avenue de Paris. Les femmes essaient de grimper le long des barreaux de la grille. Elles chantent des chansons révolutionnaires, elles lancent des injures. Les gardes du corps les sabrent.

Mounier en personne demande à être reçu par le roi. Il a du mal à pénétrer dans le château. Enfin le roi le reçoit, avec gentillesse. Il est accompagné de quelques femmes dont une ouvrière en sculpture de dix-sept ans, Louison Chabry. Elle n'avait jamais vu Versailles. Elle n'avait jamais bu de vin. Le roi en fait servir, dans des gobelets d'or. La petite s'évanouit. On la ranime. Elle demande à baiser la main du roi.

« Vous méritez mieux que cela », lui dit-il. Et il l'embrasse.

Il fait remettre aux femmes tout le pain disponible au château. Il promet de ravitailler Paris. Mounier sort avec les femmes. Hors des grilles, elles sont insultées. Quoi ? seulement des promesses ?

« Coquines, vendues ! Vous avez reçu 25 louis ! A la lanterne ! » Elles retournent chez le roi. Il leur donne un billet de sa main ; une promesse écrite. Les Parisiens recevront du grain de Senlis et de Noyon. On assure leur sécurité. Elles regagnent Paris en voiture.

Mais les autres restent devant le château. Comment disperser cette émeute ? Le roi ne veut pas donner l'ordre de tirer. Il finit par accepter, « en pleurant », de signer les textes que lui tend Mounier. C'est fait, il approuve la Déclaration des droits de l'homme. L'émeute n'a plus d'objet. Les députés ont leur texte, et les Parisiens leur pain. A ce moment, des coups de feu sont échangés entre les gardes nationaux de Versailles et les gentilshommes gardes du corps. Le bruit court que le roi veut s'enfuir. Les voitures de la reine se présentent à la grille de l'Orangerie. Mais Necker, le Premier ministre, vient d'arriver au château.

« Vous ne pouvez pas fuir, Sire, attendez M. de La Fayette. »

Minuit. La Fayette arrive enfin. Trente mille hommes trempés, morts de sommeil. Personne ne s'oppose à sa marche. Les soldats du régiment de Flandre n'obéissent plus à leurs officiers. La Fayette les consigne dans leurs casernes. Il arrête son armée dans l'avenue de Paris. Le roi lui a fait dire qu'il l'attendait. Les Suisses refusent de lui ouvrir la grille.

« Allons, messieurs, dit La Fayette, j'entrerai seul, ouvrez-moi. Je me trouverai toujours avec confiance au milieu du brave régiment des gardes suisses. » On lui ouvre. Il se précipite. « Voilà Cromwell ! » lance un courtisan...

« Vous ne pouvez pas douter, monsieur de La Fayette, lui dit le roi, du plaisir que j'ai toujours à vous voir, ainsi que nos bons Parisiens. Allez leur témoigner de ma part ces sentiments. »

Dehors la foule chante et danse. Le vin coule, à défaut de pain. Le roi se sent en sécurité. La Fayette va se coucher à l'hôtel de Noailles, après avoir disposé ses gardes le long de l'enceinte de château.

Six heures du matin. Les gardes assoupis sont réveillés par les cris de la foule. La grille de la chapelle est ouverte. Les gens s'engouffrent. Des gardes du corps sont tués. Deux têtes montent au bout des piques. La foule grimpe le grand escalier qui conduit aux appartements de la reine. Elle se presse dans le salon des gardes du corps. Les gardes sont massacrés dans l'antichambre. Une des femmes de la reine lui crie de se sauver. A peine vêtue, celle-ci gagne les appartements du roi. Elle doit renoncer. La porte du cabinet de l'œil-de-bœuf est fermée au verrou. Elle frappe à la porte. On ouvre enfin. Le roi n'est plus là. Il s'est rendu, par un petit escalier, dans la chambre de la reine. Enfin toute la famille se réunit dans les appartements du roi. Les gardes de La Fayette arrivent, dégagent les émeutiers. La Fayette oblige ses gardes à embrasser les gardes du corps. Ceux-ci mettent la cocarde tricolore à leurs chapeaux et crient « Vive la nation, vive le roi ». La foule répond « Vive les gardes du corps ! »

La famille royale est au balcon de la cour de marbre. « Vive le roi ! » La famille rentre. On acclame la reine. Elle retourne au balcon avec ses enfants.

« Pas d'enfants ! » crie la foule. Un homme la couche en joue. On lui crie : « A Paris ! A Paris ! »

« Mon devoir, dit-elle à La Fayette, est de mourir aux pieds du roi et dans les bras de mes enfants. »

La Fayette l'entraîne de nouveau vers le balcon, avec lui. Il lui baise la main. La foule crie : « Vive le général, vive la reine !

— Mes amis, dit enfin le roi aux émeutiers, j'irai à Paris avec ma femme et mes enfants. C'est à l'amour de mes bons et fidèles sujets que je confie ce que j'ai de plus précieux. »

Et c'est ainsi que les femmes et les émeutiers parisiens, à une heure, le 6 octobre, ramènent dans Paris le boulanger, la boulangère et le petit mitron. Il y a des pains au bout des baïonnettes, des chariots de blé et de farine. Les forts des Halles, en signe de paix, portent des branches de peupliers.

Enfermé aux Tuileries dans un grand concours de joie populaire, le roi est à la fois adoré et prisonnier. Il avait accepté la constitution, il sera désormais obligé de subir la révolution.

16.

LA RÉVOLUTION A AVIGNON

« A bas le légat ! Dehors le légat ! Nous voulons être français ! »

Ces cris remplissent la place du palais du pape, à Avignon, au printemps de 1790. Avignon n'est pas restée à l'écart de la Révolution. Pas plus que le Comtat Venaissin, riche province, dont la capitale est Carpentras, et qui appartient, comme Avignon, au pape depuis le XIVe siècle. Certes il y a bien longtemps que le pape de Rome ne réside plus dans le superbe palais que ses prédécesseurs ont fait construire sur les bords du Rhône, et qui, pour Victor Hugo, évoque l'Acropole d'Athènes. Il y a longtemps que le pape ne visite plus Carpentras, ni le baptistère de Vénasque, ni la fraîche petite chapelle du Groseau, au pied de Malaucène, où poussent au printemps des champs d'iris sauvages, de narcisses et d'anémones. Les Avignonnais ont oublié le pape. Mais ils ont le légat, grand seigneur exigeant qui multiplie les taxes, lève les redevances, et donne avec sa cour le spectacle de la haute Eglise corrompue de la fin du XVIIIe siècle.

« Dehors le légat ! » Les cris montent jusqu'aux tours élevées du château. L'émeute tient la ville. Il n'est pas difficile d'y mobiliser des troupes. Avignon est peuplée de toutes sortes de gens, réfugiés de France ou de Piémont, vagabonds, mendiants, et même voleurs et tire-laine qui veulent échapper à la police du roi de France. Ces va-nu-pieds, ces errants, sont très sensibles aux crises économiques. La cherté du pain, le chômage, tout concourt à faire de cette plèbe une bonne pâte révolutionnaire, prête à lever au moindre signal.

Car il y a dans Avignon des gens riches, des gens de bien, qui pensent que le régime français serait plus avantageux pour eux, pour leurs affaires. La bourgeoisie de la ville ne peut manquer d'être sensible aux idées et aux mots d'ordre qui viennent d'Aix, de Marseille, d'Arles. Le bouillant député d'Aix, Mirabeau, fait assez parler de lui pour que ses exploits parisiens alimentent aussi la chronique avignonnaise.

La révolution représente, pour cette bourgeoisie marchande, le progrès, l'avenir, la raison. Elle ne veut pas être frustrée des lois nouvelles qui, en France, encouragent l'entreprise, et du nouveau système fiscal, qui avantage enfin le Tiers Etat. Oui, la bourgeoisie d'Avignon, dans une large mesure, est française, constitutionnelle, nationale. Elle est pour le départ du légat.

Mais Avignon n'est pas seule : il y a le Comtat qui est loin de partager ses idées. A Orange, à Carpentras, toute une administration papale fait vivre le commerce local, anime certaines professions libérales, profite à la bourgeoisie de village. Des habitudes se sont prises, des liens d'intérêts ont été tissés au cours des siècles. Le Comtat a d'innombrables petits hobereaux, qui possèdent une ferme et une tour transformée en pigeonnier, et qui sont pour le pape parce qu'ils détestent la révolution parisienne. Très vite Carpentras s'oppose à Avignon la rouge, Avignon la tricolore. Ce haut Comtat, avec ses paysans des Basses-Alpes proteste vivement contre tout projet de rattachement à la France. Les paysans des montagnes, pas plus que leurs seigneurs, ne veulent entendre parler de la France. Ils ne parlent pas le français, ils ne se sentent pas français.

Pourtant, sous la pression des villes et des campagnes des bords de la Durance, plus ouvertes aux idées révolutionnaires, le pape doit accepter, pour mettre un terme aux troubles et aux émeutes, de réunir les Etats généraux de la province. Les villes et les villages rédigent, à la mode française, des cahiers de doléances... Mais rien n'y fait. Les légalistes sont dépassés. De nouveau l'émeute gronde, devant le palais d'Avignon. La ville se donne une municipalité révolutionnaire, et mobilise une garde nationale. Une garde solide, bien pensante, avec des commis de boutique et des portefaix du Rhône. Une garde que les bourgeois tiennent en main. Et leur première décision, après avoir expulsé le vice-légat, est de demander le rattachement à la France.

La France refuse, à la grande surprise des Avignonnais. En ce printemps de 1790, ils pensaient que les révolutionnaires parisiens s'empresseraient de recueillir l'héritage des papes, qu'ils leur apportaient sur un plateau. Pas du tout. A deux reprises, le 27 août, puis le 20 novembre 1790, l'Assemblée constituante refuse toute idée de rattachement.

Etrange comportement. L'Assemblée a pourtant étudié très sérieusement le problème du rattachement. Elle a constitué en juillet un comité d'Avignon dont le rapporteur est Tronchet, un avocat parisien. Tronchet conclut qu'il faut, pour accepter le rattachement, un double consentement, celui de la population et celui du pape.

Un large débat s'ouvre à l'Assemblée, car naturellement le gouvernement royal ne songe pas un instant à mécontenter moindrement le pape. Pie VI a d'ailleurs expressément demandé au roi que l'on respecte son domaine. Robespierre et Petion parlent du droit des peuples, un droit « naturel », qui doit passer avant le droit féodal. Le roi de France avait-il, jadis, le droit de disposer de ses sujets sans leur consentement ? Il a donné ce qui ne lui appartenait pas. Le Comtat et Avignon sont des terres françaises, il faut les reprendre.

Malouet proteste, et beaucoup de députés libéraux le suivent. C'est un fâcheux exemple, un dangereux précédent. Il n'est pas évident que la population d'Avignon et du Comtat soit toute entière pour le rattachement. Les droits de la couronne sur ces territoires sont douteux. Si l'on annexe Avignon, c'est par droit de conquête. La Révolution va-t-elle s'engager dans cette politique ? Et Robespierre, hostile à l'aventure guerrière, va-t-il en prendre le risque ? Que dira-t-il si l'empereur d'Allemagne revendique la Lorraine, et fomente à Nancy des troubles qui lui donnent prétexte à se réclamer du consentement de la population ?

« Il ne faut rien craindre de tel, réplique Robespierre. Vous raisonnez comme si la révolution n'existait pas, comme si les peuples de la nation française ne se sentaient pas soudés par un pacte d'unité. Il n'y a plus de fiefs, plus de provinces, plus de particularismes. Il y a l'unité française. Et Avignon demande à en faire partie. On ne peut le lui refuser. »

Mirabeau prend alors la parole. Il est écouté. Il connaît bien la province. Avec son éloquence brutale, il montre tout le danger de l'annexion. Surtout, il sème le doute sur la volonté réelle de la population. Que dira l'Assemblée, si un vote organisé désavoue sur place les partisans du rattachement ? Il faut ajourner, conseille Mirabeau. Et le dossier est clos. La France refuse. La France rejette Avignon. « J'ai muselé cette Assemblée vorace », commente Mirabeau.

Il fait en réalité le jeu de la politique royale, qui ne veut à aucun prix d'un affrontement avec le pape et l'Europe catholique. Louis XVI n'a pas cessé de compter sur l'Autriche. En août 1790 l'Assemblée vient d'approuver la répression des troubles révolutionnaires dans l'armée à Nancy. La contre-révolution marque des points. L'Assemblée a voté des félicitations pour les gardes nationaux de Nancy qui ont refusé de faire cause commune avec les mutins. Décidément cette Assemblée bourgeoise et libérale a peur de l'aventure. Elle veut limiter la Révolution à ses premières conquêtes. Elle ne veut pas d'une querelle à propos d'Avignon.

D'autant que la question religieuse divise profondément les Français, à la suite du vote de la Constitution civile du clergé, le 12 juillet. Le pape ne peut accepter que les évêques, élus par des laïques, soient institués sans lui. Les évêques non plus. Ils protestent, quatre d'entre eux seulement acceptent. Quarante mille prêtres deviennent des illégaux, des insoumis. Le roi Louis XVI est profondément troublé dans sa conscience de catholique par ce décret qu'il a dû sanctionner. La résistance des évêques et du clergé dissident s'organise. Est-ce le moment de poser le problème d'Avignon ?

Mais il est trop tard pour reculer. La nouvelle du refus de l'Assemblée indigne les révolutionnaires d'Avignon. Ils se sentent abandonnés, au moment où, dans tout le Midi, les groupes armés se constituent pour la défense de la foi et de l'Ancien Régime. La réaction religieuse fait rage de l'autre côté du Rhône : l'Hérault et le Gard sont en état d'insurrection. Des troubles graves ont éclaté à Nîmes, à Montauban, dès le printemps de 1790 : la guerre civile, la guerre de religion a fait de nombreuses victimes à Nîmes où les dragons protestants ont livré bataille aux « mangeurs d'oignons crus » catholiques. Douze mille Cévenols venus de la montagne massacrent trois cents personnes dans un couvent de capucins. Protestants et patriotes sont alliés. Dans les rangs catholiques, les officiers arborent la cocarde blanche. Dans le Vivarais, dans l'Ardèche, le tocsin sonne. Il faut venger le massacre de Nîmes.

Les catholiques du Comtat se sont aussi organisés. Les villages du Haut-Comtat, ceux du Mont-Ventoux, comme Bedoin, Malaucène, ont envoyé des volontaires, commandés par les hobereaux, anciens officiers de l'armée royale. Ils forment une « union de Sainte-Cécile » contre-révolutionnaire. A Cavaillon les partisans du pape, que l'on appelle les « papalins », chassent de leur ville trois cents patriotes partisans du rattachement à la France. Les gens de Carpentras, qui sont blancs, assiègent la petite ville de Vaison, qui est aux bleus. Le maire, qui porte la cocarde tricolore, est massacré, sa maison pillée. Carpentras a engagé une armée de redoutables brigands qui se nourrissent de la guerre et établissent des contacts avec les groupes dissidents de la montagne.

Avignon n'est pas en reste. La municipalité a aussi recruté des troupes, la garde nationale étant insuffisante et surtout, peu aguerrie. Les Avignonnais s'attaquent d'abord à Cavaillon, qui a rejeté ses « bleus ». Cavaillon est assiégée. Quand elle tombe, elle est mise au pillage et de nombreux habitants sont massacrés. On réintègre de force les bannis, en leur accordant une protection armée. Où est la volonté unanime des populations dans ces désordres ?

Les Avignonnais lancent une expédition contre Carpentras. Ils font savoir à Paris que des éléments contre-révolutionnaires armés prétendent empêcher le rattachement, et qu'ils en débarrassent leur région. Avignon a recruté des soldats en grand nombre non dans le Comtat, mais dans les départements voisins des Bouches-du-Rhône, de la Drôme et du Gard. Ces soldats sont des volontaires, bien souvent des brigands, des gens sans aveu. Les troupes levées par les Carpentrassiens ne sont pas plus recommandables. Elles se composent essentiellement de déserteurs et de contrebandiers. L'armée d'Avignon, peu sûre de son général, le massacre et nomme à sa place un brigand connu dans la région, surnommé Coupe-Tête, un certain Matthieu Jouve dit Pierre Jourdan.

Ces armées de bandits se livrent une guerre acharnée, multipliant les massacres dans les villages, pillant et brûlant granges et récoltes. On se croirait au temps des guerres de Religion. Les révolutionnaires multiplient en effet les provocations dans les églises, tuent les curés, ferment ou incendient les lieux de culte. C'est une guerre inexpiable entre Avignon et Carpentras, dont les campagnes font largement les frais.

Naturellement les responsables avignonnais prennent peur devant la montée de la violence. Ils ne dominent plus leurs troupes, pas plus que les partisans du pape. Ils envoient des émissaires à l'Assemblée parisienne. Ils demandent de l'aide. Puisque la France ne veut pas du rattachement, qu'elle impose cependant sa médiation. L'Assemblée n'a plus de raison majeure de ne pas intervenir. La rupture avec le pape, au début de 1791, est consommée. Le pape a jeté l'anathème sur la Révolution. Il a donné l'ordre à son nonce de quitter Paris. Le roi ? Depuis avril, il ne songe plus qu'à s'enfuir, il prépare sa fuite. Il partira, le 21 juin.

Le 30 avril, les annexionnistes s'attaquent à l'Assemblée. Menou déclare que la France doit reprendre un bien qu'elle a abandonné à tort dans le passé. Robespierre monte à la tribune.

« Il s'agit, dit-il, de déclarer un droit existant. » De nouveau les royalistes et les libéraux expriment leur réserve et leur opposition. Clermont-Tonnerre, noble libéral, rappelle à l'Assemblée qu'elle a voté un décret renonçant à toute conquête. Et de nouveau l'Assemblée vote contre. A plusieurs reprises, elle réitère ce scrutin négatif. Mais, d'un scrutin à l'autre, les votes sont de plus en plus favorables à l'annexion. Les annexionnistes continuent leur combat. Le 25 mai, ils suggèrent à l'Assemblée d'intervenir, pour imposer une médiation. On ne peut laisser, disent-ils, la réaction se rendre maîtresse d'Avignon. Des troupes de ligne et des gardes nationaux de Nîmes sont envoyés sur Avignon. La troupe des brigands est licenciée, la pacification des campagnes est menée sans concession, de village en village. Cette fois le Comtat est conquis, occupé militairement.

Dès lors, une consultation est organisée. Elle donne des résultats encourageants. 52 communes sur 98 se prononcent pour l'annexion. 19 seulement votent contre, les autres s'abstiennent. La France recueille 102 000 voix sur 150 000. Cela suffit à convaincre l'Assemblée : le 12 septembre, elle décrète l'annexion d'Avignon et du Comtat à la France.

Cela suffit-il à rétablir la paix ? Nullement. Des Blancs attaquent, dans une église, un patriote connu, Lescuyer. Il est tué, le 16 octobre 1791. Immédiatement, la municipalité fait arrêter une soixantaine du suspects qui sont massacrés dans une salle sinistre du palais des papes que l'on appelle la « glacière ». Le souvenir de ce massacre anime longtemps, dans le Comtat, une résistance à la Révolution qui n'est pas le fait que des nobles et du clergé. Avignon est française, et révolutionnaire, sans doute. Mais à l'image de l'ensemble des pays du Midi, la Révolution y a rouvert de vieilles plaies, qui ne sont pas près de cicatriser. Dans l'affrontement des blancs et des bleus, il y avait autre chose qu'une option politique, il y avait, déjà, un choix de société.

17.

LES MARSEILLAIS AUX TUILERIES

22 juin 1792 à Marseille. Un gigantesque banquet, offert par la municipalité, réunit les révolutionnaires de la ville. On porte des toasts, on chante des chansons à la mode. On entend les discours des responsables. A la fin du banquet, un jacobin de Montpellier chante pour la première fois le chant de guerre pour l'armée du Rhin, écrit à Strasbourg par un certain Rouget de Lisle. « Aux armes, citoyens, formez vos bataillons. » Le public reprend en chœur. Puis on décide d'envoyer un bataillon de Marseillais à Paris. Le camarade Barbaroux, Marseillais, y réside. Il a dit que la Révolution avait besoin de volontaires. Marseille doit donner l'exemple.

Une estrade est montée sur le Vieux Port. Au roulement du tambour les jeunes gens s'engagent. Ils sont 500, qui viennent surtout de la garde nationale, 516 exactement car il y a 16 volontaires de Toulon. Ils sont commandés par Garnier et Moisson, des officiers qui viennent aussi de la garde nationale. Ceux-là ont vécu toute la Révolution à Marseille, ce sont des gens sûrs, résolus, profondément acquis au nouveau régime.

Et les Marseillais se mettent en route vers Paris. Une route triomphale. En juillet, la monarchie n'est déjà plus qu'une ombre. Louis XVI et sa famille arrêtés à Varennes en 1791 sont prisonniers de la Révolution qui est de plus en plus attirée par les extrémistes vers les solutions les plus radicales. Les gens des clubs, Robespierre chez les Jacobins, Marat, Danton, Santerre et Legendre chez les Cordeliers, veulent la République et ne s'en cachent pas. La France est en guerre, depuis le 20 avril, contre l'Autriche et la Prusse : 80 000 soldats de métier menacent ses frontières de l'Est et du Nord. Déjà les Français ont subi des échecs devant Tournai et Quiévrain. Un mois plus tard, le 20 juin, les clubs extrémistes parisiens ont organisé une journée pour intimider le roi. Les Tuileries ont été envahies. L'Assemblée a proclamé la « patrie en danger », réclamant à toutes les municipalités des volontaires. Les Marseillais ont répondu dans l'enthousiasme. Le 30 juillet, moins de vingt jours après l'appel de Paris, ils font leur entrée dans la capitale, tambours battants.

Leur arrivée est un événement. Guidés par le célèbre brasseur du faubourg Saint-Antoine, agitateur du club des Cordeliers, Santerre, ils défilent à midi place de la Bastille, lieu symbolique. Ils chantent, sous le drapeau tricolore, l'hymne de l'armée du Rhin. « Les larmes, dit *Le Père Duchesne,* journal du cordelier Hébert, coulaient de tous les yeux ; l'air retentissait des cris de " vive la nation ", " vive la liberté ". » Tout Paris descend dans les rues sur le parcours des Marseillais quand ils gagnent leur caserne de la rue de la Chaussée-d'Antin. Un gigantesque banquet patriotique est organisé le soir même sur les Champs-Elysées.

Les Marseillais arrivent à point : le lendemain, 1er août, un bruit éclate dans Paris. Les Prussiens arrivent. Les Prussiens ? C'est le duc de Brunschwick, généralissime, qui adresse un manifeste à la Révolution : « S'il est fait, disait Brunschwick, la moindre violence, le moindre outrage à Leurs Majestés le roi, la reine et la famille royale », il livrera « la ville de Paris à une exécution militaire et à une subversion totale ». Les sections sont en alerte, les fédérés en armes. Une nouvelle grande journée révolutionnaire se prépare, dont les Marseillais seront, à coup sûr, les vedettes.

Toutes les sections demandent la déchéance du roi. Le maire de Paris, Petion, n'est pas le moins ardent. L'Assemblée ne suit plus le mouvement révolutionnaire, dit-il, il faut changer l'Assemblée. Réunissons une nouvelle assemblée, une Convention nationale. Oui, une journée révolutionnaire est nécessaire pour balayer tous les amis de la cour et les complices du duc de Brunschwick. C'est l'avis du sectionnaire Sergent, dessinateur de son métier, rue des Poitevins, et ardent orateur du club des Cordeliers. Hâtons-nous, dit Sergent, et organisons une journée pour le 5 août.

Il faut en effet se hâter, car toutes les sections parisiennes, on le découvre peu à peu, n'ont pas l'enthousiasme révolutionnaire des quarante-huit qui soutiennent Petion et Sergent. Il y a des sections ardentes, les Quinze-Vingt, les Gobelins, le faubourg Saint-Antoine, le Luxembourg, le Théâtre-Français, la Croix-Rouge, le Centre ouvrier du Marais, le faubourg Saint-Honoré. Mais les sections de l'Ouest, de l'île Saint-Louis, de l'Arsenal, de Notre-Dame, de l'Observatoire et du Jardin des Plantes sont beaucoup plus réservées. Mais les agitateurs y travaillent. Qui sont-ils ? Des petits bourgeois, le patissier Deray, le géomètre Rivière, des poètes : Marie-Joseph Chénier, des acteurs, Collot d'Herbois. Ils gagnent rapidement du terrain. Ils persuadent les sections les plus tièdes de se joindre à l'insurrection. Il faut en finir avec la monarchie, avec cette assemblée de notables. Il faut trancher dans le vif, car Brunschwick est aux portes. Il n'attend pas.

9 août, 20 heures. Les sections se réunissent, prêtes à l'action. Elles envoient des émissaires dans tout Paris. Elles sont prêtes, toute la nuit.

Le faubourg Saint-Antoine est illuminé tout entier, comme en plein jour. Les sectionnaires prennent leurs armes. Au Théâtre-Français, Danton et Marat lancent aux sectionnaires : « A l'Hôtel de Ville ! » Les Marseillais, réunis là, devant Danton, ne se le font pas dire deux fois. Ils s'ébranlent, pour escorter les sectionnaires. Ils arrivent de partout, du Marais, du faubourg « de gloire », du Théâtre-Français. La cloche des Cordeliers sonne le tocsin. Celle de Saint-André-des-Arts lui répond. Tous les autres clochers entrent dans la danse : les

Lombards, Gravilliers, les Enfants-Trouvés... Personne ne dort dans Paris.

A l'Hôtel de Ville, Petion est absent. Le responsable est un tiède, un professeur au Collège de France, du nom de Cousin. Il s'affole. Il est insulté.

Trois heures du matin. Une vingtaine de sections ont envoyé leurs commissaires à l'Hôtel de Ville. Ils l'occupent toute la nuit, rejoints à l'aube par la majorité des sectionnaires parisiens. Des gens obscurs, pas de vedettes, à part le journaliste Hébert. Des petits curés, des commerçants, un cordonnier, Simon, l'ouvrier bijoutier Rossignol, le commis à l'octroi Huguenin. Ils sont les commissaires de l'insurrection. Ils siègent à côté de la Commune légale, complètement débordée.

Aux Tuileries, le chef de la garde nationale, Mandat, a fait venir les suisses de Rueil et de Courbevoie, et posté les gendarmes à cheval du colonel Carle, ainsi que les 2 000 hommes de la garde à pied. Il dispose de quelques éléments royalistes, comme ces « chevaliers de Saint-Louis » prêts à mourir pour le roi, mais qui ne sont que 300. Ils sont les anciens gardes du corps de Versailles. Toutes ces troupes ne sont pas sûres, particulièrement les gardes nationaux. Mandat estime qu'il peut compter tout au plus sur 1 500 hommes fidèles.

A minuit Petion, convoqué, est aux Tuileries. Le maire de Paris assure que la cour n'est pas en danger, puis il rentre chez lui, rue Neuve-des-Capucines, au lieu de gagner l'Hôtel de Ville. Petion déserte. Il est « enchaîné avec des rubans tricolores », dit Barbaroux.

Puis Mandat est convoqué à l'Hôtel de Ville : trois heures du matin. Huguenin lui demande pourquoi il a doublé les gardes. Il répond que c'est sur l'ordre de Petion. Où est cet ordre ? « Je l'ai laissé au château, dit Mandat. Petion me l'a signé il y a trois jours. » Mandat est révoqué, remplacé par Santerre. Les sections changent tous les commandants de la garde nationale.

Rossignol entre dans la salle, il apporte une lettre de Mandat qui ordonnait aux soldats de tirer sur le peuple « par derrière ». Infamie ! crient les sectionnaires. Leurs commissaires décrètent alors la « suspension provisoire » de la Commune légale, dont le maire, Petion, est absent. A six heures du matin, le coup de force est fait. Les amis de Danton et de Marat ont le pouvoir. La nouvelle Commune révolutionnaire décrète aussitôt que Mandat doit être transféré à la prison de l'Abbaye pour y être jugé. Il sera massacré à dix heures et demie.

Sept heures. L'ordre du départ est donné aux Marseillais. Ils partent, en chantant, pour les Tuileries, accompagnés par les bataillons de la garde nationale des Gobelins. L'insurrection est commencée.

Quand les Marseillais paraissent devant les grilles, le pouvoir est désorganisé par l'arrestation de Mandat. La Chesnaye, aux Tuileries, a pris le commandement. Le roi a passé les troupes en revue. Mais si les suisses et les gardes royalistes l'acclament, les canonniers du Val-de-Grâce crient : « Vive la nation, à bas le veto ! », et insultent le roi. La cour ne peut plus compter sur les gardes nationaux. C'est le procureur Roederer qui en informe le roi.

« Sire, lui dit-il, Votre Majesté n'a pas cinq minutes à perdre ; il n'y a de sûreté pour elle que dans l'Assemblée nationale.

— Mais, monsieur, dit la reine, nous avons des forces. Quoi ! nous sommes seuls ?

— Oui, madame, seuls. Tout Paris marche.

— Marchons », dit le roi.

Et la famille royale, Roederer en tête, le roi, la reine, le prince royal, Mme Royale, Mme Elizabeth, Mme de Tourzel, les ministres descendent dans le jardin.

« Voilà bien des feuilles, dit le roi, elles tombent de bonne heure, cette année. » Ils arrivent sur la terrasse. La foule, derrière les grilles, ne veut pas les laisser passer. Roederer parlemente. Ils entrent enfin à l'Assemblée. Sont-ils sauvés ?

« Je suis venu ici, dit le roi, pour éviter un grand crime, et je me croirai toujours en sûreté au milieu des représentants de la nation. J'y passerai la journée. »

Vergniaud, qui préside, lui assure qu'il ne court aucun

danger. On place la famille dans la loge du logographe, une loge grillagée.

Au château, les gardes nationaux abandonnent leurs postes, mettent leur chapeau au bout des baïonnettes et crient : « Vive la nation ! » Mais il reste les suisses et les gendarmes. Ceux-là s'enferment, abandonnant les cours où s'engouffrent Marseillais et Brestois. Voilà les insurgés au pied du grand escalier. Les officiers suisses ont ordonné le feu. Les soldats hésitent. Un grand diable leur parle en allemand. C'est l'Alsacien Westermann. Deux ou trois suisses mettent bas les armes. On les embrasse.

« Feu ! » crient les officiers. Et le feu éclate . Des dizaines de Marseillais et de Brestois tombent. Les insurgés se croient trahis. On leur avait assuré que les gardes du château se rendaient. Ils courent vers le Carrousel, se jettent dans la rue Saint-Nicaise, dans la rue de l'Echelle, dans la rue Saint-Honoré pour chercher refuge. Deux cent suisses les poursuivent, commandés par Dürler et Pfyffer. Ces officiers servent le roi de France depuis dix générations. Ils n'ont pas l'habitude de tourner casaque. Les Marseillais reculent, pied à pied, en tirant des coups de feu. Mais des renforts leur parviennent, du faubourg Saint-Antoine, de Montreuil. « A la bataille ! Au palais ! » crie Santerre.

Et les suisses se replient. Les Marseillais les repoussent, les submergent. Ils ne sont bientôt plus qu'une poignée. Ils regagnent le château. La nouvelle est portée à l'Assemblée. Le roi accepte de signer un ordre disant aux suisses d'abandonner le combat. C'est le dernier ordre écrit de sa main.

« Le roi ordonne aux suisses de déposer à l'instant leurs armes et de se retirer dans leurs casernes. Louis. »

Et il dit à Dürler, qui a réussi à gagner l'Assemblée en traversant le jardin : « Je ne veux pas que de braves gens comme vous périssent. » On interne dans l'église des Feuillants les suisses désarmés, pour les protéger de la foule. Les officiers s'enfuient la nuit sous un déguisement. Les hommes seront arrêtés et condamnés. Un petit groupe, qui résiste encore du côté de la place Louis-XV, est massacré,ainsi que les quelques gardes qui restaient dans le château. Les corps sont dépouillés, mutilés. La haine de la foule est féroce.

Car la foule a pénétré dans le palais des Tuileries. Elle se jette sur les meubles précieux qu'elle détruit à coups de hache. Elle lacère les tableaux, brise les vases de Sèvres. Les suisses découverts, les serviteurs du roi sont jetés par les fenêtres « comme des pommes de terre ». En bas, on les achève à coups de piques. Les Marseillais sont affolés par cette furie sanguinaire. Certains font ce qu'ils peuvent pour sauver des victimes. Mme Campan doit ce jour-là la vie à l'un de ces Marseillais. Un autre sauve le médecin du roi, Lemonnier : « Camarades, dit le Marseillais, laissez passer cet homme. C'est le médecin du roi, mais il n'a pas peur. C'est un bon bougre. » Ils sauvent aussi la princesse de Tarente, morte de peur, et la fille de Tourzel, et plusieurs dames de la cour. Le palais est mis à sac, mais il n'est pas pillé. L'argent trouvé est remis à la Commune ou à l'Assemblée. Beaucoup de voleurs sont pendus à la lanterne.

Les pertes ? 800 hommes du côté du château, 376 du côté des assaillants. 42 Marseillais ont trouvé la mort aux Tuileries.

Une victoire populaire ? Certes, et décisive. Mais surtout, une nouvelle phase de la Révolution : le roi est suspendu. Il sera bientôt interné, avec sa famille, au Temple. Une nouvelle Assemblée, la Convention, va être élue. Les affaires de l'Etat sont confiées à un « conseil exécutif provisoire ». C'est Danton qui le domine. Et Danton est un Cordelier. Les violents sont au pouvoir. Les Marseillais peuvent gagner la frontière. Ils ont fait place nette à Paris, pour la révolution terroriste.

18.

SAMBRE-ET-MEUSE

12 juin 1794. Armée des Ardennes. Jourdan, qui a remplacé Charbonnier, se prépare à franchir la Sambre pour investir Charleroi, où sont retranchés les Autrichiens.

« Gardez-vous-en bien, lui disent ses lieutenants. Ils vont vous laisser aborder sur l'autre rive, constituer une tête de pont, et, comme à l'accoutumée, ils vont contre-attaquer en force.

— Bah, dit Jourdan, il n'y a plus Kaunitz. »

Kaunitz, c'est le redoutable général autrichien qui, à plusieurs reprises, a rejeté impitoyablement les Français dans la Sambre. Quatre fois le malheureux Charbonnier, qui commandait l'armée de la Sambre avant Jourdan, a tâché de franchir le fleuve. Quatre fois, dans un même mois. Chaque fois, ses lieutenants, qui s'appellent Kléber et Marceau, se battent comme des lions. Chaque fois Charbonnier se fait insulter par le représentant en mission venu de Paris, un membre du Comité de salut public, le redoutable Saint-Just.

La dernière fois, il pleuvait très fort. Il a jeté son chapeau de représentant, tout empanaché de plumes bleu, blanc, rouge, et pendant deux heures, sans chapeau, le visage ruisselant de pluie, il a invectivé les officiers comme il aurait fait, dit l'un d'eux, « d'une meute de chiens ». Oui, désormais, les généraux savent qu'ils risquent leur tête s'ils échouent. La guillotine est aux armées.

Depuis le début de 1793, la France, qui a tué son roi, est une

République menacée par toute l'Europe réunie. L'Europe des trônes. Depuis septembre 1793 le gouvernement de la République est dit « révolutionnaire jusqu'à la paix ». Entendez par là qu'il suspend toutes les libertés, toutes les garanties auxquelles les citoyens ont droit par la constitution. La « terreur est à l'ordre du jour ». Les députés de la Montagne, les plus durs des conventionnels, Robespierre d'Arras, Saint-Just, député de l'Aisne, Couthon, député de Clermont, Carnot, député du Pas-de-Calais, ont éliminé les Girondins trop tièdes, instauré le gouvernement révolutionnaire avec ses terribles comités, qui siègent en permanence. Il se donne pour priorité absolue la victoire à tout prix.

Bien des têtes illustres sont tombées depuis 93. Bailly, le maire de Paris, est mort. Camille Desmoulins est mort. Danton est mort. Robespierre et ses amis exercent au nom du peuple une dictature sanglante. La guillotine est montée en permanence sur la place de la Révolution — l'ancienne place Louis-XV. Aux armées pas plus qu'à Paris, l'indulgence n'est de mise. Il faut, disent les représentants en mission, « vaincre ou mourir ».

Oui, toute l'Europe est de la danse. Outre la Prusse et l'Autriche, les ennemis de la première heure, il y a l'Angleterre et ses alliés : l'Espagne, le Portugal, Naples, la Sardaigne, la Hollande et même la Russie. En avril 1793, ces alliés se sont réunis à Anvers pour préparer le dépècement de la France qui doit être réduite, dit Lord Aukland, « à un véritable néant politique ». William Pitt a déclaré devant son parlement qu'il entreprenait contre la France « une guerre d'extermination ». L'Angleterre, après la paix, prendra Dunkerque et les colonies, l'Autriche s'octroiera la Flandre et l'Artois, la Prusse aura l'Alsace et la Lorraine. En même temps les Anglais entretiennent la guerre civile à l'intérieur, occupent Toulon qu'on leur livre, font parvenir des secours aux royalistes. La Révolution a ses jours comptés.

Pourtant les armées révolutionnaires ont repoussé l'invasion. Et avec Jourdan, elles se préparent à reconquérir la Belgique, la

Hollande, toute la rive gauche du Rhin. Y a-t-il donc des miracles ?

Il n'y a pas de miracle. La France révolutionnaire a bandé toutes ses forces pour faire la guerre. Et la France, avec plus de 20 millions d'habitants, est alors le pays le plus riche en hommes. Elle mobilise, elle enrôle, elle lève partout des hommes. La levée en masse décrétée le 23 août 1793 a envoyé aux armées un demi-million d'hommes. Aucune puissance en Europe n'était alors capable d'aligner de tels chiffres. Tous les jeunes gens étaient mobilisés, à partir de dix-huit ans. Nul n'échappait au recrutement. Les « réquisitionnaires », groupés en bataillons spéciaux, partaient pour le front en chantant. L'armée française ne manquait pas d'hommes, même si ces hommes, faute d'instruction militaire, ne savaient pas se battre. Les volontaires de 92 avaient reçu le baptême du feu et faisaient, eux, bonne figure aux côtés des anciens militaires de l'armée régulière. Mais les nouveaux appelés ignoraient tout de la guerre. Il fallait les soumettre à une discipline de fer.

Où trouver les officiers ? Les anciens, ceux qui savent la guerre, ont fui ou sont suspects. Ce sont des nobles, pour la plupart. Depuis la trahison du général Dumouriez, les conventionnels se méfient des officiers. On exclut tous ces « ci-devant ». Par qui les remplacer ? Ceux qui prennent le commandement sont des incapables.

Ils demandent eux-mêmes à être remplacés. Carnot et Prieur, membres du Comité de salut public mais surtout anciens officiers du génie, prennent la situation en main et mettent rapidement de l'ordre. Les généraux vaincus sont révoqués, parfois exécutés, comme Custine. On nomme des chefs de trente ans, comme Jourdan, on nomme tous ceux qui ont fait leurs preuves au feu. Il n'y a pas d'autre école de guerre. Jourdan est le fils d'un chirurgien de Limoges. Il a fait, comme soldat, la guerre d'Amérique. Mercier est détaillant à Limoges, il a pris du galon comme chef de bataillon des volontaires de son département avant d'être nommé, au feu, général de brigade.

Le voilà à la tête d'une armée et il vient de vaincre à Wattignies. Il n'a pas pu achever sa victoire parce que Chancel, enfermé dans Maubeuge, ne lui a pas porté secours. Mais Chancel a été guillotiné et maintenant Jourdan est sur la Sambre.

Il a reçu des renforts. Depuis 1793 l'effort de guerre est immense. A Paris on a improvisé la fabrication des fusils. La capitale en produit déjà autant que Charleville, Maubeuge et Saint-Etienne réunis en produisaient jadis. On a installé des forges en plein air dans les jardins du Luxembourg, sur l'esplanade des Invalides. On a engagé dans l'armurerie les ouvriers bijoutiers. A Saint-Germain-des-Prés le chimiste Chaptal a improvisé une grande fabrique de salpêtre. Les Parisiens le recueillent sur les murs de leurs caves. Une poudrière a été construite à Grenelle. A Meudon on fait des expériences d'explosifs et d'aérostats. Tous les couvents, tous les hôtels de nobles sont transformés en ateliers travaillant pour l'armée. Les sans-culottes marchent dans la rue en sabots, car on garde toutes les chaussures disponibles pour les soldats. Les soldats n'ont peut-être pas tous des chaussures, mais ils ne manquent pas de poudre.

Jourdan a mis de l'ordre dans son armée. Il a appliqué le principe de l'amalgame, réunissant dans ses demi-brigades qui sont en fait les anciens régiments — un bataillon de soldats de métier contre deux bataillons de nouveaux soldats, volontaires ou mobilisés. Chacune de ses divisions — 8 à 9 000 hommes — compte deux brigades d'infanterie à six bataillons, deux régiments de cavalerie et un renfort suffisant d'artillerie. Tous les soldats sont habillés en drap bleu. Il n'y a plus de culs blancs, d'uniformes de l'ancienne armée. La discipline est ferme, le moral élevé. Il n'y a pratiquement plus d'officiers d'Ancien Régime. Mais quelle importance ? Le nouvel officier de l'armée de Jourdan n'a rien à voir avec l'ancien breveté de l'Ecole de guerre. Il porte son sac comme un soldat, il n'a pas de solde d'officier. Il prend part aux distributions au même titre que ses hommes. On ne lui demande pas de faire exécuter à ses troupes de savantes manœuvres, de les déployer, comme l'armée prussienne, en « ordre mince ». Non, les armées révolutionnaires se précipitent à marche forcée sur le point le plus faible de la ligne ennemie. Elles ont l'avantage du nombre et elles sont décidées à mourir pour vaincre. Les attaques d'infanterie se font à la baïonnette, en colonnes profondes. Les premiers rangs sont emportés, mais les autres continuent l'attaque et décident de la victoire, par la seule force du nombre. Cette guerre révolutionnaire n'a pas besoin d'experts, de spécialistes, de techniciens. Il y faut seulement le coup d'œil d'un jeune chef, et le courage des troupes. Il faut avoir la volonté de vaincre vite, et à tout prix. C'est une armée politique.

Voilà pourquoi, sur la Sambre, Jourdan est décidé de passer à tout prix. Les échecs antérieurs ne l'effraient pas. Il a quarante milles hommes sous ses ordres et devant lui Orange, qui a remplacé, à la tête de l'armée autrichienne et alliée, Kaunitz. Il faut que cette tentative soit la bonne. Il faut prendre Charleroi, clé de la Belgique, clé du Rhin.

Orange attend, calmement. Les Français se jettent à l'eau, franchissent une nouvelle fois le fleuve, les fusils et la poudre sur la tête. Ils arrivent sur l'autre rive, se mettent aussitôt à tirailler. L'ennemi recule, méthodiquement. Puis il lance sa contre-attaque. Et les Français, pour la cinquième fois, sont repoussés. Ils laissent 4 000 hommes sur l'autre rive. Mais ils se sont battus comme des lions. Ils ont tué 3 000 adversaires.

Orange n'est pas inquiet. Il sait que l'Autrichien Cobourg vient à son secours, avec des troupes fraîches. Jamais les Français ne franchiront la Sambre.

Le 18 juin les Français attaquent de nouveau. En nombre. Ils recommencent à se jeter nus dans le fleuve, les fusils sur la tête. Et cette fois ils réussissent à s'accrocher. La Sambre est franchie. La victoire est au bout des fusils. Les soldats crient de joie, chantent *La Marseillaise.* Déjà les batteries d'artillerie à cheval de Marescot foncent sur Charleroi. La ville est furieusement bombardée et se rend très vite. Elle tombe le 25 juin.

Restent Cobourg, et ses 100 000 soldats. Il vient de Tournai, il est déjà à Nivelle, il déploie son armée en cinq corps sur le champ de bataille de Fleurus. C'est l'affrontement décisif.

Les drapeaux de la République flottent au vent. Les soldats de Jourdan, épuisés par leurs marches forcées, se réveillent avant l'aube pour la bataille, qui s'engage à cinq heures du matin. Une lutte à mort. Jourdan sait qu'il peut compter sur ses lieutenants et sur ses 80 000 soldats. Avant l'attaque, ils lèvent leurs chapeaux détrempés au bout des baïonnettes en criant « Vive la République ». Kléber, Marceau, Lefebvre sont à la tête des demi-brigades. Comme à Wattignies, Jourdan lui-même, « ce brave et honnête sans-culotte » comme l'appelle Carnot, prend un fusil pour mener la charge, à la tête de ses colonnes.

Et les Français s'avancent en rangs serrés, criant, chantant, insultant l'ennemi. La décharge autrichienne est meurtrière ; les hommes tombent. Il en mourra 6 000 du côté français ce jour-là. Mais les charges succèdent aux charges, les colonnes aux colonnes. Rien ne peut arrêter les Français, ni le canon précis des Autrichiens, ni la science militaire de Cobourg et de ses irréprochables officiers. Les lignes de l'ennemi sont détruites. Cobourg sait que Charleroi vient de tomber. Il n'a pas de secours à attendre.

La bataille est interminable ; sans répit, pendant quatorze heures, les Français attaquent. Ils ne montrent aucun fléchissement, aucune lassitude. Cobourg a déjà 10 000 tués. A quoi bon continuer ce massacre ? A sept heures du soir, il décide la retraite. En bon ordre, il fait prendre à ses unités la route de Bruxelles. L'armée autrichienne n'est pas anéantie. Mais elle recule.

Les Français hurlent de joie. Jourdan a frisé le désastre. Si Cobourg était arrivé un jour plus tôt, quand Charleroi tenait encore, il aurait pu anéantir l'armée républicaine en l'encerclant, en l'acculant à la Sambre. Il a perdu. Mais il ne sait pas encore qu'il a perdu aussi la Belgique.

La dynamique de la victoire est irrésistible chez les Français. La Convention, quand elle apprend la victoire décisive de Fleurus, décide aussitôt de donner le nom glorieux de Sambre-et-Meuse aux soldats victorieux des Ardennes. Et l'armée poursuit Cobourg sans relâche. Jourdan lui prend Bruxelles, où il fait une entrée triomphale. Il y est bientôt rejoint par Pichegru, le général qui commande l'armée du Nord, et qui est aussi victorieux. Jourdan poursuit toujours Cobourg. Il lui prend Liège et débouche sur le Rhin, où il occupe Cologne et Coblence. Pichegru gagne Anvers puis passe en Hollande. Les armées de la République sont victorieuses sur toute la ligne.

A Paris cependant la victoire de Fleurus ne désarme nullement le gouvernement révolutionnaire. On aurait pu penser que le dégagement des frontières affaiblirait le terrorisme. Il n'en est rien. En quarante-sept jours, du 10 juin au 27 juillet, pendant les opérations de l'armée de Sambre-et-Meuse, on guillotine 1 376 personnes dans Paris, dont Lavoisier, André Chénier et Malesherbes, l'avocat de Louis XVI. Les têtes « tombent comme des ardoises », dit Fouquier-Tinville. On guillotine 150 personnes en deux jours, les 7 et 8 juillet, deux semaines après Fleurus.

Le bain de sang ne prendra-t-il pas fin ? Beaucoup se le demandent, à Paris, comme en province, où les amis de Robespierre ont multiplié les exécutions sommaires. Un mois après Fleurus, le 27 juillet, Robespierre tombe à son tour. La victoire de Jourdan, c'est bien la fin de la Terreur.

19.

L'ORAGE DE THERMIDOR

Il fait très chaud dans Paris le 27 juillet 1794. C'est un dimanche, le dimanche du 9 thermidor, comme on dit dans le calendrier révolutionnaire. C'est une chaleur moite, accablante. Pas un pouce de vent. Ah ! que vienne l'orage ! « Voici venir l'orage » comme on chante dans *Il pleut bergère,* œuvre du délicat poète révolutionnaire, ami de Danton, guillotiné comme lui, Fabre d'Eglantine.

Oui, l'orage arrive. Paris n'est pas inquiet. Les frontières sont dégagées. Les armées de la République sont victorieuses partout. Les récoltes sont bonnes et cent seize navires bourrés de grain sont venus d'Amérique, pour garantir les approvisionnements de la capitale. Le gouvernement révolutionnaire est tout-puissant. Robespierre a abattu successivement tous ses ennemis. Il est assez fort pour imposer à la République le singulier cérémonial déiste, le culte de l'Etre suprême. Il a fait décréter par l'Assemblée : « Le peuple français reconnaît l'existence de Dieu et l'immortalité de l'âme. » Personne ne lui résiste. Depuis la loi du 10 juin, la fameuse loi de Prairial, il tient en main un appareil efficace de répression. Le Tribunal révolutionnaire peut envoyer à la guillotine, en un temps record, le moindre suspect. Même les députés à la Convention perdent leur immunité parlementaire.

Robespierre est tout-puissant. On peut croire que nul n'est en mesure de lui résister, et que, faute d'ennemi, il va abandonner la Terreur. Or il prononce un grand discours au club des Jacobins. Un discours extrêmement menaçant. Par son imprécision même. Robespierre n'ignore pas qu'il a, dans le gouvernement, des ennemis. Les deux comités, de Salut public et de Sûreté générale, ne s'entendent plus. Les députés du comité de Sûreté générale reprochent à Robespierre de conduire la Terreur tout seul et d'imposer à la République les mascarades du culte de l'Etre suprême. Robespierre et Saint-Just ont créé un bureau de police à l'intérieur du comité de Salut public. Ils n'ont confiance en personne. Les membres du comité de Sûreté générale ont peur. Et s'ils étaient les prochaines victimes ? « Oui, a dit Robespierre, la République a toujours des ennemis cachés. Je le sais, dit-il aux Jacobins, les ennemis n'ont pas désarmé. Ils sont dans l'ombre, vigilants, ils attendent l'occasion de m'abattre. » Qui sont-ils ? Il ne les nomme pas. Au sein de son propre comité, il y a des factions. Si Saint-Just lui est jusqu'au bout fidèle, Billaud-Varenne et Collot d'Herbois sont sur la réserve. Billaud non plus n'aime pas l'Etre suprême et la dictature de la vertu. Ce terroriste sectaire couvre tous les excès, ceux de Fouché, ceux de Barras. Et Robespierre a reçu avec la plus grande froideur Barras et Fréron qui rentraient de Provence, où ils avaient présidé à l'épuration :

« Robespierre était debout, raconte Barras, enveloppé d'une espèce de chemise peignoir. Il sortait des mains de son coiffeur, sa coiffure achevée et poudrée à blanc. Les besicles qu'il portait ordinairement n'étaient point sur son visage et à travers la poudre qui couvrait cette figure déjà blanche à force d'être blême, nous aperçûmes deux yeux troubles que nous n'avions jamais vus sous le voile des verres... Il ne nous rendit nullement notre salut. Il se lava dans une espèce de cuvette qu'il tenait à la main, se nettoya les dents, cracha à plusieurs reprises à terre sur nos pieds, sans nous donner aucune marque d'attention. » Voilà Barras et Fréron inquiets, bientôt angoissés. Sont-ils, comme Fouché, sur la liste des prochaines victimes ?

Non, aux Jacobins, Robespierre n'a nommé personne. Mais beaucoup se reconnaissent parmi ses futures victimes. Il y a d'abord, parmi ses proches, les membres du comité qui n'approuvent pas la dictature de la vertu. Il y a les anciens amis de Danton et d'Hébert, que Robespierre a envoyés à l'échafaud. Il y a les tendres, comme le jeune député montagnard Tallien, qui passe pour avoir été à Bordeaux d'une indulgence coupable, pour les beaux yeux de Teresa Cabarrus. Il y a les voleurs comme Barras, qui aurait beaucoup pillé à Marseille. Toutes sortes de gens, décidément, ont peur à la suite du discours aux Jacobins.

Mais Robespierre aussi a peur. Il se sent environné d'ennemis. Il ne peut plus compter sur personne, sauf peut-être sur Saint-Just. Il est seul, il est isolé, il est à la merci du moindre mouvement de séance, et peut-être déjà les conspirateurs se préparent par exemple à l'Assemblée, à la Commune de Paris, ou au comité de Sûreté générale. Ou même, avec Billaud et Collot, au comité de Salut public. Que faire ? Il se retire. Il ne participe plus aux travaux du comité. Il ne va plus à la Convention. Et son silence devient encore plus menaçant que ses discours. Oui, que prépare Maximilien de Robespierre ?

« Non, Fouché, non, Chaumette, la mort n'est pas un sommeil éternel, disait jadis Robespierre à ses ennemis, la mort est le commencement de l'immortalité. » Robespierre déteste ces « exagérés » sans conscience, Fouché le voleur, qui donne dans l'athéisme militant. Son ami Couthon a parlé aux Jacobins de cette poignée de députés « aux mains pleines des richesses de la République, et dégouttantes du sang innocent ». Aurait-on tué pour rien ? De nouvelles sanctions, de nouvelles proscriptions, peut-être de nouvelles têtes, voilà ce que demandent de nouveau les Jacobins robespierristes. Il faut frapper, de nouveau, contre les conspirateurs, les adversaires honteux de la République, les traîtres en puissance.

Encore frapper ? Les gens des comités ne suivent plus Robespierre. Collot et Billaud s'indignent. Toujours du sang ! Et que diable ! Nous avons la victoire. La République n'est plus menacée, Robespierre lui-même se plaint des excès de la Terreur. Alors, ou nous mènera la peur ?

Dans une atmosphère orageuse, opaque, moite, feutrée, Barère, membre du comité de Salut public, a répondu solennellement aux Jacobins, le 25 juillet. Il a rendu hommage aux « principes imperturbables » de Robespierre, mais il a parlé de la paix, des victoires, de l'avenir qu'il faut envisager avec optimisme. Non, Barère ni ses amis du comité ne veulent pas prolonger la Terreur.

Robespierre est convaincu, de plus en plus, qu'un complot se trame contre lui. Il sait que Fouché, qu'il a chassé des Jacobins, se répand dans tout Paris en montrant une liste des futures victimes de Robespierre. « Vous êtes sur la liste, dit-il aux gens, ainsi que moi. » Dans les longues promenades qu'il fait à Ville-d'Avray, à Issy, à Choisy, à Ermenonville sur la tombe de Rousseau, Robespierre a assez médité sur l'avenir de la République. Déjà il a en tête les phrases de ses prochains discours : « Peuple, toi que l'on craint, que l'on hait et que l'on méprise, souviens-toi que les défenseurs de la République ne seront que des proscrits, tant que la horde des fripons dominera. » Il a préparé toutes ses formules, il a poli ses effets. Il est prêt.

Le 8 thermidor, vers midi, à la surprise des députés, il fait son entrée dans la Convention. Il a revêtu son habit bleu, celui qu'il portait à la fête de l'Etre suprême. Il monte à la tribune. Et là, pendant deux heures, il parle aux conventionnels. Il leur dit tout ce qu'il a sur le cœur. Il dénonce les « perfides », les « scélérats », « la ligue des fripons qui a des complices dans le comité de Sûreté générale et à laquelle sont affiliés les membres du comité de Salut public ». Qui vise-t-il ? Billaud-Varenne sans doute, et Collot d'Herbois... Il demande des révocations, une purification. Même Carnot se sent menacé. On parle de victoire, dit-il, mais la victoire « n'a fait que creuser de ses mains brillantes le tombeau de la République ». Car elle n'a fait qu' « armer des ambitions, endormir le patriotisme, éveiller l'orgueil ». On accuse la Terreur de tous les maux, et on l'accuse, lui, d'être responsable de la Terreur. Est-ce sa faute si les terroristes étaient souvent des coquins ? La Terreur est une arme terrible, « les armes de la liberté, dit-il, ne doivent être touchées que par des mains pures ».

L'Assemblée fait soudain silence car le discours a des accents de Testament. « Tous les fripons m'outragent, dit Robespierre. Qu'ils me préparent la ciguë... J'ai promis de laisser un testament redoutable aux oppresseurs du peuple. Je leur lègue la vérité, et la mort... »

Les conventionnels ont acclamé le discours de Robespierre. Longuement, ils ont applaudi. D'enthousiasme, Barère, Couthon et quelques députés demandent qu'il soit imprimé et envoyé à toutes les communes de France, pour y être affiché. Robespierre a-t-il gagné ? Ses adversaires ont surtout retenu qu'il n'avait pas publiquement demandé la tête de ses ennemis, qu'il n'avait pas osé affronter les « comploteurs ». Ainsi Robespierre recule ? Pourquoi lui laisser sa dictature ? Et des gens obscurs osent ce qu'ils n'avaient jamais osé jusque-là : ils demandent que l'on discute le discours dans les comités avant de l'envoyer aux communes. C'est Bourdon de l'Oise qui parle. Et bientôt les opposants relèvent la tête : ceux du comité de Sûreté générale, derrière Vadier, et même Billaud-Varenne, qui se découvre publiquement, et manifeste son opposition. Fréron va plus loin ; il demande que l'on rapporte immédiatement la loi du 22 prairial, celle qui permettait à Robespierre de faire exécuter immédiatement les suspects, celle qui armait la Terreur, celle qui menaçait les conventionnels eux-mêmes : « Quel est celui, disait Fréron, qui peut parler librement, lorsqu'il craint d'être arrêté ? »

« Votons de nouveau, dit Bourdon de l'Oise, votons le renvoi du discours à l'examen des comités.

— A l'examen de ceux que j'accuse », lance Robespierre.

On passe au vote. La majorité se prononce pour le renvoi. « Je suis perdu », murmure Robespierre.

Le soir, il va de nouveau aux Jacobins. Le soir terrible du 8 thermidor. Il relit son discours pendant deux heures. Et les Jacobins l'acclament. Billaud-Varenne et Collot d'Herbois, qui veulent y prendre la parole, sont hués. Robespierre n'a pas dit son dernier mot. Ses amis des Jacobins restent derrière lui.

Pendant la nuit ses adversaires courent dans Paris. Une journée se prépare à la Commune, dit-on. Les gens se rassemblent. Les comités siègent mais ne prennent pas de décision. Tallien, qui a appris la mise en accusation de sa belle amie de Bordeaux, Teresa Cabarrus, est comme fou. Il mobilise ses amis. « Mes ennemis, a dit Robespierre aux Jacobins, sont si nombreux et si puissants que je ne pourrai échapper longtemps à leurs coups. » Les Jacobins l'ont entouré en criant. Hanriot a dit qu'il s'offrait avec ses célèbres canonniers, pour le protéger. Mais Robespierre refuse tous les concours, y compris celui de la Commune de Paris. Il attend la séance de la Convention du lendemain, une séance décisive.

9 Thermidor. Midi. Le président de la séance, qui est ce jour-là Collot d'Herbois, reçoit un billet d'un député : « L'injustice a flétri mon cœur, je vais l'ouvrir à la Convention. » Signé : Saint-Just. Et Saint-Just commence à parler. Il va désigner tous les coupables, tous les fripons, puisque Robespierre n'a pas voulu le faire. C'est par les factions que les gouvernements périssent, dit-il. Va-t-il désigner Billot, Collot et Carnot ? Tallien bondit, grimpe à la tribune, lui coupe la parole, la prend à son tour. « Je demande que le rideau soit entièrement déchiré. » On l'applaudit, et Saint-Just garde le silence. Collot en profite pour donner la parole à Billaud-Varenne.

« Hier, dit-il, la société des Jacobins (dont il avait été chassé) était remplie d'hommes apostés, puisque aucun n'avait sa carte. Hier on a développé dans cette société l'intention d'égorger la Convention nationale. Hier j'ai vu des hommes qui vomissaient ouvertement les infamies les plus atroces... Je vois... » et il tend son bras menaçant, « je vois un de ces hommes qui menaçaient les représentants du peuple, le voici », et il désigne un montagnard. Celui-ci est arrêté, chassé de la salle. Robespierre veut parler, défendre ses amis des Jacobins. On crie : « A bas le tyran ! ». Tallien sort théâtralement un poignard de sa poitrine. Non, Robespierre ne peut pas parler. Tous les députés maintenant s'agitent, crient, tapent du pied.

« Pour la dernière fois, lance Robespierre, président d'assassins, je te demande la parole.

— Tu ne l'auras qu'à ton tour. »

Epuisé, Robespierre se tait. « Le sang de Danton l'empêche de parler », lance un député. Il cherche à s'asseoir dans les rangs de la droite, là où étaient les Girondins. « Misérable, lui dit-on, c'était le siège de Vergniaud. » Le centre enfin se manifeste. Un obscur député, Louchet, demande l'arrestation de Robespierre. Un autre demande sa mise en accusation. Robespierre Jeune, Lebas, Saint-Just et Couthon se groupent autour de lui, demandent à partager son sort. Ils sont arrêtés tous les cinq ainsi qu'Hanriot chef de la garde nationale et Dumas, président du Tribunal révolutionnaire.

La commune est en alerte, le tocsin sonne, les sectionnaires se rassemblent. Les guichetiers du Luxembourg refusent de recevoir les prisonniers, on les remet à des officiers municipaux. Les soldats libèrent Hanriot qui se précipite à l'Hôtel de Ville. A la Convention, les députés se sont enfuis.

Mais Robespierre ne prend aucune décision, il veut être jugé, absous, il ne veut pas de coup d'Etat. Les députés se ressaisissent. Barras trouve des soldats, les rameute, leur demande de faire exécuter la loi. Place de Grève les sectionnaires, qui n'ont pas d'ordres, se dispersent.

Il est dix heures du soir. L'orage crève enfin. Il pleut sur Paris. Vers une heure du matin Barras a rassemblé assez d'hommes pour entreprendre une marche sur l'Hôtel de Ville par les quais et la rue Saint-Honoré. A deux heures du matin la troupe pénètre dans l'Hôtel de Ville. Dans la salle mal éclairée où se trouve Robespierre, une bagarre éclate. Des gendarmes tirent. Robespierre a la mâchoire fracassée. A-t-il tiré lui-même ? A-t-il voulu se tuer ? Son frère est tombé par la fenêtre. Il est blessé à la tête. Couthon est transporté à l'Hôtel-Dieu. Lebas est mort. Le gendarme Meda est présenté à la Convention comme le triomphateur de la journée.

Robespierre est transporté dans la salle du comité de Salut public. Ses collègues l'insultent. Il est soigné, puis transféré devant Fouquier Tinville, l'accusateur public. A cinq heures du soir, vingt-deux condamnés montent sur la charrette. A sept heures, ils sont guillotinés. Les jours suivants, on exécute d'autres amis de Robespierre, cent cinq au total. La foule, devant la guillotine, chante et danse de joie. La nouvelle République, celle des Tallien, des Fréron, des Barras et des Fouché peut respirer à l'aise. Les terroristes sont morts.

20.

BONAPARTE PACHA

19 mai 1798. Toulon. Une immense flotte est rassemblée dans le port. Les soldats sont venus d'Italie et de France pour embarquer. Ils ne savent pas où ils vont. Leur paquetage est prêt. Ils ont quinze jours de vivres, des armes en bon état, des munitions en abondance. Mais où vont-ils ?

On les embarque dans des frégates de la marine de guerre, et même dans des navires marchands. Les officiers ne répondent pas à leurs questions. Ils n'ont eux-mêmes aucune information. Tout ce qu'ils savent, c'est qu'ils sont désormais affectés par le Directoire à la nouvelle « armée d'Orient ».

Le général, ils le connaissent. Ceux d'Italie ont appris à l'apprécier. Il est jeune, heureux à la guerre. Il fait trembler, dit-on, ces messieurs du Directoire. Il se nomme Napoléon Bonaparte. Les soldats le voient embarquer, le 19 mai. Il est venu en voiture de Paris. Ils l'acclament. Ils s'attendent à ce qu'il leur parle, comme il fait toujours. Il s'arrête. Il parcourt les files de soldats qui attendent leur embarquement. Et il prend la parole. Bref, incisif comme à son habitude. Il va directement au fait.

« Je promets à chaque soldat, dit-il, qu'au retour de cette expédition, il aura de quoi acheter six arpents de terre. »

Voilà qui est parler. Désormais, quand il s'adresse à la troupe, le général n'évoque plus, comme au temps de Hoche et de Jourdan, la liberté et la République. Non, il parle butin, comme Jules César, comme un Romain. Et les soldats l'acclament, car ils savent bien qu'en Italie déjà, où ils sont arrivés en guenilles et le ventre creux, le général a tenu ses promesses. Vive Bonaparte !

Ils sont des milliers à s'embarquer, entassés sur le pont des navires. On embarque aussi les chevaux, les canons. On va faire une vraie guerre. Mais où, à qui ? Le général n'a pas répondu à ces questions. La flotte prend la mer, quitte Toulon. Quelques heures après, deux autres flottes la rejoignent. Amies, ennemies ? Amies. De Gênes, de Civitavecchia, d'autres troupes se sont embarquées. Les voilà toutes réunies, cinglant vers le sud. Les soldats comptent les navires, plus de 300, une armada. Ils sont 38 000 à bord, avec 1 200 chevaux, 170 canons. Les généraux sont nombreux, et illustres. Le plus connu des hommes est le Strasbourgeois Kléber, un fidèle de Bonaparte. Ce fils de maçon a gagné ses galons dans les armées révolutionnaires, de la Vendée à Sambre-et-Meuse. Il était sous Jourdan à Fleurus. Mais la gloire de Hoche l'empêchait de dormir. Il s'était retiré sous sa tente, quand Bonaparte lui proposa un beau commandement. Le voilà embarqué. Les soldats, les anciens des demi-brigades, sont joyeux de le retrouver.

« Mais enfin, dit-il à Bonaparte, maintenant que nous sommes en pleine mer, et que nous avons échappé aux Anglais, dites-le-moi, mon général, dites-moi où nous allons.

— Tu ne l'as donc pas deviné, Kléber ? Mais nous allons en Egypte, parbleu ! »

Les Parisiens sont stupéfaits d'apprendre par le journal que leur général favori est parti combattre les Anglais en Egypte. On parlait, depuis quelque temps, d'un projet de débarquement en Angleterre... Ainsi donc Bonaparte est parti. Ce départ apparaît comme un vide politique, Robespierre l'avait prévu jadis, quand il votait, en 1792, contre la déclaration de guerre à la Prusse et à l'Autriche. Un jour la Révolution sera à la merci d'un sabre victorieux. Maintenant, les généraux, et non plus le peuple font et défont les gouvernements. Le public n'a plus confiance qu'aux « sabres ». Et Bonaparte est celui qui fascine le plus les Français, en cet été de 1798.

Il a tout pour les fasciner. Depuis le 9 Thermidor, depuis la chute de Robespierre, le balancier révolutionnaire s'est rapidement infléchi vers la droite. Il a fallu toute l'énergie des anciens — des Sieyès, des Barras, pour éviter que les royalistes, payés et soutenus par l'Angleterre, ne reviennent en force. Mais qui donc les a fusillés, sur les marches de l'église Saint-Roch, un jour de vendémiaire ? Mais c'est le général corse, c'est Bonaparte, bien sûr. Quand son nom apparaît, c'est comme gardien de l'ordre républicain.

Un ambitieux, ce Bonaparte. Barras, qui s'y connaît en ambitieux, lui a mis le pied à l'étrier. Contre les royalistes. C'est lui qui a fait le général Vendémiaire. Le premier commandement de Bonaparte, c'est le commandement en second de l'armée de Paris, une sorte de vice-préfet de police. Pourquoi Bonaparte ? Parce que cet ami de Robespierre le Jeune était sans emploi depuis le siège de Toulon. Il n'avait pas voulu partir pour la Vendée à la tête d'une brigade d'infanterie. On lui en avait voulu au comité de Salut public, et son compatriote Saliceti, qui lui avait permis de se distinguer à Toulon, n'avait pas pu le faire rentrer en grâce. Il était utilisé à écrire des plans de campagne. Oui, Bonaparte doit tout à Barras, et Barras est un des principaux thermidoriens, un homme corrompu, équivoque, mais habile et déterminé. C'est encore Barras qui se porte garant, quand le vieux Carnot lui confie une des armées qui doit marcher sur Vienne. En concurrence avec Jourdan et Moreau, Bonaparte reçoit l'armée d'Italie. On sait qu'il fait merveille, et qu'il revient couvert de gloire. C'est lui, et non Moreau ou Jourdan, qui porte à l'Autriche le coup de grâce, qui l'oblige à traiter. Il est le plus rapide, le plus brillant, le plus aimé de ses soldats. Désormais il a de l'argent, son butin de guerre, il a sa presse, il peut agir sur l'opinion et il ne s'en prive pas. Par sa liaison avec Joséphine de Beauharnais, l'ancienne maîtresse de Barras, il a l'oreille de Paris, l'oreille du Directoire et celle des salons où l'on danse, bientôt des dîners où l'on cause. Il fait beaucoup parler de lui, le petit général corse. Sa popularité n'est pas appréciée de tout le monde. Les chefs du Directoire commencent à en prendre ombrage. Il fait la guerre seul, il négocie seul avec l'ennemi, il se conduit comme un proconsul, qui sait ? demain peut-être, comme un consul ? Les royalistes lui sont hostiles, les Directeurs aussi. Les Républicains ne l'aiment pas. Même Barras est sur la réserve. S'il faut un sabre pour sauver le régime, songe-t-il, pourquoi pas Hoche ? Hoche meurt à trente ans, de poison ou de désespoir, on ne sait. Barras utilise Augereau, et non Bonaparte pour mater une nouvelle fois les royalistes le 18 Fructidor. On ne peut empêcher Bonaparte de négocier la paix de Campo Formio. Mais dès qu'il a terminé sa tâche, on le nomme commandant en chef d'une armée qui serait chargée de débarquer en Angleterre. On l'éloigne de Paris.

Décidément, comme l'écrit Jean Tulard, le biographe de Napoléon, « le Directoire tremble devant Bonaparte ». Il a une nouvelle armée. Il est follement populaire dans l'armée d'Italie qu'on lui a retirée. Ce diable d'homme, s'il le veut, peut balayer le pouvoir civil, qui, lui, n'est plus populaire du tout. Mais croit-on sérieusement que Bonaparte va passer la Manche pour envahir l'Angleterre ? Il n'est pas fou à ce point. Il sait que ce projet est irréalisable et il le dit aux Directeurs. Pourquoi ne pas suivre l'idée de Talleyrand, le ministre des Affaires étrangères, pourquoi ne pas attaquer l'Egypte ? En occupant les sables et le Nil, on frappe un coup décisif à l'Angleterre, en coupant ses communications avec l'Inde. Quel beau rêve, se dit Bonaparte qui, au temps de Robespierre, songeait à se louer au grand turc comme conseiller militaire.

Oui, c'est un rêve, mais où il y a de la gloire à recueillir. Pourquoi rester dans Paris ? La situation politique est confuse, le Directoire de plus en plus impopulaire. Mais il n'est pas temps de prendre le pouvoir. Il vaut mieux le recueillir, quand il tombera comme une poire blette. Bonaparte se fait une fabuleuse image de marque de général modeste, de fidèle serviteur de la République, il entre à l'institut des Sciences. Le bon apôtre.

Et il pense de plus en plus fort à l'Egypte. Comme s'il

souhaitait lui-même de s'éloigner de Paris. Le Directoire n'est pas fâché de l'expédier. Et puisque Bonaparte est académicien, ses collègues se proposent de l'accompagner vers la terre fabuleuse des pharaons. Les plus beaux esprits du temps montent à bord des frégates de Toulon : Monge, Berthollet, le géomètre Fourier, le minéralogiste Dolomieu, le naturaliste Geoffroy Saint-Hilaire, le médecin Desgenettes, le chimiste Conté, l'orientaliste Jaubert et l'archéologue Jomard, et des artistes, des imprimeurs, des dessinateurs, des architectes. Il y a même un poète et un pianiste ! Oui, tout l'Institut s'embarque avec le nouvel Alexandre.

Où va donc Bonaparte, se dit l'amiral Nelson, qui commande la flotte anglaise en Méditerranée ? « En Turquie, parbleu », lui soufflent ses officiers.

Les Anglais ont eu vent des préparatifs par leurs espions. Mais au dernier moment. Tout s'est fait si vite : à peine un mois pour embarquer ces 35 000 hommes.

La flotte anglaise croise et recroise. Mais elle manque à deux reprises les navires de l'expédition. Nelson était à cent lieues de penser que les Français partaient pour conquérir l'Egypte. Pendant ce temps, Bonaparte débarque à Malte, île stratégique, qu'il occupe solidement. Puis il poursuit vers Alexandrie. Les cent navires de guerre et les quatre cents transports débarquent sans difficulté leurs hommes, le 1er juillet, sur la plage d'Adjimir, près d'Alexandrie. La ville est prise le lendemain. L'armée forme des colonnes et marche sur Le Caire, à travers le désert brûlant. Le canonnier Bricard le note dans son carnet de route : « Nos soldats périssaient dans les sables faute d'eau et de subsistances, une chaleur excessive les avait contraints de jeter leur butin et plusieurs, las de souffrir, s'étaient brûlé la cervelle. » Beaucoup se demandent ce qu'ils viennent faire dans ce désert. Enfin, le 10 juillet, l'armée atteint le Nil. Les soldats se croient sauvés. Ils se jettent tout habillés dans le fleuve. Puis ils remontent le Nil, par la rive gauche, sans avoir vu encore un soldat égyptien.

L'Egypte, dépendance de l'Empire ottoman, était soumise aux seigneurs mamelouks, anciens esclaves qui venaient du Caucase, et qui, par leur valeur militaire, étaient maintenant les maîtres. Les Egyptiens étaient las de leur domination. Ils voyaient arriver sans déplaisir ces étrangers, dont ils admiraient l'armement bizarre. Enfin les cavaliers mamelouks offrent le combat dans un lieu magnifique, devant la pyramide de Gizeh, en face du Caire.

21 juillet. Les mamelouks chargent comme des furieux les carrés français. Bonaparte, qui a fait à son armée une proclamation grandiose, dans le style des proclamations d'Italie, fait tirer le canon. Les mamelouks sont défaits, taillés en pièces, mis en fuite. Le Caire est aux Français.

Ils y entrent en fanfare et Bonaparte y établit son quartier général. Il croit pouvoir installer durablement la France dans ce pays. Il fait venir les notables égyptiens. Il leur dit que les Français ne viennent pas en ennemis, mais pour les libérer des Turcs. Il assure qu'il a l'intention d'aider puissamment au développement économique et social du pays. Il parle des savants qui l'accompagnent dans l'expédition, il crée l'Institut français du Caire. Il demande aux hommes de science de se mettre aussitôt au travail.

Hélas ! de mauvaises nouvelles lui parviennent. Nelson, furieux d'être joué, a enfin trouvé la flotte française. Il l'a détruite en rade d'Aboukir. Voilà Bonaparte prisonnier des sables.

Heureusement, les Turcs relèvent la tête. Ils vont occuper l'armée. Les Egyptiens ne se sont pas ralliés aux Français. Une terrible insurrection, dans les rues du Caire, en apporte la preuve. Un général français Dupuy y trouve la mort. Il faut combattre, faire front. Bonaparte rassemble l'armée et la fait marcher sur la Syrie, pour aller au-devant des Turcs. Il prend Gaza au début de 1799, où deux mille Turcs sont tués, puis il marche sur Jaffa qui tombe sans problème. Le pacha Djezzar, pourtant, résiste dans Saint-Jean-d'Acre. Farouchement. Il est aidé par la flotte anglaise qui croise au large. Les Français n'ont pas de canons appropriés. Leurs pièces de campagne ne parviennent pas à ouvrir des brèches. Une armée turque de renfort, qui vient de Damas, est arrêtée à la bataille du Mont-Thabor, le 16 avril. Puis Bonaparte doit voler vers l'Egypte, où les Turcs ont débarqué. Il les écrase le 25 juillet près d'Aboukir.

La situation se détériore. Les soldats souffrent de la peste. Bonaparte apprend qu'à Paris on oublie ses victoires, on commente dans la presse ses défaites. On dit qu'il est incapable de rentrer, qu'il n'a plus de flotte. Oui, pour le Directoire, Bonaparte est un soldat perdu dans les sables. On parle d'un coup d'Etat préparé par Sieyès, avec Joubert. Décidément, il faut rentrer, se dit Bonaparte.

Il part. Le 26 août, Kléber a réuni les troupes. « Je suis votre général en chef, leur dit-il. Votre général est déjà parti vers la France, où le devoir l'appelle. »

C'est vrai Bonaparte est parti, le 23, avec seulement Berthier, Lannes, Murat, Monge et Berthollet. Miracle. Le navire échappe aux Anglais. Bonaparte est à Paris juste à temps pour que les journaux annoncent son triomphe à Aboukir sur l'armée turque. Pour lui, la route du pouvoir est libre.

Mais ses soldats ? Kléber a devant lui le grand vizir, avec 60 000 Turcs. Ses hommes sont à bout. Il parvient à rétablir sa situation mais il est assassiné le 14 juin, par un musulman fanatique. Menou, son successeur, est un incapable, très perturbé par le soleil d'Egypte. Il épouse une Egyptienne et se fait musulman. Il se fait appeler Abd Allah. Son armée tombe aux mains des Anglais. L'expédition d'Egypte finit misérablement. Le sacrifice de ces 35 000 hommes était-il vraiment nécessaire à la montée au pouvoir du général corse ? Ne l'aurait-il pas eu de toute façon ? On ne peut refaire l'histoire mais le seul profit de cette expédition est sans doute la célèbre pierre de Rosette, avec ses inscriptions en égyptien et en grec, qui permit au général Champollion de déchiffrer les hiéroglyphes. Tout n'était pas perdu... Et si Bonaparte ne serait jamais pacha, il serait bientôt Premier Consul.

21.

LE COUP DU 18 BRUMAIRE

9 octobre 1799. Dans la baie de Saint-Raphaël, un beau navire amène ses voiles. Il vient d'Orient, disent les badauds. On va le mettre en quarantaine. Ils ont la peste, là-bas.

Pas de quarantaine. Une chaloupe débarque un général fatigué, et quelques messieurs importants.

« Mais c'est Bonaparte ! Vive le général Bonaparte ! » Aussitôt débarqué, il est en effet reconnu. Il redoute les réactions de l'opinion. Il a abandonné son armée. Il n'a pas toujours été heureux en Egypte, l'expédition est un désastre. Il a perdu sa flotte. Il faut tâter l'opinion. A Saint-Raphäel, il a été acclamé. Mais à Avignon ? Spontanément, comme à Saint-Raphaël, la foule se rassemble et l'acclame. Elle l'accompagne jusqu'à son hôtel. Les cris « vive Bonaparte » l'empêchent de dormir. A Nevers, c'est la municipalité qui demande à être reçue. Elle vient en délégation, à l'hôtel du Grand-Cerf où il est descendu. Le général se rassure. Il n'a rien perdu de sa popularité. Il arrive à Paris le 16 octobre, au petit jour. Depuis six jours, les Parisiens l'attendent. Ils savent par leurs journaux qu'il a débarqué. Comment vont l'accueillir les Directeurs ?

Il se présente chez eux dans un étrange costume : redingote olive et chapeau rond. Il veut rassurer. Il n'est pas un général vainqueur. Il est, comme toujours, à la disposition de la République. Il a tout de même un cimeterre turc à la ceinture. On l'admire, on le fête. On lui rend visite à son hôtel de la rue des Victoires, où règne, superbe, la Créole Joséphine. La plupart des grands personnages de l'Etat le sollicitent. Le régime est pourri, lui disent Talleyrand, Fouché, Maret, Roederer. Il faut, à tout le moins, changer la constitution. Mais au profit de qui ? Des Jacobins, qui viennent de gagner les élections ? Bonaparte les aime et se souvient qu'il admirait, comme eux, Robespierre. Mais les Jacobins lui préfèrent des généraux plus légers, moins ambitieux, comme ce Bernadotte qui a épousé l'ancienne fiancée de Bonaparte, Désirée Clary, ou comme Jourdan, le héros de Sambre-et-Meuse. Il n'est pas question de faire entrer les royalistes dans l'Etat. Le général Vendémiaire les connaît trop bien : ils prépareraient aussitôt une restauration. Et personne, au Directoire, ne veut en entendre parler. Alors, qui servir et pour quoi ?

Bonaparte ne veut pas, une fois encore, faire les frais d'une opération qui profiterait à Barras. Il est temps qu'il songe à lui, à lui seul. Sa popularité retrouvée lui permet les plus hautes ambitions. Va-t-il se faire élire Directeur ? Il est trop jeune, il faut avoir quarante ans. Il n'a que mépris pour Barras. Mais il voit Sieyès. Et l'ancien abbé a quelques idées. Il faut, dit-il, changer l'Etat de fond en comble, se débarrasser à la fois des Directeurs, faibles et divisés, et des assemblées. Une nouvelle constitution donnera, sans conteste, le pouvoir aux notables, aux riches, aux profiteurs de la Révolution. Elle sera conçue de telle sorte que les assemblées ne pourront plus nuire au gouvernement. Sieyès a besoin d'une démonstration militaire, pour se débarrasser sans frais des députés actuels. Il compte sur Bonaparte. Il sera le « sabre » de ce petit coup d'Etat, qui n'a d'autre but que de changer le personnel politique, et d'aménager les institutions de la République. Ni roi ni maître ! c'est tout juste si Sieyès accorde à Bonaparte le titre de « consul provisoire ». On lui donnera la constitution à lire et à approuver. C'est tout.

Comme prévu, les mesures militaires nécessaires sont prises dans la nuit du 8 au 9 novembre. Le 9 novembre, dans le calendrier révolutionnaire, c'est le 18 brumaire. Les imprimeurs travaillent toute la nuit pour tirer des proclamations qui seront collées aux murs.

Sept heures trente, le 18 brumaire. Cornet, député du Loiret, réveille ses collègues du Conseil des Anciens, aux Tuileries. « Hâtez-vous, l'assemblée est entourée de soldats. Un coup d'Etat se prépare. On veut abattre la République ! »

« Il faut quitter Paris, dit un député de Lorraine, Regnier, il faut échapper au coup de main qui se prépare. Nous ne pouvons pas être les otages de ce Bonaparte. Allons à Saint-Cloud. » Un décret est aussitôt voté. Les Anciens, non sans adresse, chargent le général Bonaparte de son exécution. Ils se placent, en somme, sous sa protection.

Huit heures trente. Bonaparte quitte la rue des Victoires. A cheval. Des officiers chamarrés l'entourent, caracolent, le suivent jusqu'aux Tuileries où ils sont acclamés par les soldats. Bonaparte demande à parler aux Anciens. Il entre dans la salle.

Il assure les Anciens, que, grâce à lui, la République n'est pas menacée. C'est à juste titre qu'ils ont fait appel à lui. Ses officiers en sont garants, Lefebvre, Berthier peuvent jurer comme lui de défendre la République. Ils sont tous les meilleurs des Républicains, ceux qui veulent défendre l'ordre et la liberté. « Nous voulons, leur dit-il, une république fondée sur la liberté. » Et tous les généraux, après Bonaparte, prêtent serment bruyamment, théâtralement. Bonaparte sort aussitôt, descend les marches des Tuileries. Il parle haut, devant les soldats qui attendent l'arme au bras, à un collaborateur de Barras. « Il est temps enfin que l'on rende aux défenseurs de la patrie la confiance à laquelle ils ont tant de droits ». Les soldats crient : « Vive le général Bonaparte ! »

Onze heures. Les députés de la seconde chambre, les Cinq Cents, apprennent que leurs collègues se retirent à Saint-Cloud. Les Directeurs Sieyès et Roger Ducos démissionnent selon le plan prévu. Que va faire Barras ? Bonaparte a fait donner de l'argent à Talleyrand pour acheter sa démission. Barras a invité à déjeuner trente personnes à sa table. Une seule s'est rendue à l'invitation, le financier Ouvrard. Quand Talleyrand se présente, les soldats sont déjà dans les jardins du palais. Barras se retire spontanément. Il n'est pas besoin de l'acheter, Talleyrand garde pour lui l'argent de la trahison.. « Je rentre avec joie dans le rang de simple citoyen », écrit Barras, qui prend la route du château de Grosbois. Les deux derniers Directeurs sont gardés par la troupe au palais du Luxembourg. Il n'y a plus de Directoire.

« Allez vous coucher, dit Bonaparte à son secrétaire, quand la nuit tombe. A chaque jour suffit sa peine.

— Prenez garde aux Cinq Cents, lui a dit Sieyès. C'est un repaire de Jacobins. »

Le lendemain, 19 brumaire, Bonaparte a pris ses précautions. La scène ne va pas se jouer à Paris, mais à Saint-Cloud. Berthier et Lefebvre ont mis l'armée en place : six mille hommes, commandés par Murat, qui avait déjà joué un grand rôle le 13 vendémiaire, ont pris position autour du château. Toutes les troupes ne sont pas à Saint-Cloud. Un fort parti reste à Paris, avec Lannes.

« Pas de tabac, disent les anciens de l'armée d'Italie. C'est un scandale. Ces Directeurs sont des jean-foutres.

— As-tu vu mes chaussures ? dit un autre. On se croirait revenu au temps de Sambre-et-Meuse. Mais dans leur poche, il y a de l'argent, du bel argent.

— C'est vrai, dit un autre, les députés, ces « avocats », ces « faiseurs de discours » se servent toujours les premiers. Ils la touchent, eux, leur solde. »

Depuis longtemps les soldats sont mécontents du Directoire. Ils trouvent enfin l'occasion de s'exprimer. Les dragons de Sebastiani sont les plus décidés. Mais les grenadiers d'Italie, qui nettoient posément leurs armes sur les marches du château, ne sont pas en reste. Ils vont voir !

« Voilà Bonaparte qui entre, dit un soldat. Préparez vos baïonnettes. »

C'est vrai, il est entré. Depuis une heure, il bouillait d'impatience. Qu'attendait-il ? La libération des Anciens, prenant acte de la vacance du pouvoir. Oui, les Anciens devaient en informer les Cinq Cents, et désigner un gouvernement provisoire.

Mais les choses traînaient en longueur. Les députés discutaient. Ceux qui étaient au courant des grandes lignes du coup d'Etat n'osaient en informer les autres. Quand Bonaparte paraît dans la salle des séances, ils lui posent cent questions, auxquelles il ne répond pas. Par les fenêtres ouvertes, les soldats surprennent des bribes de répliques. Les députés l'appellent « Cromwell ». Il parle des victoires, de ses compagnons d'armes, de la constitution violée. Il est confus, embrouillé, peu sûr de lui. Les questions l'embarrassent, il répond par des phrases creuses. A la fin il n'y tient plus, il sort.

Même au conseil des Anciens, où Sieyès avait beaucoup d'amis, il n'y a pas eu de décision politique. Le coup d'Etat a-t-il échoué ?

D'un pas ferme, Bonaparte se dirige vers la seconde assemblée, celle des Cinq Cents, qui siège, dans l'improvisation et la confusion la plus totale, dans l'orangerie du château. Il entre, dans un bruit de bottes. Un orateur était à la tribune. Tout est interrompu. Les députés quittent leurs sièges, se pressent autour de Bonaparte, l'insultent : « Hors la loi, le dictateur ! Vive la République ! Mourons à notre poste ! » Le président de l'assemblée ne parvient pas à rétablir le calme. C'est le frère de Napoléon, c'est Lucien Bonaparte. Personne ne l'écoute. Les officiers et quelques soldats parviennent à retirer le général des mains des députés qui l'agrippent. Il a un peu de sang sur le visage, comme s'il avait été griffé. Ils réussissent enfin à sortir.

Dans la salle, les députés demandent à grands cris sa destitution immédiate. Il faut lui retirer le commandement de la garde ! crie l'un d'entre eux. Un autre propose au Conseil de regagner Paris. Il n'y a pas de sécurité à Saint-Cloud. Le Conseil siège sous la menace. On veut étrangler la République. Un cri domine le tumulte : « Mettons aux voix la mise hors la loi du général Bonaparte. » Le président, Lucien Bonaparte, se garde bien de répondre à cet appel. Sous les huées, il dépose ses insignes et quitte la salle.

Des marches de l'escalier, il fait signe à un officier : « Donne-moi ton cheval. » Il s'avance, à cheval, devant les gardes, dans la cour d'honneur du château. Il les harangue, leur parle des « représentants à stylet ». « Ces brigands, leur dit-il, ne sont plus les représentants du peuple, mais les représentants du poignard. » Il dit que son frère est blessé, qu'il a du sang sur le visage. Il demande une épée. Il la brandit d'un geste noble :

« Soldats, vous pouvez me croire. Je tuerai moi-même mon propre frère de cette épée, s'il se conduit en tyran. »

Les soldats poussent des vivats. Derrière eux, dans le parc, les tambours de Murat battent la charge. Murat lui-même arrive, à cheval, en tête des grenadiers qui ont mis baïonnette au canon. Leclerc aussi est là.

« Foutez-moi tout ce monde dehors ! » crie Murat.

Il ne faut que quelques minutes aux grenadiers pour évacuer la salle des séances. Les députés sautent par les fenêtres, pour s'enfuir plus vite. Ils ont peur d'être massacrés. On a trop besoin d'eux pour s'y risquer. Les soldats en amènent un certain nombre près de Lucien. Ceux-là se disent fidèles. On peut compter sur leur loyauté. On les rassemble dans les jardins du château, avec ceux des Anciens qui étaient au courant du complot, les amis de Sieyès. Il faut bien respecter certaines formes, si l'on veut changer de régime. Il faut pouvoir écrire dans les journaux que les députés du Directoire ont admis le coup d'Etat. Les députés décrètent tout ce qu'on veut. Et les Parisiens apprennent que le Directoire démissionnaire est remplacé par trois consuls : Bonaparte, Sieyès et Roger Ducos. Ducos et Sieyès étaient d'anciens Directeurs. La face est sauve.

On n'a pas précisé qu'il y aurait un Premier Consul. Mais à la première réunion, qui se tient au Luxembourg, la question se pose : des trois consuls, lequel doit présider ? Roger Ducos se tourne vers Bonaparte. « Il est bien inutile, dit-il, d'aller aux voix pour la présidence. Elle vous appartient de droit. »

Le voilà désigné. Le coup d'Etat a été accepté sans résistance par les Parisiens. C'est à peine si les Jacobins ont réussi à susciter quelques troubles en province. En un mois, une constitution nouvelle est adoptée. Elle ne doit pas grand-chose à Sieyès. Bonaparte lui-même en dicte les principaux articles. Le pouvoir appartient à trois consuls désignés pour dix ans. Qui sont-ils ? Il n'y a plus Sieyès, ni Ducos. Bonaparte les a écartés. Il a pris Cambacérès et Lebrun, et s'est emparé de tous les pouvoirs. Les trois assemblées créées par la constitution sont de simples chambres d'enregistrement. Bonaparte s'est emparé de l'Etat, dont il est le seul maître. Le « consul provisoire » de Sieyès a utilisé le coup d'Etat à son profit exclusif. Et le peuple français, dans son immense majorité, l'approuve. Après douze ans de troubles, de guerres, de famines, d'insécurité, il ne demande rien d'autre que le retour à l'ordre, et à la paix. Bonaparte le dit à plusieurs reprises, et personne n'ose plus le démentir : « La Révolution est finie. »

22.

LES FOSSÉS DE VINCENNES

14 mars 1804. La nuit est épaisse sur le Rhin. La brume empêche de voir les étoiles. Un détachement de dragons passe le fleuve en silence. Ils sont frileusement emmitouflés dans leur grand manteau. On ne voit pas briller leur casque. Pas de lune. L'homme qui les commande est le général Ordener. Il a des ordres précis du Premier Consul : entrer clandestinement en pays de Bade, gagner sans bruit Ettenheim. Et là... Les dragons ignorent tout de leur mission. Ils savent qu'il s'agit d'une opération spéciale. Ils ne vont pas faire la guerre aux Badois. Non, à Ettenheim, ils cernent le château. Un petit nombre suit le général quand il pénètre dans les lieux. Tout le monde dort. Les soldats frappent aux portes, font du bruit, réveillent les domestiques.

« Où est le duc ? dit Ordener.

— Son Altesse repose.

— Sa chambre, vite ! »

Les dragons montent l'escalier, lourdement.

« Vous êtes bien le ci-devant duc d'Enghien ? »

Le pauvre jeune homme se frotte les yeux. Il doit être cinq heures du matin.

« Mais qui êtes-vous ?

— Général Ordener. Je suis porteur d'un ordre écrit du Premier Consul. Vous êtes en état d'arrestation. Veuillez vous habiller et nous suivre.

— Mais vous n'avez pas le droit. Nous ne sommes pas en territoire français.

— N'êtes-vous pas français ? Ne discutez pas. J'ai des ordres. Le Premier Consul n'aime pas attendre. »

Et le malheureux duc les suit. Il a à peine le temps de se vêtir, d'embrasser sa famille, de recevoir les adieux de ses domestiques. On marche à la hâte sur Strasbourg, et le 17 mars au soir, le duc est envoyé à Paris, sous bonne escorte. Le duc d'Enghien est prisonnier de Bonaparte.

Que faisait à Ettenheim le duc d'Enghien ? Cet ancien combattant de l'armée de Condé — l'armée des émigrés au service des Autrichiens — y avait rejoint sa maîtresse, qui était aussi sa cousine. La nièce du cardinal de Rohan, la belle Charlotte de Rohan-Rochefort. Il voulait l'épouser. L'oncle cardinal, lui aussi réfugié, avait l'intention de bénir cette union. L'armée de Condé était dissoute. Le duc était pour l'instant sans activité militaire. Il s'apprêtait à gagner l'Autriche, et de là l'Angleterre, pour reprendre du service. Il vivait sans histoires à Ettenheim, tout à l'amour de Charlotte. Dans la maison vivait aussi un vieux gentilhomme, le marquis de Thumery, et un ancien officier de l'armée de Condé, un camarade du duc, un certain Schmitt, qui venait de Fribourg. Ces hommes sont des émigrés. Depuis fort longtemps, ils mènent le combat contre la République. Il est clair qu'ils sont les ennemis du Consul, qui traque les royalistes en France. Mais ils n'ont, pour l'heure, aucune activité, ni d'action ni de renseignement. Ils sont en attente. Le duc d'Enghien, petit-fils de Condé, du prince qui commandait la célèbre armée, n'a rien d'un conspirateur. Aussi la maison est-elle totalement surprise de son arrestation. La nouvelle, qui fait rapidement le tour des petits cercles d'émigrés, est accueillie avec stupeur.

Pourquoi avoir fait enlever le duc d'Enghien en territoire étranger ? C'est que Bonaparte, apparemment, veut en finir avec les royalistes. Le cabinet britannique utilise, comme par le passé, l'opposition des royalistes à l'intérieur du territoire. Ils ont un prétendant, le comte de Provence, qui se fait appeler Louis XVIII. Ils ont des chefs de prestige, comme le général Pichegru ou Dumouriez. Avec Cadoudal, ils disposent de l'inépuisable réserve des résistants chouans, toujours prompts à se dresser contre les bleus. Les Républicains en exil, les Jacobins proscrits par Bonaparte se retrouvent du même côté que les royalistes. Cadoudal passe clandestinement la Manche, arrive à Paris, prépare un complot. Il veut déclencher une insurrection dans la capitale.

Bonaparte, par la police officielle, et aussi par la police parallèle de Fouché, a vent du complot. Il fait aussitôt arrêter et fusiller un certain nombre de comparses. L'un d'eux, Querelle, est gracié parce qu'il donne à la police un renseignement capital : il apprend que George Cadoudal est dans Paris et qu'il y a bien un complot de grande envergure. Cette fois Bonaparte triomphe. Il ne s'est pas trompé. Il tient les royalistes.

Il faut agir rapidement, car les espions de Fouché rapportent que les conspirateurs attendent le débarquement d'Angleterre d'un prince. Probablement Monsieur, ou le duc de Berry. L'un des prisonniers a prononcé le nom de Moreau, comme s'il était favorable à la cause. Sur ordre de Bonaparte, Moreau, l'illustre général, est aussitôt arrêté, le 15 février. Un certain nombre de généraux, soupçonnés d'être du parti de Moreau, sont arrêtés ou disgraciés. Des affiches placardées dans la capitale apprennent aux parisiens que « cinquante brigands » « ayant à leur tête Georges Cadoudal et Pichegru » complotent dans la capitale. A partir du 28 février, les portes de Paris sont fermées dès sept heures du soir, jusqu'à six heures du matin. Personne ne peut entrer ni sortir. La circulation sur la Seine est interdite. La nuit les rues sont vides, parcourues seulement par des patrouilles armées qui recherchent les « brigands ». Enfin le 29 février Pichegru est découvert et arrêté. Le 9 mars, c'est le tour de Cadoudal. Cadoudal se cachait rue de la Montagne-Sainte-Geneviève. Il a tenté de s'enfuir, dans un cabriolet. La police l'a poursuivi. Rue Monsieur-le-Prince, il s'est senti rejoint. Il a tiré deux coups de pistolet, tuant un homme, en blessant un autre. Mais enfin il a été arrêté. La police a également envoyé en prison trois cents suspects. La terreur antiroyaliste règne toujours dans Paris.

Un agent double, à la solde des Anglais mais aussi de Fouché, a fait de singulières révélations. Ce Méhée de la Touche a rencontré à Munich le responsable anglais des complots contre Bonaparte. Ce chef du service secret britannique est ministre. Il s'appelle Drake. Il a pour couverture un poste diplomatique à la cour de Bavière. Drake est un professionnel qui dispose d'armoires blindées, de liaisons secrètes, de tout un réseau de courriers et d'informateurs. C'est un homme prudent. Ses coffres de fer ont des clés, et la clé du premier coffret est enfermée dans le second, et ainsi de suite. Celle du dernier coffret est enfermée dans une armoire blindée, la clé de l'armoire dans une autre armoire, et finalement la clé de la dernière armoire est attachée par un cordon à la montre de Drake. Il ne se laisse pas surprendre. Méhée vient le voir pour lui dire qu'un général républicain, dont il tait le nom, veut rejoindre le camp royaliste. Drake l'accueille à bras ouverts. Il lui fait donner un faux passeport, pour qu'il puisse entrer en France.

Arrivé à Paris, Méhée s'empresse d'informer le Premier Consul, via Fouché, des menées du ministre anglais. Ainsi donc, se dit Bonaparte, les Anglais complotent en Bavière. Il se frotte les mains ; l'idée du « général républicain » l'enchante. Bonaparte dicte lui-même les faux renseignements concernant les comploteurs français, pour « intoxiquer » Drake. Il envoie Méhée en Alsace, où les émigrés complotent. Bientôt la police détient l'ordre d'insurrection de la main de Drake, écrit à l'encre sympathique.

De Strasbourg, où il est envoyé en mission par Fouché, Méhée adresse un rapport, le 27 février. Il dénonce les activités des émigrés en Alsace, en les grossissant. Il signale incidemment la présence du duc d'Enghien, petit-fils de Condé, dans la ville d'Ettenheim.

Le Premier Consul saute sur l'information. Il demande au préfet du Bas-Rhin de la confirmer. Le préfet s'informe, et confirme. Pour plus de sûreté, le Premier Consul a demandé l'avis du commissaire de police et du commandant militaire. Ils ont aussi confirmé. On lui dit que le duc a chez lui Dumouriez et un colonel anglais. Un certain Smith. Les rapports indiquent que le duc s'est rendu plusieurs fois à Strasbourg, clandestinement, et que toute la région est infestée d'émigrés. Et si le prince que les conjurés attendent était le duc d'Enghien ?

Le 10 mars, le lendemain de l'arrestation de Cadoudal, les trois consuls se réunissent avec Reignier, chef de la police, Talleyrand et Fouché, responsable de la police parallèle.

« Il y a complot, dit Reignier, et le duc d'Enghien en est le chef.

— En êtes-vous bien sûr ? » demande Cambacérès, homme de jugement.

Talleyrand et Fouché, convaincus de la culpabilité du prince, disent qu'il faut agir sur-le-champ. Bonaparte donne aussitôt les ordres pour l'enlèvement. C'est ainsi que le duc d'Enghien est réveillé à cinq heures du matin par les dragons, sur dénonciation d'un agent double. Peut-il le savoir ?

Le 20 mars, au matin, les trois consuls sont de nouveau réunis, avec Reignier. Ils décident que Murat, gouverneur de Paris, doit immédiatement nommer une commission militaire de sept membres, pour instruire le procès du duc d'Enghien. Bonaparte est impatient. Il dicte lui-même à son secrétaire un arrêté de mise en accusation « contre le ci-devant duc d'Enghien, coupable d'avoir porté les armes contre la République, d'avoir été et d'être encore à la solde de l'Angleterre, de faire partie des complots tramés par cette dernière puissance contre la sûreté intérieure et extérieure de la République ». Murat, dès qu'il reçoit l'ordre du Premier Consul, désigne aussitôt la commission qui est présidée par le général qui commande les gardes consulaires, Hullin.

La commission doit se réunir au château de Vincennes. Elle doit siéger « sans désemparer », pour juger le prévenu. Il ne faut pas donner tout de suite aux juges militaires l'identité de ce dernier. Personne ne doit être au courant. Le duc doit être jugé à huis clos, dans le plus grand secret. Les juges ne le connaîtront qu'au dernier moment.

Murat a désigné la commission à onze heures, ce matin du 20 mars. Le duc entre dans Paris, venant de Strasbourg avec l'escorte à trois heures. Il est aussitôt conduit à Vincennes. Le capitaine Harel, qui le reçoit, est informé qu'il a « un individu à garder dont le nom ne doit pas être connu ». C'est une affaire d'Etat, de la plus haute importance. Le capitaine ne demande pas d'explications.

A cinq heures et demie, le duc est enfermé dans sa cellule du château de Vincennes. On lui a tout juste laissé le temps de manger. Depuis soixante-cinq heures, il est sur les routes.

Neuf heures du soir. Les membres de la commission militaire font leur entrée dans le château. Un par un. Un peloton de gendarmerie arrive, commandé par Savary, un homme de confiance de Bonaparte.

Onze heures du soir. On réveille le duc d'Enghien, qui s'était endormi, ne sachant toujours pas ce qu'on lui reprochait. Il subit dans sa chambre un premier interrogatoire. Puis les juges le reçoivent au grand complet. La pièce dont ils disposent pour l'accusation, c'est seulement l'arrêté que Bonaparte a dicté le matin même. C'est bref. Par la suite Bonaparte a expédié sur Vincennes un certain Réal, porteur d'un interrogatoire plus détaillé. Mais Réal n'arrive sur les lieux qu'à minuit, quand tout est dit. Tout se passe en effet comme si les juges militaires savaient qu'ils devaient « expédier » le prévenu au plus tôt. Savary est debout derrière eux pendant l'interrogatoire du duc. Celui-ci nie toute participation à un complot mais par contre il reconnaît bien volontiers qu'il a porté les armes contre la République. Dans ces conditions, pourquoi faire traîner les choses ?

Le duc comprend qu'on l'envoie à la mort. Il en demande les motifs. Manifestement les juges agissent à la demande de Bonaparte.

« Vous ne pouvez pas me refuser de rencontrer Bonaparte », dit-il.

Les juges hésitent. Le président Hullin se demande s'il ne

doit pas dégager sa responsabilité, s'il n'y a pas erreur. Mais Savary l'en empêche. Les ordres de Bonaparte sont formels, dit-il, vous devez juger sans désemparer.

Le duc est reconduit dans sa chambre. La condamnation à mort est prononcée. La commission militaire a jugé selon les ordres reçus, sous la pression constante de Savary, l'envoyé de Bonaparte. Le duc n'a eu à aucun moment les moyens de se défendre. A deux heures et demie, le 21 mars, Harel vient le chercher, et le conduit dans un fossé du château. La fosse est déjà creusée, le peloton est prêt. Une seule salve, puis le coup de grâce. Le duc est mort courageusement.

Les juges, Savary, Murat, Réal sont largement récompensés par le Premier Consul. L'opinion, dans la capitale, est indifférente.

« C'est pire qu'un crime, aurait dit Fouché, c'est une faute. »

Une faute qui facilite grandement, dans l'immédiat, l'accession de Bonaparte à la dignité impériale. Il n'a plus, désormais, d'ennemis républicains. Le sang le sépare des royalistes. Le sang innocent du duc d'Enghien. L'ancien jacobin David peut à son aise préparer le décor du sacre. Napoléon peut revêtir la couronne et faire venir le pape. Il sera toujours, à cause de l'assassinat du duc d'Enghien, le complice des terroristes.

23.

2 DÉCEMBRE 1805 : AUSTERLITZ

Toute la journée du 1er décembre, les soldats ont marché. Ils viennent de Vienne, ils se dirigent sur la Moravie. Ils savent qu'ils ont à affronter une armée d'Autrichiens et de Russes. Ils s'arrêtent sur un plateau glacé nommé Pratzen. « Il y a une rivière gelée, dit un grenadier. Les tirailleurs s'en approchent... Ils risquent de prendre un bain glacé... Mais non, regardez, la glace tient bon, ah ! le bougre, comme il glisse. »

Il fait très froid en Moravie, en ce début de décembre, mais les grenadiers de la division Friand n'ont pas eu le temps d'avoir froid. Ils ont marché pendant vingt-quatre heures, parcouru dans ce temps soixante-dix kilomètres. Ils sont fourbus, mais ils n'ont pas les pieds gelés. Ils ont installé leur bivouac le long de la route de Pratzen. Ils sont allés en patrouille dans les villages avoisinants pour trouver des vivres. Le plus souvent les paysans ont fui. D'autres se cachent dans les greniers, dans les caves. Les soldats trouvent de la confiture et des morceaux de lard. Napoléon patrouille sans arrêt sur le plateau ; il marche vivement, à pied, dans sa redingote grise, les mains derrière le dos. Il est de bonne humeur, note le capitaine Coignet, de la garde à pied. Oui, l'Empereur est de bonne humeur. Le grenadier, qui le connaît bien, l'a vu prendre plusieurs prises de tabac. Il s'approche du groupe. « Eh bien, vous mangez des confitures ? Ne bougez pas ! Il faut mettre des pierres neuves à vos fusils. Demain matin nous en aurons besoin, tenez-vous prêts du matin. » Et l'Empereur s'éloigne, parcourant toujours de long en large le grand plateau gelé. De l'autre côté, sur les hauteurs, sont les bivouacs des Russes et des Autrichiens.

Les grenadiers à cheval sont gourmands. Ils sont allés loin pour trouver des cochons, de gras cochons vivants. Une fortune pour un bivouac. Ils les poussent devant eux, et les amis de Coignet, ravis de l'aubaine, se précipitent sur les cochons pour les capturer. Un duel entre la garde à pied et la garde à cheval ? Napoléon lui-même intervient, avec ses généraux. Tous sont morts de rire. On procède au partage du butin. Six cochons à gauche, six cochons à droite. Pour les soldats paysans de la garde à pied, tuer le cochon n'est pas une affaire. On les égorge. Le sang coule. L'Empereur lui-même boit une pointe de sang chaud. Les généraux font de même. Et les cochons sont rôtis à la broche. Les grenadier vont chercher les « fillettes » qu'ils ont cachées dans leurs bonnets à poil. Les fillettes, ces bouteilles de vin du Rhin, ils les ont prises à Schoenbrunn, le château de l'empereur d'Autriche. C'est la fête au bivouac. La viande grillée sent bon. Les grenadiers, qui ont gardé leurs capotes, se réchauffent les mains au feu de bois.

Et soudain un cri retentit : « Vive l'Empereur ! » Il est sorti de sa tente. Il s'approche. Le brouillard de la nuit empêche de voir : est-il à pied, à cheval ? Il met pied à terre quand il arrive chez les grenadiers. Il parcourt à cheval toute la ligne des bivouacs. Les grenadiers à cheval qui l'escortent ont quatre torches allumées. La garde à pied n'est pas en reste. Les soldats se précipitent vers les baraques, font des torches avec la paille et les allument. Et toute l'armée les imite. Chaque soldat passe le feu à son voisin. Et tous crient « Vive l'Empereur ! » Dans la nuit d'Austerlitz, 200 000 torches brûlent, le long de sept corps d'armées. Les tambours se précipitent, les musiciens aussi. Ils soufflent dans leurs mains pour se réchauffer, et sonnent dans les cuivres. Toutes les musiques jouent, les tambours battent aux champs. Les Russes, qui sont réveillés par le tumulte, se demandent si les Français ne vont pas attaquer.

« Mais, non, dit Langeron, un Français émigré qui combat

dans leurs rangs. Je les connais. Ils sont en train de se donner en spectacle pour leur petit général corse. »

Un « spectacle charmant », dit le capitaine Coignet. Mais où Napoléon n'oublie pas de haranguer ses soldats, à la manière d'un consul romain : « Si la victoire était un moment incertaine, vous verriez votre Empereur s'exposer aux premiers coups... cette victoire, dit-il à ces hommes fatigués, finira la campagne et nous pourrons reprendre nos quartiers d'hiver. » De grandes acclamations accueillent ces promesses, car depuis longtemps, trop longtemps, l'armée marche. Jamais les vieux soldats n'ont marché si vite depuis bien longtemps.

Que l'on y songe. Cette armée, répartie sur sept corps, était alignée, en septembre, sur les bords de la mer du Nord, devant Boulogne. Elle devait envahir l'Angleterre. Quand l'Empereur lui a dit, le 3 septembre, de prendre le chemin du Rhin, elle s'est mise en route avec soulagement : l'inactivité lui pesait. Les fantassins ont bouclé leurs sacs qui ne pèsent pas moins de vingt-cinq kilos, et tous se sont mis en route pour « briser, comme a dit l'Empereur, cette odieuse maison d'Autriche ».

Les chefs de corps marchent en tête. Leurs noms sont illustres, bien connus maintenant des soldats. Ils s'appellent Bernadotte, Marmont, Davout, Soult, Lannes, Ney et enfin Murat qui est parti le premier avec 44 000 cavaliers, en direction de l'Allemagne. Tous ces généraux ont fait leurs preuves dans les armées de la Révolution et dans les guerres du Consulat. Ce sont des fonceurs, des sabreurs. Un seul est bon tacticien, Davout. Les autres foncent là où l'Empereur leur dit de foncer. Des entraîneurs d'hommes. En tête des colonnes d'assaut ou des escadrons galopants. Depuis le 3 septembre les soldats marchent presque sans arrêt. Le matin à l'aube ils se groupent en compagnies, se mettent en colonne et marchent une heure, d'un pas régulier, un pas de paysan. Toutes les heures on s'arrête pour cinq minutes ; c'est la pause des pipes. Pour la première heure, le commandant fait les honneurs de la goutte à ses officiers. Tous les jours la grande halte d'une heure permet aux soldats de casser la croûte et de tirer l'eau des puits. Tous les soirs, on bivouaque, quand on ne trouve pas de cantonnement dans les villages. Les soldats campent, dressent la tente. Quand il fait trop froid ils couchent dans des étables, et même dans des écuries. On en a vu se blottir dans la paille, à l'intérieur de grands tonneaux. Tout est bon pour survivre en campagne.

Pour suivre le train de cette armée, il faut être jeune. Les soldats ont de vingt et un à vingt-cinq ans sauf dans la garde, où ils peuvent être plus âgés. Les généraux n'ont jamais plus de quarante ans. Certains, qui commandent des divisions, n'ont pas trente-cinq ans, et ils font la guerre depuis douze ans !

En France les colonnes ont trouvé des vivres et des fourrages en quantités suffisantes. Les difficultés ont commencé en Allemagne, avec la neige, et le froid. Il faut marcher sur des routes impraticables et les soldats n'ont en réserve qu'une seule paire de chaussures. L'armée marche sans trêve et arrive enfin à Augsbourg, où elle trouve en abondance des vivres et des cantonnements chauds. Maigre répit. Il faut repartir. On poursuit les Autrichiens dans Ulm. Ils ont coupé un pont pour faire retraite. Ney le fait rétablir en entrant lui-même dans l'eau sous la mitraille. Et il se précipite à l'assaut du village d'Elchingen, qui est conquis maison par maison. Enfin les Autrichiens sont poursuivis, enfermés dans Ulm. Ils se rendent. 27 000 Autrichiens défilent devant l'armée du camp de Boulogne exténuée, mais convaincue qu'elle tient la victoire. C'est le 20 octobre : à peine deux mois de campagne.

Et la marche a repris, exténuante. Après Ulm, l'armée descend le Danube, pour se rapprocher de Vienne. Elle repousse devant elle un corps russe dirigé par Koutousof, général prudent qui refuse le combat et met un moment les Français en difficulté par ses astucieuses manœuvres. Déjà Murat est entré avec sa cavalerie dans Vienne. Il a crevé ses chevaux mais il est, comme toujours, le premier. L'armée n'a pas le temps de s'y attarder. Napoléon a donné l'ordre de marcher sur la Moravie. Il sait que le tsar de Russie et l'empereur d'Autriche l'attendent à Austerlitz, où ils ont établi leur quartier général, avec 72 000 Russes et 14 000 Autrichiens. « L'Empereur se sert de nos jambes et pas de nos baïonnettes », grognaient les grognards. Cette fois ils sont à pied d'œuvre. La bataille décisive va s'engager.

Dès l'aube, l'Empereur parcourt les avant-postes. 2 décembre, c'est, jour pour jour, l'anniversaire du sacre. Napoléon a bien préparé sa bataille, il l'a méditée. Il tend un piège aux deux empereurs en dégarnissant son aile droite, celle de Davout, pour les inciter à le tourner par la droite, pour lui couper la route de Vienne. Et les plus offensifs de ses généraux, Lannes et Murat, sont massés à gauche, avec leur cavalerie lourde, pour attaquer au bon moment. Lui-même surveille le centre, confié à Soult, avec la garde.

Dès le petit matin, les Russes observent le champ de bataille. Ils sont convaincus qu'une charge décisive sur l'aile droite française leur donnera la victoire. Du moins le tsar en est-il convaincu. Car le vieux Koutousov est beaucoup plus réservé. Mais que peut Koutousov, devant deux empereurs ? Il obéit. Les lignes vertes de l'infanterie russe s'étirent vers le bas du plateau de Pratzen, drapeaux déployés. Les lignes blanches des Autrichiens suivent le mouvement. Tous vont attaquer le corps de Davout qui résiste furieusement. Ils veulent prendre Napoléon à revers. Ils chargent sans cesse, à la baïonnette.

« Davout tiendra-t-il ? demande Soult à l'Empereur.

— Nous allons le dégager. »

Lannes et Murat, sur la route de Pratzen, ont reçu l'ordre de charger. Ils dégagent, au nord du champ de bataille, tout ce qu'ils trouvent devant eux, avec furie. Et c'est alors que Napoléon donne l'ordre de monter à l'assaut du plateau, au centre du champ de bataille, pour couper en deux l'armée ennemie. Tout ce conforme rigoureusement, dans l'exécution, au plan prévu par Napoléon. A cet égard, Austerlitz est une sorte de modèle de bataille, une bataille rêvée, celle où le hasard ne vient pas déranger un plan d'état-major. Il faut suivre encore le capitaine Coignet dans cette escalade. « Les grenadiers grimpent, baïonnette au canon. Les musiques jouent *On leur percera le flanc.* Il y a là, dit Coignet avec orgueil, vingt-cinq mille bonnets à poil ». Ils grimpent bataillons par bataillons, en ligne, l'arme au bras. Et l'infanterie prend le plateau, l'occupe, repousse les Russes devant elle. Difficile combat. Les Russes sont des géants très courageux, qui ne cèdent que pied à pied. « Il ne suffit pas de tuer un Russe, dira plus tard Napoléon, il faut encore le pousser pour qu'il tombe. » Et quand les fantassins russes ont reculé, le tsar envoie sur les bonnets à poil sa cavalerie, ces fameux chevaliers gardes aux cuirasses étincelantes. Les grenadiers français ont formé le carré, ils résistent de leur mieux. Mais ils sont submergés par les cuirassiers. Cette charge va-t-elle déranger les plans du grand Napoléon ?

« Dégagez le plateau, dit-il à Rapp. Prenez toute la cavalerie disponible. » Rapp n'a pas le choix. Il voit auprès de lui les mamelucks de la garde personnelle de Napoléon, ceux qu'il a ramenés d'Egypte. Ces hauts seigneurs du désert sont devenus des cavaliers d'élite de l'armée française. Les mamelucks affûtent leurs cimeterres. Et puis il y a les chasseurs à cheval de Lefebvre-Desnouettes, impatients d'en découdre dans leurs uniformes verts, à pelisses écarlates. Ces chasseurs sont les enfants chéris de Napoléon. Quand il est de bonne humeur, il porte la redingote d'un colonel des chasseurs à cheval.

Ils se précipitent, avec les mamelucks, sur les chevaliers gardes d'Alexandre. Immense mêlée. Les batailles de l'Empire sont l'âge d'or, et déjà le déclin, des charges de cavalerie. Il faut envoyer en renfort les grenadiers à cheval de Bessières, ces géants vêtus de bleu de France, aux immenses bonnets à poil. Et tous ensemble parviennent à dégager le plateau, à ramener les chevaliers gardes, à « tailler en pièces », comme dit Coignet, l'élite de l'armée russe. Ce jour-là Rapp se couvre de gloire. Il vient rapporter à l'Empereur, tous les quarts d'heure, un nouveau drapeau russe ou autrichien. Il capture les archiducs, Rapp, et il inspire une telle incertitude à Koutousov que l'ordre de la retraite est donné.

Oui, l'armée russe recule. Les charges successives sur le plateau de Pratzen ont décidé de la victoire. Koutousov recule parce qu'il risque d'être coupé en deux. Ce qui, pour un général, est l'état le plus fâcheux. A deux heures de l'après-midi, la bataille est gagnée. Au nord, les escadrons de Murat poursuivent la droite de l'armée des empereurs. Au sud, les corps russes tentent de se replier en traversant les étangs gelés, qui ne supportent pas le poids des attelages et des canons. Voilà les chevaux dans l'eau glacée. Coignet raconte que Napoléon fait aussitôt mettre des pièces en batterie, pour fondre la glace, avec des boulets chauffés à blanc. Légende ? Il est vrai que beaucoup de Russes pataugent dans les étangs glacés, et que les pertes ennemies sont considérables. « Soldats, je suis content de vous, dit Napoléon. Je vous ramenerai en France. Là vous serez l'objet de mes plus tendres sollicitudes. Mon peuple vous reverra avec joie et il vous suffira de dire : « J'étais à la bataille d'Austerlitz », pour que l'on vous réponde. « Voilà un brave. »

L'Empereur tient-il ses promesses ? Pour la garde, oui. Les soldats rentrent à Paris, où on les reçoit sous des arcs de triomphe. Ils y sont même transportés en charrettes. Mais tous les autres, les fantassins de Davout, les cuirassiers de Lannes, les dragons de Murat ? Ils restent en Allemagne, pas loin de Vienne, pas loin de la Prusse. Ce qu'ils ne savent pas, c'est qu'ils verront désormais rarement la France, et qu'ils ne connaîtront guère plus la paix. Les Prussiens arment, les Russes ne sont pas battus, les Autrichiens renâclent. Oui, l'Europe toute entière est un champ de bataille. Et beaucoup de ceux qui ont survécu à Austerlitz mourront à Iéna, à Eylau, à Wagram. Et quand Napoléon, suivant la promesse d'Austerlitz, « ramènera ses soldats en France », c'est en 1814, devant 800 000 alliés vainqueurs. S'il avait parfois le génie des batailles, il ne pouvait pas se défaire du mauvais génie de la guerre.

24.

LE PAPE, L'EMPEREUR ET LE GENDARME LAGORSE

21 janvier 1808. Le général Miollis reçoit d'Eugène de Beauharnais, un ordre étrange : il doit occuper Rome.

Occuper Rome ! La ville du pape, la ville éternelle ? Le général relit le message. Oui, il doit bien prendre et occuper Rome, « sous le prétexte de la traverser pour aller à Naples », est-il précisé.

En fait, Napoléon veut annexer Rome et les Etats du pape. Depuis longtemps, il les convoite. En 1806 Joseph Bonaparte a occupé Civitavecchia. Il a prévenu le pape que les enclaves qu'il possédait sur le territoire napolitain, Bénévent et Pontecorvo, étaient érigées en duchés et distribuées à Talleyrand et à Bernadotte. En septembre 1807 il a fait occuper par les troupes d'Eugène de Beauharnais, venues du Nord, les villes pontificales d'Urbino, Macerata, Ferno et Spolète. Le pape ne garde plus, comme bien temporel, que son patrimoine de saint Pierre et la ville de Rome, mais elle est déjà occupée. Napoléon vient de lui retirer ce que son lointain prédécesseur Pépin le Bref avait donné au pape de Rome : il n'y a plus d'Etat pontifical.

Mais Rome ? Le pape va-t-il se défendre ? Aucune résistance. La ville est complètement occupée le 2 février. Les cardinaux sont expulsés. L'ambassadeur de France, Alquier, rejoint Paris. Le drapeau tricolore flotte sur le château Saint-Ange.

Le pape proteste, écrit à toutes les cours catholiques, à tous les évêques en fonction. Il menace Napoléon d'excommunication, il refuse de donner l'investiture spirituelle aux évêques désignés par l'Empereur. Mais il n'a pas d'interlocuteurs. Napoléon fait la guerre. On ne parle pas d'affaires religieuses à un général qui change de camp tous les soirs. Napoléon fait la guerre à l'Autriche. Quand il est vainqueur, après la coûteuse victoire de Wagram, son premier soin est de s'occuper du pape. Il signe au château de Schoenbrunn, baptisé « camp impérial de Vienne », un décret d'annexion pure et simple des Etats pontificaux à l'Empire. Insensé, dit le pape, le Corse est devenu fou ! Il lui propose une donation de 2 millions de livres. « Il veut me payer comme il paye les pasteurs protestants », dit le pape, blème d'indignation. Le pape n'a plus d'existence civile, plus de gouvernement : Miollis, le général, et le Corse Saliceti, l'ancien protecteur de Bonaparte, président une « consulte extraordinaire » qui se charge de l'administration. Rome est « ville impériale libre ». Par la grâce de Napoléon, il n'y a plus de pape dans Rome. Les Romains, qui en ont vu d'autres, attendent la suite de la querelle. Ils savent que le pape Pie VII n'est pas homme à se laisser désarmer. Et l'occupation militaire par les troupes françaises ne leur dit rien qui vaille. Le pape garantissait aux Romains une certaine indépendance. Ils entendent bien recouvrer le pape et la liberté.

Dans la nuit du 10 au 11 juin 1809, les Romains, qui se couchent tard l'été, voient les poseurs d'affiches se répandre partout dans la ville. Aux portes de Rome, sur le mur rose d'Hadrien, on peut lire, aux armes de Sa Sainteté le pape Pie VII, une bulle d'excommunication, en bonne et due forme. Ainsi voilà Napoléon traité en antéchrist. Les Romains acclament le pape, ravis du bon tour joué. Puis ils rentrent chez eux, inquiets. Ils savent que, vraisemblablement, l'Empereur des Français ne va pas en rester là.

Comment les rapports du pape et de l'Empereur ont-ils pu s'envenimer à ce point ? Bonaparte était heureux et fier, en 1801, de signer le Concordat. Il avait fait à l'Eglise de France des donations généreuses, il avait augmenté régulièrement le budget des cultes. Même les desservants des campagnes étaient payés par l'Etat. L'Eglise avait retrouvé ses bâtiments, sinon ses biens, qui avaient été distribués et vendus sous la Révolution, sous forme de « biens nationaux ». Les ordres religieux étaient toujours interdits mais l'Etat avait autorisé un certain nombre de congrégations de femmes et les Missions étrangères. Même les jésuites étaient rentrés en France, où ils enseignaient dans les collèges et les séminaires.

L'Empereur veillait à ce que l'Eglise reçût les honneurs officiels. La troupe devait présenter les armes au passage du Saint Sacrement, lors des processions. Les cardinaux dans les cérémonies avaient le pas sur les ministres et les archevêques sur les préfets. On ne célébrait plus la fête nationale le 14 juillet mais le 15 août ; heureuse date : l'Empereur n'était-il pas né le jour de l'Assomption ? On pouvait ainsi célébrer la Vierge et la Saint-Napoléon. Rome, pour la circonstance, avait découvert ce saint et transmis aux diocèses sa légende, pour l'édification des fidèles. Mais ce culte officiel indignait les curés, déplaisait aux évêques, surprenait les fidèles. Ce catéchisme impérial, obligatoire dans tout l'Empire, qui citait parmi les devoirs imposés par dieu « l'obéissance et la fidélité à l'égard de l'Empereur, le service militaire et les tributs donnés pour la défense de l'Empire » choquait les consciences et indignait les évêques libéraux. Comment accepter que les prêches fussent surveillés par la police, les publications ecclésiastiques censurées et les prêtres condamnés pour délit d'opinion comme le malheureux abbé Fournier qui, pour un sermon, se retrouva au bagne ? Comment accepter que Napoléon dise « mes préfets, mes évêques, mes gendarmes », assimilant la religion aux forces du maintien de l'ordre ? Certes l'Eglise de France, reconnaissante de la paix revenue, était dans son ensemble docile. Mais elle n'accepterait sûrement pas une agression de l'Empereur contre le pape.

Malheureusement, l'esprit du Concordat ne dure pas. Le pape, inquiet pour l'avenir de ses Etats, est le premier à chercher des querelles : il est vrai que l'Empereur, engagé dans la guerre contre les Anglais, les Russes et les Autrichiens, doit prendre en Italie des assurances, car les Russes et les Autrichiens peuvent y conduire une opération. Il demande au pape, dès 1805, d'occuper le port d'Ancône. Le pape refuse, proteste de sa neutralité. C'est, dit-il, « un cruel affront ». Nous nous sommes trompés, écrit le pape, « depuis notre retour de Paris (où il a sacré Napoléon), nous n'avons éprouvé qu'amertume et déplaisir ». Les Français occupent Ancône, et le pape ne peut les en chasser. Vainqueur à Austerlitz, Napoléon n'a aucune envie de faire des cadeaux. « Je suis Charlemagne, dit-il à Fesch, et le pape doit me considérer comme tel. Si l'on se conduit bien, ajoute-t-il, je ne changerait rien aux apparences. Autrement je réduirai le pape à être évêque de Rome. » En 1806 Napoléon envoyait au pape une mise en garde : s'il voulait qu'il respecte son indépendance et son pouvoir spirituel, il fallait qu'il choisisse son camp. « Tous mes ennemis, dit Napoléon, doivent être les siens », car en 1806 Napoléon est déjà engagé dans ce grand duel contre l'Angleterre, où il a décidé de fermer les ports européens aux navires anglais. Que fera le pape dans ce conflit ? « Il n'est pas convenable, lui écrit Napoléon, qu'aucun agent du roi de Sardaigne, aucun Anglais, Russe ni Suédois réside à Rome ou dans vos Etats, ni qu'aucun bâtiment appartenant à ces puissances entre dans vos ports. »

S'il est, comme Charlemagne, « l'épée de l'Eglise », il veut être traité de même. Que fait le pape ? Il réunit le Sacré Collège, et là tous les cardinaux, sauf un Français, l'encouragent à la résistance. Il ne peut accepter de se ranger dans le camp de la France bonapartiste en guerre. Nous ne sommes plus du temps de Charlemagne... « Votre Majesté établit en principe, écrit Pie VII, qu'elle est l'empereur de Rome. Nous répondons avec la franchise apostolique, que le Souverain Pontife, devenu, depuis tant de siècles, souverain de Rome, ne reconnaît point et n'a jamais reconnu dans ses Etats aucune autre puissance supérieure à la sienne, qu'aucun empereur n'a les moindres droits sur Rome, que Votre Majesté est empereur des Français et non pas empereur de Rome, que l'empereur de Rome n'existe pas. »

Voilà qui est parlé. Le pape défend, avec quelle énergie, ses droits temporels. « Nous ne pouvons admettre, lui dit-il, cette proposition que nous devons avoir pour V.M. les mêmes égards dans le temporel que V.M. a pour nous dans le spirituel. » Aucune réponse de Napoléon. Les ponts sont coupés. Les armées impériales occupent Civitavecchia en même temps que Talleyrand annonce au pape l'intention de l'Empereur de placer un prince français à la tête du royaume de Naples. Quelques mois plus tard, Eugène de Beauharnais reçoit l'ordre d'occuper les Etats pontificaux. Et bientôt le drapeau français flotte sur le château Saint-Ange.

20 juin 1809. Napoléon à Murat : « Je reçois à l'instant la nouvelle que le pape nous a excommuniés. C'est une excommunication qu'il a portée contre lui-même. Plus de ménagements. C'est un fou furieux qu'il faut enfermer. » Le général Radet, qui commande en Toscane une légion de gendarmerie, reçoit l'ordre de rentrer dans Rome, où il doit exercer la direction de la police. « Si le pape, a dit Napoléon à Murat, contre l'esprit de son Etat et de l'Evangile, prêche la révolte, on doit l'arrêter. »

Nuit du 5 au 6 juillet. Le palais du Quirinal, où réside le pape, est cerné. Un peloton de cavaliers de haute stature, bonnets à poils, longues bottes de cuir noir brillant, culottes de peau, habit bleu à brandebourgs, éclaire la porte, torche en main. Ce sont les gendarmes de la garde impériale. Le général Radet pénètre dans le palais, accompagné par le gendarme Lagorse. Il vient arrêter le pape. Celui-ci proteste. Mais il doit, avec son principal conseiller, le cardinal Pacca, monter dans une voiture qui les attend, une voiture fermée. On dirige Pacca sur Fontenelle. Le pape va d'abord à Grenoble, puis descend sur Avignon. Napoléon a-t-il décidé de rétablir l'antique siège français de la papauté ? Non, le pape est transféré à Nice, puis à Savone, sur la Méditerranée. A vrai dire on ne sait que faire du pape. L'idée de Napoléon est de le faire venir à Paris, où il a déjà fait venir le Sacré Collège. Mais il faudrait que Pie VII soit plus souple. Il est de plus en plus rebelle.

Puisqu'il est à Savone, qu'il y reste, dit Napoléon. Là du moins, il ne peut nuire. Et le pape reste à Savone, de 1809 à 1811... Il se comporte en prisonnier, refuse tous les honneurs, tous les secours. Il lave, si l'on en croit Tulard, lui-même sa simarre et passe ses journées à prier. Il refuse de recevoir qui que ce soit qui se présente de la part de Napoléon.

Mais le clergé est actif, diligent. Les copies de l'excommunication circulent dans toute l'Europe, en France, en Espagne, en Belgique, en Allemagne. Nul ne peut ignorer que le pape est prisonnier de l'Empereur. Une correspondance secrète est mise au point par les catholiques et leurs lettres circulent plus vite et plus sûrement que celles du gouvernement impérial. Napoléon se trouve bientôt devant des difficultés majeures, car l'exilé de Savone refuse toute investiture aux nouveaux évêques. Et il refuse naturellement d'annuler le mariage de Napoléon et de Joséphine. Napoléon doit le faire casser par le tribunal de l'évêque de Paris. Les cardinaux du Sacré Collège présents dans la capitale refusent de se rendre au mariage religieux avec Marie-Louise. « Les vieux imbéciles, dit Napoléon. Ils m'ont par là essentiellement manqué », et il les exile en leur arrachant leurs ornements de cardinaux. Ils sont envoyés en province, habillés tout en noir, comme des curés, surveillés par des gendarmes. L'empereur a-t-il le pouvoir de déposer des cardinaux romains ? On est en pleine folie.

Napoléon ne peut en rester là. L'archevêque de Paris doit être nommé. Et le pape refuse de le faire. L'Empereur décide, en avril 1811, de réunir un concile d'évêques fidèles. Cent quarante-neuf sont convoqués. Il en vient tout de même cent quatre. « Voulez-vous être les princes ou les bedeaux de l'Eglise ? » leur demande l'Empereur. Le concile finit par accepter une procédure permettant de faire désigner spirituellement les évêques par un dignitaire de l'Eglise de France, si le pape refusait, pendant six mois au plus, de le faire. Après beaucoup de résistance, le pape accepte cette procédure, à condition que l'institution métropolitaine qui conférera les investitures le fasse « expressément au nom du Souverain Pontife ».

Ainsi le pape résiste encore. Napoléon, au sommet de sa puissance, enrage. Il rêve de se faire de nouveau couronner à Rome. Il donne des ordres au préfet de la ville, Tournon, pour y faire une entrée triomphale. Il veut se réconcilier avec le pape, faire bénir Marie-Louise et l'enfant qu'elle lui a donné, qu'il a nommé « roi de Rome ». Mais le pape ?

Le pape est transféré à Fontainebleau par un détachement conduit par le gendarme Lagorse. Napoléon l'a ordonné à Dresde, avant d'entrer en Russie. Mai 1812. Le pape est placé de nouveau dans une voiture fermée, habillé de noir, comme un simple prêtre. Le gendarme Lagorse l'accompagne dans la voiture. Il est à bout de forces. A Fontainebleau, on doit appeler les médecins. Lagorse lui-même prend en pitié son prisonnier.

Quand Napoléon revient, c'est en vaincu. Il a cette fois le plus grand besoin du pape. L'Europe catholique est au bord de la révolte. Même en France les régions de l'Ouest et du Midi s'agitent de nouveau. A Fontainebleau, en janvier 1813, le pape récupère son pouvoir et ses domaines, mais non encore ses Etats. Il refuse toujours de bénir Marie-Louise, ne juge pas suffisantes les concessions de l'Empereur qui pourtant multiplie les grâces, au point d'habiller en chambellan le gendarme Lagorse. Le pape se rétracte et fait aussitôt savoir aux évêques qu'il faut tenir pour nul le « nouveau concordat que l'Empereur prétend imposer ». La longue patience de Pie VII se trouve récompensée. Il suit avec attention les dernières campagnes de Napoléon, sa longue série de revers. Le gendarme Lagorse, sur ordre de l'Empereur, ne le quitte plus. De nouveau, il a reçu l'ordre de le reconduire à Savone. Mais Lagorse prend sur lui de traîner en chemin. Pris de pitié pour la mauvaise maladie du pape, il prend l'initiative de le conduire dans le petit village du Limousin dont il est originaire. Et le pape consent bien volontiers à bénir sa famille. Enfin à Savone, où le gendarme a reconduit son prisonnier, il reçoit un ordre de l'Empereur, daté du 10 mars : « L'officier de gendarmerie dira au Saint Père que, sur la demande qu'il a faite de retourner à son siège, j'y ai consenti. » C'est fait, le pape a gagné. Et c'est lui qui entre dans Rome en triomphateur, le 21 mai 1814. A cette date, Napoléon a perdu la partie.

25.

LES ADIEUX DE FONTAINEBLEAU

3 avril 1814. Dix heures et demie. Dans la cour du Cheval-Blanc, au château de Fontainebleau, les troupes se préparent pour la revue de l'Empereur. Il y a là la division Friant, de la vieille garde, et la division Henriot, de la jeune garde. Les troupes sont formées en colonnes par bataillons, les chasseurs de la vieille garde sont en première ligne, les grenadiers et les gendarmes à pied derrière. Depuis une heure, les soldats attendent, sous les armes. Les officiers voient passer les généraux, les aides de camp. Ils ont, disent-ils, la « mine allongée ».

On l'aurait à moins. La situation est désespérée. Jamais Napoléon n'a fait preuve de plus de génie dans les batailles et pourtant, souvent vainqueur, il a dû reculer jusqu'à Paris. Avec 60 000 hommes seulement, il a fait face aux Autrichiens de Schwarzenberg, aux Prussiens de Blücher, et de Bülow aux Russes du tsar Alexandre. Ses « Marie-Louise », les conscrits de 1814, se sont bien conduits au feu. Mais les cosaques et les uhlans se sont rapprochés de la capitale, qu'ils ont assiégée. Marmont a fait une belle défense sur les hauteurs de Belleville, et Daumesnil à Vincennes. « Je ne rendrai la place, a dit Daumesnil, que sur l'ordre de Sa Majesté l'Empereur. Les Russes m'ont enlevé une jambe. Il faut qu'ils me la rapportent ou qu'ils viennent me prendre l'autre. »

Mais Joseph Bonaparte a fait partir l'impératrice, le roi de

Rome et le gouvernement à Blois. Le 30 mars il a négocié la capitulation de la ville, où les Prussiens et les Russes ont fait leur entrée le 1er avril, prenant de court Napoléon qui rassemblait ses dernières troupes pour livrer bataille.

Il a envoyé Caulaincourt auprès d'Alexandre. Il espère négocier, s'il se retire, le trône pour son fils. Mais le tsar se montre intraitable. Il faut, dit-il, abdiquer d'abord. On verra ensuite pour la régence. Quand Caulaincourt rapporte ces paroles, Napoléon est blême d'indignation. Il ne veut plus rien entendre, il veut livrer son dernier combat, le combat de la dernière chance. Il lui reste encore quelques troupes, massées autour de Fontainebleau. Marmont est à Corbeil et à Essonne. Mortier et Belliard sont en seconde ligne. La cavalerie est à Fontainebleau ainsi que les divisions de la garde. Napoléon a inspecté ces positions. « Il faut continuer à tout prix, lui a-t-il dit, c'est une nécessité de ma position.

— Replions-nous sur la Lorraine, lui disent des officiers.

— Il n'en est pas question. Ma présence près de Paris contiendra les intrigants. » Il faut dire que, dans la capitale, la frénésie des ralliements de dernière heure est à son comble. Le Sénat, chouchouté, choyé par Napoléon, a proclamé sa déchéance et celle de sa famille. Le corps législatif l'a imité. Dans Paris, Talleyrand a constitué un gouvernement provisoire. Des bandes de royalistes parcourent les rues, cocarde blanche au chapeau. Les journaux insultent l'Empereur. On l'appelle le gros Nicolas, ou le nabot paré. Les Parisiens, qui ont redouté l'entrée des Russes et des Prussiens dans la capitale, se mettent à redouter le retour de l'armée impériale. Napoléon croit que le peuple de Paris va se soulever dès qu'il paraîtra aux portes. C'est compter sans la lassitude, l'hostilité des notables, la servilité des gens mis en place par Talleyrand et le tsar.

Les tambours de la vieille garde se mettent à gronder. Midi. En haut du perron, l'Empereur paraît. Derrière lui Ney, Berthier et Moncey, des généraux, des aides de camp, des officiers d'ordonnance. Les tambours battent aux champs. La garde présente les armes. Napoléon fait un geste. Les tambours s'arrêtent. Il descend les marches, le chapeau un peu de travers, les yeux battus, l'air agité. Il inspecte le régiment des chasseurs, s'arrête devant chaque soldat. Ils sont vieux, ils ont quarante ans, ils ont été de tous les combats. Ce sont des survivants de la retraite de Russie, de Leipzig, de la campagne de France. Napoléon se souvient de quelques noms. Les soldats lui parlent avec émotion. Il distribue des croix à ceux qui n'en ont pas. Il parcourt ainsi tous les rangs de la garde, très longuement, suivi par Berthier et Drouot. Puis il se place au milieu de la cour. A sa demande, officiers et sous-officiers font le cercle autour de lui.

« L'ennemi, leur dit-il, nous a dérobé trois marches. Il est entré dans Paris. J'ai fait offrir à l'empereur Alexandre une paix achetée par de grands sacrifices. La France, avec ses anciennes limites, en renonçant à nos conquêtes, en rendant tout ce que nous avons gagné depuis la Révolution. Non seulement il a refusé, il a fait plus encore : par les suggestions perfides de ces émigrés auxquels j'ai accordé la vie, et que j'ai comblés de bienfaits, il les autorise à porter la cocarde blanche, et bientôt il voudra la substituer à la cocarde nationale. Dans peu de jours, j'irai attaquer Paris. Je compte sur vous. »

Napoléon a fini de parler. Autour de lui, le silence. Pas un cri, pas une acclamation dans la cour du Cheval-Blanc. Un terrible silence. Il est déconcerté, décontenancé. Cependant il arrive à dire : « Ai-je raison ? » Alors la troupe se met à crier : « Vive l'Empereur, à Paris ! » Pourquoi ce silence, que Napoléon a ressenti un instant comme un désaveu ? Un des officiers s'en est expliqué, par la suite, le général Pelet : « On s'était tu, a-t-il dit, parce que l'on croyait inutile de répondre. »

Alors Napoléon poursuit : « Nous irons leur prouver que la nation française sait être maîtresse chez elle, que si nous l'avons longtemps été chez les autres, nous le serons toujours chez nous et qu'enfin nous sommes capables de défendre notre cocarde, notre indépendance et l'intégrité de notre territoire. Communiquez ces sentiments à vos soldats ! »

Les officiers s'exécutent, compagnie par compagnie, et

bientôt la cour retentit de vivats. Les soldats jurent d'aller mourir sur les ruines de Paris. On reforme les rangs. La vieille garde défile, acclamant Napoléon. La musique joue le *Chant du départ* et *La Marseillaise*. Les grenadiers, pour un instant, se croient revenus au temps de Marengo.

Contre 140 000 alliés, Napoléon peut encore aligner 60 000 hommes. Alexandre de Russie ne l'a pas poursuivi, comme s'il répugnait à engager la bataille. Sans doute ne veut-il pas se laisser enfermer dans Paris, et laisser son armée aux prises avec une insurrection, une bataille de rues. D'ailleurs le fort de Vincennes tient toujours. Non, le tsar ne veut pas prendre de risques.

Napoléon s'apprête à livrer sa dernière bataille. Ce qu'il ne sait pas encore, c'est que depuis le 30 mars, le maréchal Marmont, duc de Raguse, a eu des contacts avec Talleyrand. Ils se sont revus le 31 et Talleyrand a négocié le ralliement des principaux chefs de l'armée. Le 2 avril, les soldats du corps Marmont ont reçu des tracts, une adresse du gouvernement provisoire : « Soldats, leur dit-on, la France vient de briser le joug sous lequel elle gémit depuis tant d'années. Vous n'avez jamais combattu que pour la patrie. Vous ne pouvez plus combattre que contre elle sous les drapeaux de l'homme qui vous conduit. Vous n'êtes plus les soldats de Napoléon, la France entière vous dégage de vos serments. » Beaucoup d'officiers, certes, déchirent ou font brûler les tracts, mais beaucoup sont ébranlés.

Le 3 avril, le jour même où Napoléon passe sa garde en revue à Fontainebleau, Marmont reçoit son ancien aide de camp, Charles de Monttessuy. Le bougre est habillé en cosaque ! Il apporte au maréchal des lettres de membres du gouvernement provisoire, de généraux engagés par Talleyrand, et qui lui demandent de « se ranger sous les drapeaux de la bonne cause française ». Quoi, Marmont sous le drapeau blanc ?

« C'est l'avenir, monsieur le maréchal », lui dit Monttessuy qui est devenu ardemment royaliste en quelques jours. Et il lui fait comprendre que si Talleyrand s'est adressé à lui, c'est qu'il est le plus intelligent des maréchaux, qu'il comprendra qu'une dernière effusion de sang est inutile, et qu'il aura en outre la gloire d'avoir restauré « une dynastie huit fois séculaire ». Les Bourbons, d'ailleurs, lui seront reconnaissants.

Marmont se sent l'homme de la situation. Ainsi le roi lui devrait son trône ? Après tout c'est lui, déjà, qui a livré Paris, avec Joseph. Pourquoi ne livrerait-il pas l'Empereur ? Dès le 3 avril, quand Napoléon fait le compte de ses dernières troupes, le maréchal Marmont a donné son accord verbal au « cosaque », à Charles de Monttessuy, qui repart ventre à terre vers Paris.

Marmont a fait plus : il a écrit au commandant autrichien Schwarzenberg : « Je suis disposé, lui a-t-il dit, à concourir à un rapprochement entre le peuple et l'armée, qui doit prévenir toute chance de guerre civile et arrêter l'effusion du sang français. En conséquence, je suis prêt à quitter avec mes troupes l'armée de Napoléon. » Il pose seulement deux conditions : que lui-même et ses troupes puissent gagner la Normandie, avec armes et bagages. Que l'on laisse la vie sauve à l'Empereur.

Le 4 avril, le corps Macdonald a rejoint Napoléon. L'armée est en bataille. On se prépare à installer le quartier général au château de Tilly. Mais trois maréchaux entrent dans le bureau de l'Empereur. Il est penché sur ses cartes, dressant son dernier plan de bataille. C'est Ney, avec le vieux Lefebvre et Moncey, l'homme de la barrière de Clichy. Et Ney trouve le courage de dire à l'Empereur qu'il doit abdiquer pour éviter que Paris ne connaisse le sort de Moscou, et surtout pour que son fils, plus tard, puisse régner. Napoléon refuse, montre qu'il peut gagner la bataille. Il cherche un signe, un encouragement chez les autres maréchaux. Silence glacé. Entre Macdonald. Napoléon le regarde, plein d'espoir. Celui-ci du moins le soutiendra. Non, Macdonald aussi est ébranlé. Macodnald aussi est pour l'abdication. « Eh bien, se dit Napoléon, mes généraux sont fatigués. Ils veulent jouir de la paix. Mais il me reste les soldats. »

« L'armée m'obéira, dit-il en élevant la voix.

— Sire, répond Ney, l'armée obéit à ses généraux. »

Que peut-il faire ? Changer d'un trait de plume tous les officiers supérieurs, à la veille d'une bataille ? Quel risque immense ! Non, Napoléon s'incline, il écrit un acte d'abdication conditionnel. Il veut bien abdiquer, mais en faveur de Marie-Louise et du roi de Rome.

Caulaincourt, Ney, Macdonald sont envoyés auprès des alliés. Ils sont aussitôt reçus par le tsar. Marmont les a mis au courant de son projet de trahison. Il les suit dans Paris. Il se trouve dans le plus grand embarras. Comment passer à l'ennemi, alors que Napoléon lui-même renonce ? Schwarzenberg le calme, dit qu'il comprend ses réticences. Sa trahison n'a plus de sens. Cependant le corps de Marmont, le 5 avril, se met en route silencieusement dans la direction de Versailles. Les officiers de Marmont, craignant d'être rendus complices de sa trahison par Napoléon, ont décidé de se mettre, comme leur chef, à l'abri des troupes alliées. Sans rien dire aux soldats, ils ordonnent la marche, et bientôt le corps est entouré de Prussiens, de Russes et d'Autrichiens.

Désormais les négociateurs de Napoléon n'ont plus aucun poids devant Alexandre. Il sait que Napoléon ne peut livrer bataille. Il les reçoit de nouveau le 5 avril, pour leur dire qu'il exige une abdication sans condition. Le roi de Prusse Frédéric-Guillaume l'a rejoint. Il est encore plus intraitable. Marmont, qui n'a pas commandé le mouvement de son corps, se dit le premier surpris.

« Je donnerais un bras, dit-il à Ney, pour que cela ne fût pas arrivé.

— Un bras ? Dites la tête, ce ne serait pas trop. »

Quand les trois maréchaux reviennent à Fontainebleau, Napoléon, qui a appris le mouvement du corps de Marmont, veut encore se retirer sur la Loire et continuer le combat. Personne ne le suit. Cette fois, il doit abdiquer sans condition. Napoléon sera roi de l'île d'Elbe et son fils prince de Parme.

Le 20 avril, l'Empereur quitte Fontainebleau. Il réunit la garde dans la cour du Cheval-Blanc. Les vieux soldats sont en armes, mais ils penchent la tête pour qu'on ne les voie pas pleurer. L'Empereur se met à parler :

« Je vous fais mes adieux, leur dit-il. Depuis vingt ans, je suis content de vous. Je vous ai toujours trouvés sur le chemin de la gloire... Vous n'avez cessé d'être des modèles de bravoure et de fidélité. Avec des hommes tels que vous, notre cause n'était pas perdue. Mais la guerre était interminable. C'eût été la guerre civile et la France n'en serait devenue que plus malheureuse. J'ai donc sacrifié tous nos intérêts à ceux de la patrie. Je pars. Vous, mes amis, continuez à servir la France. Son bonheur était mon unique pensée. Il sera toujours l'objet de mes vœux. Ne plaignez pas mon sort. Si j'ai consenti à survivre, c'est pour servir encore à votre gloire. Je veux écrire les grandes choses que nous avons faites ensemble. Adieu, mes enfants, je voudrais vous presser tous sur mon cœur. Que j'embrasse au moins votre drapeau. » Il entre dans les rangs, presse le général Petit dans ses bras, embrasse le drapeau qu'il portait. Il n'ose regarder en face les soldats qui tentent de retenir leurs larmes. « Adieu encore une fois, mes vieux compagnons, que ce dernier baiser passe dans vos cœurs. »

C'est fini. Il monte en voiture, il est déjà parti. Scène décisive pour la légende impériale. Quand les maréchaux ont trahi, quand les généraux eux-mêmes sont passés à l'ennemi, la vieille garde est là. La veille, elle s'est répandue dans les rues de Fontainebleau, en criant : « Vive l'Empereur ! », d'une voix terrible, la torche au poing. Maintenant il est parti. Une centaine de ces vieux soldats le rejoindra dans l'île d'Elbe. Mais quelle scène que le départ du proscrit ! Il ne manquait même pas au dernier acte le traître de mélodrame pour transformer une fin piteuse en dénouement de théâtre. Et Napoléon devenait un modèle pour la dramaturgie politique. Car en politique comme au théâtre, il faut savoir réussir sa sortie.

26.

1815 : WATERLOO

15 juin 1815. Les avant-gardes d'une nouvelle armée française se présentent sur le pont de Charleroi. C'est la dernière armée de Napoléon. Elle va se battre en Belgique où depuis vingt ans le sang français a si souvent coulé.

Ils sont 124 000, 29 divisions, plus la garde. En dix jours, par un prodigieux effort de mobilisation, d'armement et de concentration, Napoléon les a portés à la frontière. Il a dû faire vite : 645 000 Prussiens, Anglais, Allemands, Autrichiens et Russes marchent déjà, de tous les points de l'Europe, dans la direction de Paris. Deux armées sont à pied d'œuvre en Belgique, l'armée dite « des Pays-Bas », commandée par Wellington, qui comprend des Anglais, des Ecossais, des Hollandais, des Allemands de Brunswick et des Belges, et l'armée prussienne du vieux Blücher. Wellington est à Bruxelles, et Blücher à Namur.

Quant à Napoléon, il fonce sur Charleroi. Il veut battre séparément les deux armées : les Prussiens d'abord, les Anglais ensuite et Charleroi est au cœur du problème. Sur le pont de Charleroi, les soldats défilent, se pressent, se bousculent. Les grands cuirassiers au manteau blanc ne veulent pas s'écarter pour laisser passer les dragons de la garde. Et soudain un grand cri, les soldats se débandent, c'est l'Empereur. Oui, il est là, à moitié assoupi sur son cheval blanc. Les cris le réveillent à peine. Et pourtant les soldats s'approchent, ils veulent le voir de près, le toucher. Quelques mois de règne des Bourbons l'ont rendu de nouveau follement populaire. D'ailleurs l'Empereur, en juin 1815, c'est un peu la Révolution qui revient, sur les champs de bataille de Fleurus et de Jemmapes. Tous ces Français sont prêts à mourir pour ne plus revoir le passé. Quant aux Français qui ne sont pas d'accord, ceux qui détestent l'ogre de Corse, ils ne sont pas là, ils ont pris le maquis. Il y a des régions où la mobilisation n'a pas fait recette.

Un espion de Wellington écrit : « Pour donner une juste idée de l'enthousiasme de cette armée française, ce n'est plus de l'enthousiasme, c'est de la frénésie. Quoi qu'en disent les bourbonnistes, la lutte sera sanglante et contestée à outrance. » De leurs soldats, les généraux Hulot et Foy, qui commandent des brigades, disent le plus grand bien. « Leur ardeur est une espèce de fanatisme, les troupes éprouvent une véritable rage pour l'Empereur et contre ses ennemis. » Les plus enragés ont vingt ans. Ceux-là ne veulent pas de la cocarde blanche, à aucun prix. Pour eux la guerre est politique : mort aux Bourbons et aux aristocrates ! Ils ne veulent plus du vieux roi, du vieux monde et du vieux drapeau. Quand leurs officiers sont trop tièdes, ils écrivent à Napoléon pour qu'il les change. « Nous demandons la destitution de notre colonel, écrivent à l'Empereur les dragons du 12e régiment, dont l'ardeur pour Votre Majesté n'est pas à la hauteur de nos sentiments. » Et Napoléon change le colonel. On se méfie aussi des généraux et des maréchaux, ces capitulards de 1814. « N'employez pas les maréchaux pendant la campagne », disent à l'Empereur les fusilliers du 102e de ligne. Et l'Empereur fait des maréchaux tout neufs, comme Grouchy. Il engage quand même Soult et Ney. Soult est chef d'état-major. Hélas ! L'Empereur n'a plus Berthier, qui a suivi Louis XVIII en Belgique. Berthier, pour transmettre un ordre, utilisait jusqu'à huit messagers qui prenaient huit chemins différents. Ah ! s'il avait eu Berthier !

Napoléon attaque le premier à Fleurus l'armée de Blücher, distante de quarante kilomètres environ de celle de Wellington. Blücher l'attend le pied ferme, avec 120 000 Prussiens dans le village fortifié de Ligny. Ney est envoyé aux Quatre-Bras pour contenir les Anglais. Mais ceux-ci n'ont aucune intention d'attaquer. Wellington a une armée composite, mercenaire, peu motivée. Ses officiers dansent au bal de la duchesse de Richmond. De brillants officiers : Lord Uxbridge, le cavalier, le général Ponsomby, Picton qui est toujours en habits civils, Lord Somerset, Lord Hill, toute la gentry se presse dans les salons de la duchesse. A minuit, Wellington paraît. A cette heure, les Français ont passé la Sambre.

Soudain un valet porte un message au prince d'Orange. Les Français sont aux Quatre-Bras. Le prince avertit Wellington. Le duc de fer reste impassible... en aparté il dit au prince qu'il doit au plus vite faire avancer l'armée. Le prince se précipite, si vite qu'il oublie son épée. Wellington prend à part tous ses officiers. Ils quittent le bal un à un. Le duc de Brunswick est là, sur un fauteuil, le petit prince de ligne sur ses genoux. « Napoléon attaque », lui dit Wellington. Il se lève d'un bond. Le petit prince tombe sur le plancher. Le lendemain le duc sera tué. Et cependant les officiers ne peuvent se résoudre à quitter cette soirée « sur laquelle, a dit Byron, devait se lever une si sanglante aurore ».

A Ligny, cependant, le canon tonne. Napoléon veut attaquer en force, anéantir l'armée prussienne. Il donne des ordres à Ney pour qu'il prenne les Prussiens à revers, en partant des Quatre-Bras. Les Français attaquent à Ligny en colonnes profondes comme au temps des demi-brigades. Plusieurs généraux sont tués. Les régiments ont 50 pour 100 de pertes. Une boucherie. On voit un colonel commander une division. Mais les Français gagnent, toutes les contre-attaques du vieux Blücher échouent. Napoléon le tient à sa merci, il pourrait l'anéantir si Ney... Mais que fait donc Ney ?

20 000 morts sur le champ de bataille, en quelques heures. Mais Blücher, qui a eu son cheval tué sous lui, réussit à s'échapper. Ney a bien envoyé sur Ligny l'un de ses corps d'armée, le corps Drouet d'Erlon, mais celui-ci a mal interprété les ordres. Au lieu de tomber sur les arrières de Blücher, il vient s'aligner sur l'armée de Napoléon. Celui-ci doit renoncer à

anéantir l'armée prussienne. Tout ce qu'il peut faire est de la poursuivre, pour l'empêcher de rejoindre les Anglais. C'est Grouchy qui en est chargé. Et Grouchy part aussitôt, dans la direction de la Meuse, vers Liège et Maestricht.

Wellington, le matin du 17 juin, apprend la nouvelle : « Le vieux Blücher, dit-il, a reçu une sacrée bonne fessée. » Mais au lieu de lui venir en aide, Wellington donne l'ordre de la retraite à son armée qui affrontait Ney aux Quatre-Bras. « En arrière, dit-il, vers Bruxelles ! » Il a repéré une bonne position défensive sur le plateau de Mont-Saint-Jean. Il décide d'y rassembler ses troupes. Au lieu d'aller secourir Blücher, c'est lui qui envoie un message au vieux maréchal, pour lui demander de venir à son secours.

La retraite anglaise s'effectue sans incident et le duc s'en étonne :

« Les Français sont bien inactifs.

— Je les connais, répond son aide de camp, qui a fait l'Espagne. Ils n'attaqueront pas avant d'avoir fait la soupe. »

Napoléon pourtant avance à marche forcée sur la route de Namur à Quatre-Bras. Il a peur que les Anglais ne lui échappent. Il se lance lui-même au galop, sous la pluie. Il traverse en trombe Genappe, mais soudain il s'arrête brusquement : un officier qu'il reconnaît, le colonel Sourd, du 2e lanciers, vient d'être opéré par Larey. Il a le bras droit arraché. « Je te fais général », dit Napoléon. Mais Sourd ne veut pas abandonner son régiment, il refuse, et monte à cheval, son appareil à peine fixé sur l'épaule. Enfin les Français arrivent en vue de Mont-Saint-Jean. Napoléon envoie en reconnaissance le colonel Marbot et ses hussards. « Toute l'armée anglaise est là », dit-il. Cette fois, Wellington est décidé à combattre. Il a reçu la réponse de Gneisenau, le chef d'état-major de Blücher. « Nous allons rejoindre le duc. » C'est décidé, on se battra le 18 juin, à Mont-Saint-Jean.

Dans les seigles trempés, l'armée française passe une nuit effroyable. Les souliers sont pleins de boue. Les cavaliers dorment sur leurs bêtes. A la ferme du Caillou, dès cinq heures du matin, Napoléon a dicté l'ordre de bataille. Puis il est allé inspecter le terrain. Il a vu les Anglais s'aligner, sur la crête du plateau, le long du chemin creux d'Ohain à Braine l'Alleud. Il les a vus fortifier le château d'Hougoumont, sur la droite, et la ferme de la Haie-Sainte, au centre, sur la route de Bruxelles. Ils fortifient aussi à l'est la ferme de la Papelotte. Ils utilisent à fond le terrain. Napoléon est à treize cents mètres de leurs lignes. Il peut entendre les bugles sonner le ralliement.

Ainsi le duc compte sur le terrain, sur la puissance du feu, sur sa solide infanterie. Il ne fait pas confiance aux jeunes gens de la gentry qui montent admirablement des chevaux admirables mais qui vont à la bataille comme on va aux courses. Non, il ne donne pas un grand rôle à sa cavalerie. Il s'embusque, comme en Espagne.

Napoléon n'écoute pas les conseils de prudence de ceux qui, précisément, ont fait l'Espagne, comme Soult. Il sait qu'à la Moskowa, Ney a enlevé des redoutes autrement mieux défendues. Il met en place ses divisions, par échelons, compte sur Grouchy pour emporter la décision, quand il tombera sur la gauche des Anglais. Mais sait-il où est Grouchy ? Il suit à la trace, cette matinée du 18, les arrière-gardes prussiennes, sans forcer l'allure, sans essayer de se placer entre les Prussiens et Napoléon. Il écrit à l'Empereur qu'il ne compte pas accrocher les Prussiens avant le 19.

Et il déjeune tranquillement dans une auberge de Whalin. Il en est aux fraises quand il entend la canonnade. Les Français viennent de lancer une attaque de diversion sur la ferme de Hougoumont.

Gérard se jette au sol, ausculte la canonnade. « Il faut marcher au canon, dit-il à Grouchy.

— Bah ! c'est une affaire d'arrière-garde », répond le maréchal. Un paysan essoufflé est conduit devant lui. « La bataille est engagée, dit-il. Je peux vous y conduire en quatre heures de marche. » Mais Grouchy refuse. « Ce ne sont pas, dit-il, les ordres de l'Empereur. » La division Jérôme ne parvient pas à prendre Hougoumont, où les *cold st. stream guards* sont redoutablement retranchés. Il est déjà une heure de l'après-midi. Et beaucoup de Français sont morts pour rien.

Napoléon ne regarde pas Hougoumont. Il a sa lunette fixée vers l'est, du côté de la chappelle Saint-Lambert. Il voit un nuage épais. « C'est un taillis, dit un aide de camp. C'est l'ombre d'un nuage, dit un autre. — C'est une colonne en marche, je vois des uniformes français. — Pas du tout, ce sont des Prussiens. Envoyez des cavaliers », dit Soult. C'est un corps nombreux. Marbot part, avec ses hussards. Il ramène un prisonnier, du 2e régiment des hussards de Silésie. Les troupes signalées sont l'avant-garde de Bulow.

— Mais que fait donc Grouchy ?

Napoléon lui envoie aussitôt des instructions. Pour qu'il se rapproche de lui, et écrase le corps de Bulow. Grouchy ne reçoit cet ordre qu'à quinze heures.

Cependant Napoléon attaque. Il croit que Grouchy va venir aussitôt, à marche forcée. 80 canons bombardent la ligne anglaise. A treize heures trente Ney attaque, avec 4 divisions d'infanterie. Une forêt de baïonnettes. Elles contournent la Haye-Sainte, où les Allemands résistent follement, pour attaquer l'armée anglaise formée en carrés. Les Français avancent, prennent Papelotte et la Sablonnière. « Tout va à merveille », dit Soult.

Mais Picton lance les Ecossais en contre-attaque. Au son des *bag pipes,* ils fusillent à bout portant l'infanterie française qui recule. Picton est tué d'une balle dans la tempe. Mais Lord Uxbridge a lancé sa cavalerie, les *life guards,* les *horses guards* et les dragons royaux. Ils taillent en pièces les divisions d'infanterie. L'Empereur doit envoyer les cuirassiers pour les dégager. Les *scots greys,* ces dragons lourds de Ponsom by, font un carnage de fantassins. Déjà ils dévalent la pente, personne ne peut les arrêter. Mais leur charge s'épuise, et les lanciers français les cueillent quand les chevaux sont à bout. Ponsomby est pris, ses hommes cloués au sol par les longues lances. Ses dragons essaient de le dégager. Un lancier le tue à coups de lance. Les cuirassiers poursuivent les dragons anglais, ivres de rage. L'un d'entre eux, comme un fou, fonce au galop, tout seul, à travers les lignes anglaises, droit sur la route de Bruxelles.

Quinze heures. Toujours pas de décision. Les masses sombres des Prussiens grossissent sur la droite. Ils descendent maintenant sur Plancenoit. « Allons, camarades, dit le vieux Blücher à ceux qui poussent les canons dans la boue, vous ne voudriez pas me faire manquer à ma parole... », Wellington est rassuré. Il a vu, lui aussi, les Prussiens. Il attend de pied ferme le deuxième assaut des Français.

Ney entraîne les cuirassiers, sans ordre de l'Empereur. Les cuirassiers entraînent les chasseurs de la garde, et les cavaliers partent lourdement à l'assaut des seize carrés anglais qui les mitraillent, bien encadrés par l'artillerie. Les lanciers polonais ont suivi le mouvement, des milliers de cavaliers sont en haut du plateau. Les lanciers jettent leurs lances comme des javelots, les cuirassiers sont déchaînés, mais les carrés tiennent bon. Une muraille de chevaux morts les entoure et les protège. Une charge de cavaliers anglais rejette les Français en bas du vallon. Mais ils se reforment et des chevaux frais les renforcent. Ney charge de nouveau avec les cavaliers de la garde. Certains carrés anglais reçoivent jusqu'à treize assauts. Ney a son troisième cheval tué sous lui, et il repart pour une quatrième charge... Cette fois-ci, il a entraîné, sans plus de résultats, les carabiniers.

Quand il redescend du plateau, où l'infanterie anglaise tient toujours, il emporte la ferme de la Haye-Sainte. Il est quatre heures et demie, les Anglais n'ont plus de cavalerie. Le prince d'Orange est blessé, Picton et Ponsomby sont morts, le général Alten est blessé, le colonel Gordon vient de mourir. Les hussards de Cumberland, qui croient à un désastre, tournent bride et gagnent Bruxelles au galop.

« Il n'y a pas d'autre ordre, dit Wellington, que de tenir jusqu'au dernier homme. Il faut que la nuit ou les Prussiens arrivent. » Et les Prussiens arrivent. Au prix d'un effort surhumain. Déjà deux divisions bousculent la droite française. La jeune garde accourt, au pas de charge. Blücher est contenu. La vieille garde, à sept heures, est maîtresse de Plancenoit. Mais les Anglais ? Ney demande des troupes fraîches. « Des troupes, dit Napoléon, où voulez-vous que j'en prenne ? Voulez-vous que j'en fasse ? » Mais Grouchy risque encore, enfin, d'arriver. Tout n'est pas perdu. Plusieurs fois, il a gagné au dernier quart d'heure. Il sait que s'il lance la garde, la vue des vieux soldats va galvaniser l'armée.

Et la garde s'ébranle. Une longue file de bonnets à poil. L'infanterie reforme les rangs. Les fuyards reprennent leurs fusils. Toute une armée sort de terre. Un ancien de Marengo, blessé, les jambes coupées, est assis sur le bas-côté de la route. Il se redresse comme il peut : « Ce n'est rien, camarades, en avant, et vive l'Empereur ! » Mais la garde ne va pas loin. Elle est fusillée, à vingt pieds du chemin creux d'Ohain, par les gardes anglais cachés dans les blés. « Debout, gardes, et tirez ! »

La garde est prise sous un déluge de feu. Et soudain elle recule. Le cri : « La garde recule ! » se répercute sur toute l'armée. C'est le signal de la déroute. Le sauve-qui-peut. A ce moment les Prussiens attaquent, le corps de Zieten débouche.

Wellington s'avance seul sur la ligne de crête du plateau. Il reconnaît la victoire. Il se découvre, lève son chapeau. Et tout ce qui reste de la cavalerie anglaise se précipite. 40 000 hommes dévalent. *No quarter !* c'est la curée.

Napoléon a formé en carrés trois bataillons de la vieille garde. « Venez voir mourir un maréchal de France », dit Ney, un tronçon d'épée à la main. Les carrés s'avancent dans la marée anglaise. Tranquilles. Ils permettent à Napoléon de s'échapper, avec ses chasseurs. Ils poursuivent leur retraite, reforment les rangs tous les cinquante mètres. On leur crie de se rendre. A cheval dans le dernier carré du 2e bataillon du 1er chasseurs de la vieille garde, le général Cambronne, sous une forme qui reste à déterminer, refuse. Il est laissé pour mort un peu plus loin, une balle en plein front. Et la garde passe, et la garde fait sa retraite. Sans que personne n'ose l'arrêter.

Neuf heures du soir. A la ferme de la Belle-Alliance, Blücher et Wellington se rencontrent. « Pourquoi ne pas appeler la bataille Belle-Alliance ? » propose Blücher ? Mais Wellington ne veut pas partager sa victoire. « Je pense que Waterloo sera préférable », dit-il. Sur le terrain 47 000 cadavres. « Je pense que l'histoire de Bonaparte est terminée, écrit Blücher à sa femme. Je ne puis plus écrire, car je tremble de tous mes membres. L'effort était trop grand. »

27.

LA MORT DU MARÉCHAL BRUNE

Au mois de juillet 1815 il s'en faut que la France accepte d'un cœur léger le retour de Louis XVIII. A Marseille et dans d'autres villes du Midi, les royalistes ont, il est vrai, repris la situation en main, cautionné la Terreur blanche. A Marseille on a massacré la petite population des mamelucks, ramenés jadis d'Egypte par l'Empereur, et qui y avait trouvé refuge. On les avait égorgés et noyés dans le vieux port. Mais à Lyon, par exemple, les officiers de l'armée refusaient la capitulation, et la population ne voulait pas entendre parler du drapeau blanc à fleurs de lys. La garnison voulait constituer une sorte de Vendée tricolore. La guerre civile menaçait partout de faire rage. Les hommes étaient allés mourir à Ligny et à Waterloo pour en finir avec les Bourbons.

A Antibes, le maréchal Brune surveillait la frontière des Alpes, avec un petit corps d'armée. Quand il apprit les nouvelles de Marseille, il voulut aussitôt marcher sur la ville. « Je veux punir Marseille, dit-il, il faut que les royalistes se souviennent longtemps de moi. » Mais le 4 juillet Napoléon a abdiqué. Louis XVIII est entré dans Paris. Que faire ? Brune refuse d'admettre les faits. « Je tiens pour fausses, dit-il, les nouvelles de Paris et je défendrai jusqu'à la mort les couleurs nationales. »

Déjà une bande de royalistes armés marche sur Toulon. On les appelle les miquelets. Ils sont soutenus par 5 000 Anglais débarqués. Que peut faire Brune contre des forces supérieures ? Il fait comme l'amiral qui commande à Toulon, il se rend, il reconnaît Louis XVIII. Le 24 juillet, le drapeau blanc flotte sur l'arsenal. Les Anglais, les Autrichiens venus d'Italie sont maîtres de la ville. Ils exigent que Brune se démette de son commandement. Il refuse. Il n'a pas, dit-il, reçu d'ordres du roi. Mais les Autrichiens deviennent menaçants et Brune doit s'exécuter. « Je fais ce sacrifice, dit-il, pour le bien du service du roi et je laisse le commandement au marquis de Rivière qui m'a dégagé sur son honneur de toute responsabilité. »

Et il part pour Paris, de nuit. Il a avec lui son secrétaire et trois aides de camp. Le marquis lui a donné un passeport, et prêté son propre aide de camp, le chef d'escadrons de Maupas. Le maréchal a une escorte, quarante chasseurs à cheval. A trois heures du matin, les cavaliers et la voiture quittent Toulon. Le 1er août.

Tout le monde sait, dans l'escorte, que la Provence est agitée. Brune est l'homme à abattre, l'homme recherché par les fanatiques royalistes pour son attitude à Toulon, pour ses propos contre Marseille. Des miquelets, des paysans en arme tirent sur tout ce qu'ils soupçonnent d'être « tricolore ». Les gens d'Aix se sont armés, dans la campagne avoisinante, de fourches, de bâtons et de vieux fusils pour l'attendre car on sait qu'il doit passer. Des hussards hongrois de l'armée autrichienne ont maintenant renforcé les chasseurs de l'escorte. Et le maréchal passe. L'escorte se dirige vers Avignon, pour prendre la route de la vallée du Rhône, celle-là même que Napoléon, au retour de l'île d'Elbe, a voulu éviter avec soin en mars.

« Il faut être prudent dans Avignon, dit un chasseur, les drapeaux blancs sont partout. Nous devrions vous accompagner jusque-là.

— Bah, dit le maréchal, vos chevaux sont fourbus. Moins nous serons nombreux, plus je passerai inaperçu. » Et les chasseurs restent au relais de Saint-Andiol.

« Gagnez Orange par les chemins de traverse, disent au maréchal les aides de camp. Après vous serez en sécurité. »

Mais le maître de poste ne veut pas que ses chevaux aillent jusqu'à Orange.

« Avec un passeport du marquis de Rivière, dit-il, le maréchal ne court aucun danger. Le nom de M. de Rivière est une sauvegarde dans toute la Provence et dans tout le Comtat. »

Et le maréchal repart sur Avignon. Il n'a plus avec lui que deux officiers, Bourgoin et Degand. Son secrétaire et son troisième aide de camp ont gagné directement Orange par les chemins de traverse. Brune est dans la calèche. Les officiers dans un cabriolet. Ils entrent dans Avignon. La ville est hystériquement royaliste. Depuis le 14 juillet le drapeau blanc est à toutes les façades. Les « bleus » ont évacué la ville, de peur de représailles sanglantes. Des paysans armés venus de Carpentras, des tâcherons, des gens en guenille, des miquelets parcourent les rues de la ville en criant « vive le roi ». Ils se disent soldats du régiment Royal-Louis commandé par le major Lambot. La population d'Avignon a fait à Lambot un accueil triomphal. Il est chez lui dans Avignon où il a organisé la terreur, pillant les maisons, emprisonnant trois cents personnes. Il a fait fusiller un maçon nommé Aubénas avec sa femme, place de l'Horloge. Un certain Pointu égorge ou noie dans le Rhône les anciens combattants des armées de Napoléon. Il fait, dit-il, « la chasse aux fédérés ».

Place de l'Oule, où s'est arrêtée la voiture du maréchal Brune, un homme reconnaît son chapeau empanaché qu'il a gardé, on ne sait pourquoi, bien qu'il soit habillé en bourgeois. Le bruit fait aussitôt le tour de la ville. Il est dix heures du matin. La population s'assemble dans les rues.

Un jeune homme fait du zèle. Il croit éviter le massacre en avertissant le capitaine de police, Casimir Verger. Celui-ci prévient aussitôt le « major » Lambot. Et Lambot, ancien chef d'escadron de gendarmerie, qui se croit et se dit « gouverneur » de la ville d'Avignon, déclare aussitôt que le « maréchal Brune est un personnage trop important pour qu'il ne vise pas lui-même ses passeports ». Il ordonne à Verger d'empêcher les voitures de partir. Verger se précipite jusqu'au relais de poste, demande poliment au maréchal de lui remettre ses passeports. Puis il les apporte à Lambot. Lambot fait traîner les choses. Il examine soigneusement les papiers, il les lit et relit. Il n'y trouve rien d'anormal. Il les vise. Mais pendant ce temps la foule s'est rassemblée place de l'Oule. Une foule menaçante. « Brigand ! crie-t-on à Brune. Coquin ! Assasin ! » « Il a porté au bout d'une pique la tête de la princesse de Lamballe », dit un jeune homme. Et de nouveau les cris : « Assassin ! Assassin ! »

Accusation gratuite et fausse : Brune n'était pas à Paris pendant les journées de Septembre. Il avait quitté Paris le 18 août 1793 et se trouvait alors près de Thionville. C'est vrai, Brune était un révolutionnaire. Cet ancien ouvrier typographe, né à Brive-la-Gaillarde, avait vécu la vie des clubs et s'était lié à Danton. C'est Danton qui lui avait permis de commencer sa carrière, en le chargeant de la réquisition des chevaux et des voitures pour les armées. Mais c'est à la guerre que Brune s'était illustré, pas dans les rues de Paris. Le bruit qui courait à Avignon courait dans l'armée depuis longtemps, c'est vrai. Mais il était colporté par des jaloux. Il ne reposait sur rien. C'était pure calomnie. Ce que reprochaient plus gravement à Brune les royalistes, c'est bien sûr d'avoir jadis pacifié la Vendée.

Dans sa voiture, Brune n'est pas inquiet. C'est un brave, il a du sang-froid. Il mange tranquillement des pêches que lui a apportées l'hôtelière d'en face, Mme Molin.

« Vous ne devriez pas rester là, monsieur le maréchal, lui dit Mme Molin. Ils sont comme fous. Vous risquez un mauvais coup.

— Mais je vais repartir, dit Brune.

— Attendez donc chez moi. Je peux vous donner la chambre du nouveau préfet, le baron de Saint-Chamans. Il vous accueillera certainement. C'est un bien honnête homme. » Et Brune accepte. Le préfet le reçoit aimablement. Il descend avec lui sur la place de l'Oule.

« Dispersez-vous, rentrez chez vous », crie-t-il à la foule. Mais il ne peut parler. La foule se met à hurler.

« Partez tout de suite, dit le préfet, chaque minute accroît le danger.

— Mais, mon passeport ?

— Je vous l'enverrai par un gendarme qui vous rejoindra sur la route d'Orange. »

Mais la voiture est bloquée par la foule, elle ne peut avancer. Le préfet intervient, d'une voix tonnante. Les postillons fouettent les chevaux, bousculent les gens, et enfin la voiture part.

Elle ne va pas loin, la calèche du maréchal Brune. Elle est arrêtée d'abord à la porte de l'Oule. Mais la garde, prévenue sans doute par le préfet, la laisse passer. Elle s'engage le long du Rhône, dans la direction d'Orange. Elle aborde un passage resserré entre le fleuve et les remparts. Quinze hommes armés se précipitent. Ils sautent à la tête des chevaux, arrêtent le convoi en criant : « A mort l'assassin, au Rhône ! Au Rhône ! »

Le préfet a été averti par des gens qui ont entendu les cris. Il accourt aussitôt. Il entraîne avec lui des gardes nationaux, ceux de la porte d'Oule, et tout ce qu'il peut trouver sur son chemin. Le capitaine Verger l'accompagne. Il a enfin les passeports signés de la main du major Lambot. Le préfet s'interpose, ordonne aux gens armés de lâcher les chevaux. Ils crient, vocifèrent. Un grand diable de portefaix aux manches de chemise retroussées attrape le fusil d'un garde et lui dit : « Donne, donne, que je le tue ! »

Le préfet et le capitaine, ne sachant que faire, disent qu'ils vont faire rentrer la calèche dans Avignon. Brune accepte, très calme. Les royalistes crient victoire. « Nous le tenons », hurlent-ils en entrant en ville. Les cris de mort redoublent. Courageusement, le préfet tient tête. Il réussit à faire entrer la voiture dans la cour de l'hôtel. Il fait fermer la grande porte à deux battants. Brune et les aides de camp descendent. Brune monte de nouveau dans la chambre, au premier étage. Celle qui porte le numéro 3. Elle donne sur la cour, mais le corridor d'accès a un balcon qui donne sur la place de l'Oule. Les aides de camp sont enfermés à clé dans une pièce du rez-de-chaussée.

Dehors la foule est en délire. On exige la tête de Brune. Le préfet envoie un ordre au major Lambot. Il doit immédiatement rassembler ses hommes, et accourir devant l'hôtel. Les tambours battent. Mais peut-on se fier aux « soldats » du major ? Ils sont aussi royalistes que la foule déchaînée. Ils lui prêteraient plutôt main-forte. La gendarmerie seule est sûre, mais elle ne peut accéder. Quand elle se présente sur la place, elle est accueillie par des vociférations. Lambot lui-même lui donne l'ordre de se retirer.

Le préfet réussit cependant à rallier quelques gardes nationaux qui se forment en ligne devant l'hôtel. Ils mettent baïonnette au canon. Cela n'impressionne pas les meneurs qui crient de plus belle et pressent les gardes. Ceux-ci n'osent pas tirer, ni charger. Le préfet a été rejoint par le maire d'Avignon, Puy, par les conseillers de préfecture, et par un certain nombre d'Avignonnais que ces violences indignent. Lambot fait mine d'être avec eux, il parle à la foule, il la modère. Mais on lui répond inlassablement : « Vive le roi ! vive le major ! mais il nous faut la tête de Brune. Ce coquin a tué la princesse de Lamballe. Il faut qu'il meure. Le roi lui pardonnerait. L'an dernier, si on nous avait laissés faire, nous aurions tué Bonaparte. »

Et l'assaut est donné, le cordon des soldats est rompu. On attaque la porte à double battant. Avec des haches et des piques. Elle tient bon. On veut la faire sauter avec de la poudre. Elle résiste encore. 4 000 personnes hurlantes sont sur la place. Beaucoup sont armées.

A l'intérieur, Brune est enfermé, mal protégé par les soldats royalistes qui s'attendent d'un moment à l'autre à la grande ruée. Il demande de l'eau et du vin à Mme Molin. Il lui demande aussi d'aller chercher ses pistolets dans sa voiture. « Je ne veux pas, dit-il, que la plus vile canaille porte la main sur un maréchal de France. » Mais Mme Molin n'ose pas sortir. Alors le maréchal dit à un sous-officier : « Donne-moi ton sabre, tu verras comment sait mourir un brave. » Puis il écrit une lettre à sa femme. Il sent que le moment décisif approche. Ses gardiens deviennent nerveux. L'un d'eux l'insulte : « Tu vas recevoir la peine due à tes crimes », lui dit un officier de la garde nationale, un de ceux qui sont censés le défendre.

Trois ou quatres hommes passent d'un toit à l'autre et pénètrent dans le grenier de l'hôtel. Un taffetassier, Farge, et un portefaix, Guindon dit Roquefort. Ils descendent du toit dans le corridor du premier étage. Un homme se penche au balcon, s'adressant à la foule.

« Il écrit.

— Il ne mangera plus », dit en provençal un émeutier.

Les quatre hommes se précipitent dans la chambre, pistolet au poing. Brune se lève et fait face. Farge tire. La balle érafle le front de Brune qui dit : « Maladroit, de si près ! » Farge tire de nouveau, dans la poitrine, mais la balle fait long feu. « Moi je ne le manquerai pas », dit Guindon. Et il le tue d'une balle de carabine dans la nuque. « *Aco's fa,* crie-t-il au balcon. C'est fait ! — Bravo ! » répond la foule.

« Braves Avignonnais, dit le major Lambot, cet homme-là s'est rendu justice à lui-même. Il est mort. Retirez-vous. » Et l'on sort le cadavre, dans un cercueil. La foule s'en empare, le traîne par les pieds, le jette dans le Rhône. Quelqu'un écrit à la craie sur le parapet du pont : « C'est là le cimetière du maréchal Brune. » Le soir c'est fête. On danse des farandoles. La terreur blanche n'a qu'une victime de plus. Bientôt, à Paris, ce sera le tour de Ney, tué dans la légalité, par des ducs et pairs. Que ne sont-ils pas tous morts à Waterloo !

28.

LES QUATRE SERGENTS DE LA ROCHELLE

« Il faut, dit Joubert, constituer une société secrète. C'est le seul moyen d'exister en France, quand on n'appartient pas à l'ordre rétabli. » Joubert et Dugied sont des républicains. Ils enragent sous Louis XVIII. Ils font partie d'une sorte d'internationale européenne de la liberté. Cette internationale, dans les années 1820, porte un nom, elle s'appelle Charbonnerie.

A Saumur, en 1821, se fonde une société secrète qui groupe les libéraux des bords de la Loire ; Saumur, ancienne métropole protestante, a gardé des traditions d'indépendance par rapport au pouvoir parisien. Et si le pouvoir est réactionnaire, il n'est que plus facile d'y trouver des adeptes pour les sociétés de résistance. La société des « chevaliers de la liberté » se joint à une autre société secrète parisienne, elle-même affiliée à une société napolitaine, qui avait organisé, en Italie, une révolte pour l'unité italienne. Car toute l'Europe fermente, en ces années 1820. En 1821 on a appris la mort de Napoléon. Il est plus grand mort que vivant, en Italie surtout. Mais en France, l'absence du candidat bonapartiste sérieux au pouvoir rejette les officiers et les nostalgiques de l'Empereur dans le camp républicain et vice versa. On voit des intellectuels rejoindre le camp napoléonien. L'historien Quinet écrit : « Lorsqu'en 1921 éclate aux quatre vents la formidable nouvelle de la mort de Napoléon, il fit de nouveau irruption dans mon esprit... Nous revendiquions, dit-il, la gloire, comme l'ornement de la liberté ». Pour Quinet, mais aussi pour Hugo, et pour tous les romantiques, un Napoléon de rêve, libéral et tricolore, remplace le tyran que les Benjamin Constant et les Mme de Staël détestaient de son vivant. Oui, Joubert et Dugied vont à Naples, où l'on vient de fusiller Murat et ils rapportent en France les règlements de la Charbonnerie. Ils les rapportent aux membres de la loge républicaine *Les Amis de la Vérité,* Buchez, Bazard, Flotard. Et ceux-là fondent la Charbonnerie française, qui est une société de résistance républicaine contre le pouvoir des Bourbons, contre les fleurs de lys et le drapeau blanc.

Une société mère, la « haute vente », regroupe des sociétés appelées « ventes centrales », lesquelles regroupent des « ventes particulières ». Chaque vente se compose d'une vingtaine d'affidés. Les ventes particulières ne communiquent pas entre elles, pas plus que les ventes centrales. Les affiliés jurent de garder en toutes circonstances le secret absolu sur les associations et chaque membre jure d'avoir toujours à portée de main un fusil et cinquante cartouches. Pour faire partie des ventes, il faut être initié. Lors de cette cérémonie secrète, on trace sur la poitrine du nouvel admis « l'échelle symbolique de la résolution d'être fidèle jusqu'à l'échafaud et d'y monter au besoin ». Un certain nombre de signes de reconnaissance sont prévus entre les affidés, imités de la franc-maçonnerie : une poignée de main particulière, des signes, des mots d'ordre, des coups sur le poignet dans les rencontres...

Qui sont les affidés ? Tous ceux qui ne supportent pas le nouveau pouvoir, et d'abord les anciens officiers de l'Empire, les demi-soldes, les survivants de Waterloo, ceux qui n'ont pas admis l'élimination, en 1815, de la famille impériale ni la trahison des maréchaux en 1814. Ensuite les jeunes, les étudiants, les employés, éventuellement leurs professeurs, tous les nostalgiques des trois couleurs, les républicains de sentiment. Tous ces gens ne peuvent s'exprimer dans le cadre politique installé, qui n'admet, au scrutin de la Chambre des députés, que les notables. Leur manière de protester contre l'étroitesse du pays légal, c'est de conspirer : on conspire furieusement.

Il n'y a pas que des jeunes dans ces sociétés secrètes. Des professeurs d'un certain âge, comme Victor Cousin ou l'historien des temps mérovingiens, Augustin Thierry, sont parmi les affidés de la Charbonnerie. Dubois et Jouffroy, professeurs à l'Ecole normale, en font aussi partie. Dubois raconte que Victor Cousin, au Luxembourg, faisait devant eux des plans d'insurrection. Et Dubois reconnaît bien volontiers « parfois sa pantomime, son éloquence entraînante, ses chimériques projets, mêlés de demi-révélations, de vérités qu'il attaquait çà et là et arrangeait en poète en drames saisissants, jetaient nos imaginations en fièvre et nous poussaient à la curiosité, au désir de voir, de savoir, d'agir surtout ».

Oui, toute cette jeunesse rêve d'agir, de renverser, à tout le moins d'inquiéter le régime installé. Son idéal n'est pas très clair. Dans les loges de la Charbonnerie, elle rencontre d'anciens officiers qui ne rêvent que de revenir à la cocarde tricolore, d'anciens et vieux parlementaires comme Dupont de l'Eure ou le député Manuel, ou encore La Fayette, mais oui, le héros des deux mondes. Mais la jeunesse ne prend pas pour modèle ces vieille idoles. Comme Cousin, elle rêve d'un monde où l'action est la sœur de la pensée philosophique, d'un monde où la pensée serait efficace. Elle rêve d'une nouvelle révolution.

Le succès de cette société secrète est immense dans les villes de province qui n'ont pas accepté, depuis 1815, le retour des Bourbons. On ne peut biffer aussi facilement dans le pays vingt ans de drapeau tricolore. La Charbonnerie recueille l'héritage clandestin de l'acquit révolutionnaire qui ne subsiste, sous la Restauration, que dans la honte et la confusion. Partout où les notables haïssent les Bourbons, la Charbonnerie recrute des adeptes. Dans les grandes villes de l'Ouest, Angers, Nantes, Rennes, La Rochelle, Saumur, Thouars, Niort mais aussi Poitiers et Bordeaux ; dans les villes de l'Est où l'on hait Louis XVIII : Strasbourg, Metz, Nancy, Mulhouse, Belfort... Plus de 10 000 recrues, si l'on en croit Dubois. On y prépare une insurrection générale pour la liberté, en liaison avec les carbonari italiens, avec les libéraux espagnols. Les militaires sont l'âme des complots. On compte sur l'insurrection de l'Ecole militaire de Saumur, sur la révolte des garnisons de Belfort et de Neuf-Brisach. On veut établir un gouvernement provisoire présidé par La Fayette — toujours lui — et par quelques autres charbonniers de marque. On compte que l'insurrection gagnera Marseille et Lyon, où les ventes ont de nombreux affidés.

Mais le mouvement échoue d'abord à Belfort et à Colmar. Des espions a la solde du gouvernement vendent la mèche. Les charbonniers sont arrêtés. La Fayette, averti juste à temps, rebrousse chemin d'extrême justesse. Il allait être compromis. Un certain nombre de suspects sont interpellés et emprisonnés à Colmar, Belfort et dans la région.

Le complot échoue aussi à Saumur. En février 1822, le général Berton devait entraîner la garnison de Thouars vers Saumur et prendre le pouvoir dans l'Ouest. Mais Berton, vainqueur à Thouars, n'ose pas entrer dans Saumur. Il va se cacher à La Rochelle. Il est pris, jugé solennellement et condamné à mort avec ses complices. « Il se défend pied à pied, dit de lui le directeur de la police, je crois que l'on pourrait en obtenir d'importantes révélations. Mais il faudrait pour les obtenir d'autres moyens que ceux que nous avons à notre disposition. » La chef de la police regrette l'Ancien Régime et ne peut torturer Berton. Il ne connaîtra jamais l'organisation de la Charbonnerie en France. Berton crie sur l'échafaud : « Vive la liberté ! » On ne lui arrache pas d'aveux.

Les autres conspirateurs meurent de même, en gardant le silence. Pourtant la police fait échouer tous les complots militaires du même genre qui éclatent en France. A Nantes on arrête les sous-officiers du 13e de ligne. Ils sont acquittés faute de preuves, et faute d'aveux. A Toulon on exécute un demi-solde, Vallé. La police frappe à l'aveuglette. Elle voudrait faire des exemples. Mais elle ne connaît pas l'organisation secrète. Le pouvoir est d'autant plus inquiet que la Charbonnerie noyaute essentiellement chez les militaires. Comme le dit l'ambassadeur de Prusse à son gouvernement, « le roi ne peut compter pour une guerre d'opinion sur aucun régiment de l'armée. Un drapeau tricolore, présenté même par les Espagnols dans le Midi de la France, suffirait pour y faire éclater la guerre civile et y renverser le gouvernement ».

La police établit qu'un important réseau de Charbonnerie noyaute le 45e de ligne qui tient garnison à Paris. C'est dangereux, dit le gouvernement. Et le 45e de ligne se trouve transféré à La Rochelle. En décembre 1821.

Le créateur du réseau, celui qui a noyauté ses camarades, est un simple sergent, du nom de Bories. Il était inconnu de la police, mais dans le parcours de Paris à La Rochelle il parle. On sait qu'il est le fondateur de la vente militaire du 45e de ligne. Il n'en dit pas plus, mais il n'en faut pas plus. Les mouches de la police font leur rapport. Quand le régiment arrive à La Rochelle, le sergent Bories est arrêté.

Bientôt d'autres affidés sont sous les verrous. Vingt-cinq prévenus passent en jugement. Parmi eux, les quatre sergents de La Rochelle, Bories, Pommier, Raoulx et Goubin.

« Ce sont les chefs du complot, dit l'avocat général Marchangy.

— Quoi, de simples sergents ? »

Ils ne disent rien, n'avouent rien, ne dénoncent personne. Mais ils ne peuvent se défendre contre l'avocat général, qui fait le procès d'ensemble de la Charbonnerie.

Que pourraient-ils lui dire ? Qu'ils sont républicains, et qu'ils veulent renverser le pouvoir établi ? L'avocat général ne le sait que trop. « Monsieur l'avocat général, lui dit Bories, on me désigne comme le chef du prétendu complot. Eh bien ! J'accepte. Heureux si ma tête, en roulant sur l'échafaud, peut sauver mes camarades. » Mais le sacrifice de Bories n'épargne pas ses camarades : ils sont tous les quatre condamnés à mort.

Quoi ? mourir à vingt ans ? Même si l'on croit à la Charbonnerie, c'est trop injuste ! Ces sympathiques jeunes gens trouvent des concours à l'extérieur. On met tout en œuvre pour les faire évader. Mais ils sont bien gardés. Le pouvoir leur prête plus d'influence qu'ils n'en ont. On craint, si on les exécute, des mouvements populaires. On a mobilisé la troupe. Impossible de les sortir de prison.

On mobilise, pour leur exécution, toute la garnison de Paris. Ce déploiement de force est risible, c'est un aveu d'impuissance. Les jeunes gens montent courageusement à l'échafaud. De nombreux libéraux sont présents pour leur exécution. La rage de l'avocat général, sa volonté de les envoyer à la mort pour faire un exemple font d'eux des martyrs symboliques. On peut encore voir leur tombe, aujourd'hui, pieusement sculptée de leurs effigies en médaillon, au cimetière du Montparnasse. Oui, les quatre sergents de La Rochelle meurent courageusement, comme de vrais carbonari. Jeunes, désintéressés, solidaires, ils ont tout pour susciter l'admiration populaire. Quand ils sont exécutés le 21 septembre 1822, une immense réprobation réunit tous les libéraux de la capitale, qu'ils soient intellectuels comme Victor Cousin, ou militaires.

Les quatre sergents de La Rochelle sont morts sans avoir dénoncé personne. On ne peut arrêter les membres de la haute vente. On ne peut que soupçonner les députés républicains, comme Manuel ou l'Alsacien Voyer d'Argenson. Mais comment arrêter Voyer d'Argenson, ou Manuel ? La presse libérale crierait aussitôt au meurtre. Peut-on inculper l'écrivain Benjamin Constant, le banquier Laffitte, le général Foy, qui commandait une brigade à Waterloo ? Veut-on d'un procès qui dégénère à coup sûr en émeute ? Il n'y a pas un royaliste pour s'y risquer. Au demeurant, le seul suspect possible est La Fayette. Louis XVIII veut-il envoyer en jugement le héros des deux mondes ? Marchangy, le procureur du roi, avait parlé, au cours du procès des quatre sergents, des « seigneurs de la haute vente ». Visait-il en particulier La Fayette ? Tout le monde le pense, mais personne n'ose le dire. Le gouvernement abandonne la demande d'enquête, il recule. Le sang des quatre sergents de La Rochelle lui suffit.

Les chefs de la Charbonnerie se le tiennent pour dit. Les conspirations, les complots ne mènent à rien. Tout au plus à faire condamner des comparses. Les charbonniers ne sont pas fiers. Ils pensent que l'on a sacrifié pour rien les quatre sergents de La Rochelle. Ils s'en expliquent dans leurs réunions secrètes. Ils se reprochent les uns aux autres la mort des jeunes gens.

Et pourtant les quatres sergents ne sont pas morts pour rien. Certes, après l'exécution de 1822, la Charbonnerie française se tient tranquille : plus de complots, plus de conspirations. Mais la droite, au pouvoir avec Villèle, prépare la voie, par ses excès, à une nouvelle génération d'opposition, celle qui ne peut guère s'exprimer, avant 1830, que dans la presse persécutée et interdite, ou dans les sociétés républicaines. Pour n'être plus charbonnières, celles-ci n'en sont pas moins actives. Puisque les truquages électoraux de la droite ne permettent pas au pays réel de s'exprimer, l'opposition se sert de toutes les erreurs du pouvoir pour sensibiliser l'opinion. Et l'exécution des quatre sergents de La Rochelle est une erreur majeure, qui reste longtemps dans les consciences. Il n'est pas bon de gouverner un pays contre les aspirations de sa jeunesse. Les quatre sergents de La Rochelle n'étaient ni des intellectuels ni des anciens combattants. Ils n'étaient pas non plus des ambitieux ! Personne ne les protégeait vraiment. C'est pour cela qu'ils sont morts. Mais les victimes désarmées ont parfois plus de poids dans l'histoire que les vieilles gloires intouchables comme La Fayette. Elles mobilisent, à coup sûr, la conscience des gens honnêtes. Qu'il ne faut pas confondre avec les honnêtes gens.

29.
LA PRISE DE LA CASBAH

25 mai 1830. Une flotte nombreuse met à la voile dans le port de Toulon, commandée par l'amiral Duperré. Il y a plus de 100 bateaux de guerre, des frégates, des corvettes et plus de 350 navires marchands, bourrés à craquer de canons, de caissons, de voitures, de chevaux. Sur les ponts, gênant les manœuvres, 35 000 soldats armés de pied en cap. Le ministre de la Guerre du roi Charles X est là en personne. Il s'appelle Bourmont. Bourmont ? Au début de la bataille de Waterloo, un certain Bourmont commandait la division de tête. Il a tourné casaque dès le début de l'engagement, gagné les lignes prussiennes, demandé à voir Blücher qui n'a pas voulu le recevoir. Oui, ce jour-là, Bourmont a trahi. Mais quelle belle carrière il a faite sous le drapeau blanc : cet ancien officier aux gardes françaises, émigré dès 1789, chef d'état-major chez les Vendéens, engagé dans l'armée impériale en 1808, ancien combattant de Russie, d'Espagne, d'Allemagne, n'a pas hésité à figurer comme témoin à charge dans le procès du maréchal Ney, son ancien chef. Il a participé à l'expédition d'Espagne de 1823, gagné la bataille du Trocadero. Le voici ministre de la Guerre, et commandant de l'expédition royale qui se prépare à appareiller. Quinze ans se sont écoulés depuis Waterloo. La nouvelle armée française ne se bat pas sur le continent, elle n'affronte plus les Anglais et les Prussiens. Non, les soldats de Bourmont ont une étrange mission : passer la mer pour prendre Alger.

Il faut vingt jours à la marine à voile pour parvenir dans la baie de Sidi Ferruch. A la lunette, Bourmont observe la ville d'Alger, toute blanche, dominée par la Casbah, résidence du gouverneur qui impose au pays la loi du sultan de Constantinople. Ce gouverneur s'appelle le dey. Comme en Egypte, il domine un pays de cultivateurs et d'éleveurs nomades, avec une poignée de fonctionnaires et une petite armée de cavaliers. La ville blanche, ancien repaire de pirates, est entourée d'une muraille continue, et dispose de portes bien défendues. Mais beaucoup de ses habitants se sont enfuis, à l'approche des Français : 10 000 peut-être, sur 30 000. Bourmont se demande si le dey va résister. Il ne dispose pas, se dit-il, de forces suffisantes. La démonstration de la flotte devrait suffire, pour que la ville ouvre ses portes d'elle-même. La ville a la forme d'un triangle dont la Casbah est le sommet, un sommet de plus de 100 mètres d'altitude. La base du triangle ? Une ligne continue de rochers qui tombent directement dans la mer. Et les rochers sont surmontés par un rempart. « Si la ville est défendue, il ne sera pas facile de l'emporter », se dit Bourmont.

Il donne l'ordre du débarquement. Les fusiliers prennent position sur la plage, protégeant les chaloupes qui, longuement, viennent déposer les canons, les chevaux, le matériel et les hommes. C'est une longue opération, qui s'effectue sous un soleil de plomb. Il faut quatre jours pour débarquer tout le monde. Pendant ces quatre jours, les Français ne tirent pas un coup de fusil. Ils sont observés, mais les troupes du dey n'attaquent pas. A croire que la ville est abandonnée. Quand Bourmont donne l'ordre aux batteries d'artillerie de commencer leur feu sur les portes et les remparts, elles se heurtent à l'armée du dey, qui était campée tout près de la ville, mais à l'extérieur, sur le plateau de Staouëli. C'est Ibrahim, le propre gendre du dey qui la commande. Et déjà Ibrahim descend au galop dans la plaine, à la tête de ses cavaliers.

« Bien, se dit Bourmont. Nous allons livrer bataille. »

Mais que diable les Français viennent-ils faire en Algérie ? L'expédition a été décidée en Conseil des ministres le 31 janvier. Comme une croisade. Depuis trois ans, fait observer au Conseil le ministre des Affaires étrangères, Polignac, la France est en conflit avec le dey d'Alger. Depuis le XVIe siècle les commerçants français payaient au dey le droit de faire du négoce dans les « concessions d'Afrique » qui trafiquaient surtout du corail. Ces concessions avaient été renouvelées en 1818. Depuis le Congrès de Vienne, le dey n'avait plus le droit de réduire les chrétiens à l'esclavage et d'en faire commerce. Il avait dû rendre, en 1816, mille captifs chrétiens sous la menace d'une flotte anglaise. Mais il continuait à pratiquer en Méditerranée des raids de corsaires, la course, comme on disait. En 1819 un amiral français et un amiral anglais sont allés voir Hussein Dey pour le sommer, au nom de leurs gouvernements, de renoncer à la course. Le dey hausse les épaules. Renoncer à la course ? Mais c'est de la course que les gens d'Alger tirent depuis des siècles leurs plus grands profits. Il n'écoute pas ces Européens. Il augmente la redevance des négociants français et il remet à l'amiral une vieille créance qu'il a sur la France, qui remonte à 1792. Cette année-là les Français, qui avaient besoin de blé, avaient demandé un crédit pour payer. Un crédit de 870 000 francs. Les Français avaient encore acheté, sans le payer, beaucoup de blé par la suite. Si bien que la facture du dey, beaucoup gonflée par ses hommes d'affaires, dépassait en 1815 13 millions. Elle fut réduite à 7 et en 1824 car le dey avait demandé un versement immédiat. Comme le ministre des Affaires étrangères faisait la sourde oreille, le dey avait molesté son consul, à Bône. Sa maison avait été fouillée, pillée. On avait arraisonné et pillé des bateaux de commerce. Et le dey avait demandé à Charles X le rappel du consul Deval.

30 avril 1827. Le consul Deval demande à être reçu par Hussein Dey. L'audience est accordée. Hussein reproche au consul d'avoir empêché son ministre de répondre à la lettre qu'il lui a envoyée. Le consul proteste. Hussein Dey s'énerve. Il agresse le consul, lui donne trois coups du manche de son éventail. Le consul, humilié, tente de raisonner le souverain. Peine perdue. « La France, dit Hussein Dey, nous menace avec

les canons qu'elle a installés au fort de la Calle. Je ne veux pas, dit-il, qu'il y ait un seul canon des infidèles sur le territoire d'Alger. »

Une flotte de six frégates vient croiser sur les côtes, mouille devant Alger, embarque le consul Deval et la colonie française. Le dey a refusé toute entente. Son subordonné, le bey de Constantine, a reçu l'ordre de détruire les canons du fort de la Calle. Le gouvernement français hésite à intervenir. Il a peur de mécontenter l'Angleterre et depuis 1815 les Bourbons sont les alliés fidèles de l'Angleterre. Une expédition est inconcevable sans l'accord et la participation des Anglais. On décide d'envoyer un officier français à Alger, pour renouer les négociations.

Le dey sait que les puissances européennes ne sont pas d'accord. Le consul anglais à Alger lui a conseillé de ne pas renouer avec les Français. Il refuse tout contact. Quand un autre officier de marine, La Bretonnière, vient en 1829 en rade d'Alger pour parlementer, le dey lui fait tirer dessus à coups de canons.

Pourtant le gouvernement français n'est pas encore décidé. Il est saisi de la proposition du pacha d'Egypte, Méhémet Ali. « J'ai, dit-il, une armée nombreuse, qui peut prendre Alger sans difficulté. Si la France me donne dix millions, je fais la conquête de la régence. »

Bourmont combat cette proposition. L'Egypte est à deux mille kilomètres de l'Algérie, et Méhémet Ali n'a pas d'artillerie de siège. Il n'a pas non plus de flotte suffisante. Comment pourrait-il prendre Alger ? D'ailleurs le sultan de Constantinople et le cabinet de Londres sont très hostiles à ce projet.

Mais la France ne peut pas abandonner ses ressortissants, ni laisser bafouer son pavillon par les corsaires du dey. Charles X a besoin de prestige. L'opposition intérieure le harcèle. Les militaires, inoccupés, sont favorables à l'intervention. Elle est finalement décidée. Le 3 mars, le roi l'annonce dans son discours du trône. Il faut, dit-il, « délivrer la France et l'Europe du triple fléau que les puissances chrétiennes ont enduré trop longtemps, l'esclavage de leurs sujets, les tributs que le dey exige d'elles et la piraterie qui ôte toute sécurité aux côtes de la Méditerranée ». Oui, décidément, Charles X présente son expédition comme une croisade.

Ibrahim, à la tête de ses cavaliers, attaque l'infanterie française qui s'est formée en carré. Les batteries d'artillerie à cheval partent au galop, ainsi que la cavalerie. L'armée d'Ibrahim est tournée, bombardée, Ibrahim lui-même ne doit le salut qu'à la fuite. C'était le 19 juin 1830. Il n'y avait plus d'armée pour défendre Alger. Mais la place, avec ses nombreux canons, était impressionnante. Elle était protégée du côté des terres par un fortin bien pourvu en artillerie. Sur le port les Algérois pouvaient bombarder à l'aise la flotte quand elle tentait de s'approcher. Le nid de corsaire pouvait résister. Bourmont n'avait pas assez de matériel de siège. Il résolut d'attendre.

Le matériel arrive enfin le 28 juin, on commence le siège du fortin, baptisé Fort l'Empereur. La forteresse date du XVIe siècle, elle a plus de cent vingt canons. Les Français, pour approcher sous le feu, se mettent à l'abri de tranchées.

L'artillerie commence son tir. En quelques heures, elle abat les murailles, y perce de larges brèches. Les défenseurs se croient perdus. Ils font sauter la poudrière et réussissent à s'enfuir par surprise.

Bourmont peut alors préparer l'assaut de la ville. Il fait mettre en batterie les lourds canons. Mais un plénipotentiaire arrive. C'est le propre secrétaire du dey. Il demande à parler à Bourmont. Le dey est prêt à tout accepter. Bourmont établit un document où il exige la remise du fort de la Casbah et de tous les autres forts dépendant d'Alger, ainsi que des portes de la ville le 5 juillet à dix heures du matin. Le dey garde ses biens personnels. Il est libre. On garantit sa sécurité. Il peut se retirer où il veut avec sa famille. Les soldats de sa milice sont également libres. Le libre exercice de la religion islamique est garanti. Le 5 juillet le dey fait savoir qu'il accepte ces conditions. Il s'embarquera le 10 juillet, avec ses cinquante-cinq femmes et tous ses trésors. Il a choisi Naples comme exil. Ses troupes turques sont conduites en Asie Mineure.

Dans la ville conquise, les troupes françaises font leur entrée solennelle. Comme le voulait l'usage, la batterie d'artillerie à cheval qui a conduit le siège est en tête avec deux compagnies. Puis vient le 6e de ligne. Les soldats ressemblent à ceux du Premier Empire avec des bonnets à poil, des shakos, des colbacks. Le général a un bicorne emplumé. En tête des artilleurs marchent deux jeunes gens dont l'un porte un nom illustre, c'est le fils d'Eblé, le pontonnier de la Berezina.

Eblé entre dans la Casbah déserte. Il est interdit de piller. Mais il est surpris de l'abondance des biens emmagasinés. On dirait un comptoir commercial, remarque-t-il. Il y a des milliers de coupons de soieries lyonnaises, de cotonnades. Décidément les femmes du dey étaient coquettes. Eblé, pour sa part, achète un dromadaire. Pas de pillage. Tout l'argent trouvé dans le trésor du dey est remis à l'administration : 48 millions, soit à peu près les frais de l'expédition. Quatre cents hommes ont été tués. Les beys d'Oran et de Titteri font leur soumission. Un corps de troupes va occuper Bône, pour intimider le bey de Constantine qui ne s'est pas soumis. Toute la côte est bientôt occupée.

Le drapeau blanc à fleurs de lys flotte sur la Casbah. Les troupes sont bien approvisionnées, elles reçoivent du vin, du pain frais. Les soldats se baignent sur les plages où des bals s'organisent. « Dans les rues étroites de la Casbah, dit Merle, le secrétaire de Bourmont, les soldats sont couchés sur le pavé et les cuisines des escouades sont installées au coin des bornes. » On boit du champagne et du malaga, du rhum et du lait de chèvre. Les officiers occupent les maisons qu'ont abandonné les notables.

On plante dans les beaux jardins mauresques des carottes et des navets pour nourrir la troupe. Les mosquées sont transformées en corps de garde ou en hôpitaux. L'occupation de l'Algérie commence. Les civils ne vont pas tarder à affluer, non pas de France, pas tout de suite, mais de Malte, de Minorque, du Sud de l'Espagne.

Car en France, on ne sait trop que faire de la conquête. L'Angleterre a froncé le sourcil. Cela suffit pour intimider le cabinet français. Pourtant le roi Charles X répond avec dignité quand le cabinet anglais lui demande ses intentions : « Pour prendre Alger, dit-il, je n'ai considéré que la dignité de la France. Pour le garder ou le rendre, je n'écouterai que son intérêt. » Car l'armée ne songe pas, pour l'instant, à s'aventurer à l'intérieur des terres. Elle n'occupe que les ports et les côtes. Occupation coûteuse, juge-t-on à Paris. Les diplomates tirent déjà des plans, songent à utiliser l'Algérie comme enjeu dans les négociations. Certains parlent même de l'échanger contre la rive gauche du Rhin ! Personne ne songe à s'y maintenir, personne n'envisage de mettre le pays en valeur, de se lancer dans la colonisation. Les officiers vont à la chasse dans l'Atlas et organisent des courses de chevaux. Les peintres, comme Isabey ou Gudin, découvrent les paysages algériens. Des voyageurs étrangers parcourent le pays, et bientôt les premiers colons arrivent et défrichent, sous la protection de l'armée. Une sorte de colonisation spontanée, non voulue par les autorités parisiennes, se développe dans l'anarchie. L'Algérie française est née. Sous un drapeau qui n'est pas tricolore, et sans aucune volonté politique des gens de Paris.

30.

LES TROIS GLORIEUSES

26 juillet 1830. Il fait chaud dans Paris, presque autant que dans Alger. Le gouvernement de Charles X vient de conquérir l'Algérie, mais il ne peut pas profiter de sa victoire. Il a trop de problèmes dans Paris.

Des journaux se répandent, dans l'après-midi du lundi 26 juillet, dans les cafés, au Palais-Royal, sur les principales places de Paris. Ces journaux, c'est *Le Temps* et *Le National. Le National* est furieusement hostile à Charles X qui vient de promulguer quatre ordonnances pour suspendre la liberté de la presse, pour dissoudre la Chambre jugée indocile, pour changer la loi électorale — pour la truquer, disent les journalistes —, pour faire élire une Chambre de droite, une Chambre de ruraux et de notables légitimistes. Ces ordonnances sont un véritable coup de force et les journalistes en sont les premières victimes. Et d'abord, bien sûr, les journalistes libéraux, ceux qui veulent en finir avec les Bourbons, le drapeau blanc, la charte de Louis XVIII, avec l'Ancien Régime restauré. Les plus ardents de ces journalistes sont ceux du *National.*

Ils se réunissent, tous ensemble. Ils sont là une quarantaine. Ils prennent conseil d'avocats qui sont leurs amis politiques, comme Dupin, Odilon Barrot. Et ils publient une feuille, qui se présente comme un supplément au *National,* et qui est une sorte de manifeste. « Le régime légal est interrompu, écrivent-ils. Celui de la force est commencé. L'obéissance cesse d'être un devoir... » C'est ce journal qui est diffusé dans tout Paris. On se l'arrache, on le brandit, on le commente. On l'expédie dans toutes les grandes villes de province. Des groupes bientôt se constituent, sur la place du Carrousel, sous les galeries du Palais-Royal. Les gens crient « Vive la charte ! A bas les ministres ». Qui sont-ils ? Des étudiants, des ouvriers imprimeurs. Pas d'hommes politiques, pas de députés de la gauche. Ils sont réunis, ils attendent les événements. Ils ne les précèdent pas. « Il n'y a rien à craindre », dit le préfet de la Seine au ministre de l'Intérieur, Peyronnet. Non, le roi ne s'inquiète pas. Pourtant, au bas du journal, parmi les quarante signatures de journalistes, il a retenu un nom, celui d'un jeune agité venu d'Aix-en-Provence, qui passe pour le plus enflammé des journalistes parisiens. Il s'appelle Adolphe Thiers.

Le lendemain, mardi 27 juillet, le préfet de police fait saisir les journaux de gauche parus sans autorisation, comme l'ordonnance royale lui en fait devoir. Les commissaires de police pénètrent dans les locaux du *Temps* et du *National*. Les portes sont enfoncées, les presses brisées. Des rassemblements se forment devant *Le Temps*, boulevard des Capucines. Des manifestants se rendent au ministère des Affaires étrangères, insultant Polignac. Des boutiques d'armuriers sont forcées. La foule s'empare des armes. On entend des coups de feu rue Saint-Honoré.

Alors le gouvernement s'inquiète. Le chef de l'armée est Marmont. Un nom bien connu des anciens des guerres de l'Empire. Un nom de traître. C'est lui qui a abandonné Napoléon en 1814. Marmont place les gardes royaux à bonnet à poil boulevard des Capucines et au Carrousel. Le 50e de ligne prend position sur les Grands Boulevards. Le 53e de ligne à la Bastille, avec un régiment de cuirassiers. D'autres troupes occupent la place Louis-XV (les suisses), le Pont-Neuf et la place Vendôme. Pas de résistance. Le dispositif de Marmont est en place à cinq heures. Les soldats ont dégagé une barricade construite rue Saint-Honoré. Quand le soir tombe, Marmont dit à Charles X qu'il tient la situation bien en main, et que l'émeute est terminée.

Elle reprend le 28 au matin. Les députés n'y sont pour rien. Les journalistes non plus. Au *National,* Armand Carrel demande à ses amis : « Avez-vous seulement un bataillon ? » Mais pendant la nuit des groupes d'ouvriers imprimeurs, d'étudiants, des gens du peuple ont dépavé les rues des quartiers de l'Est. Au faubourg Saint-Marceau par exemple. Les boutiques ont fermé, les armuriers ont été pillés. Les sociétés républicaines clandestines, les anciens charbonniers, les associations d'étudiants se sont organisées. Les étudiants, qui se sont donné pour chefs le vieux La Fayette et Augustin Favre, ont préparé toute la nuit l'insurrection.

Le 28 au matin, les Parisiens qui s'éveillent peuvent voir le drapeau tricolore sur les tours de Notre-Dame, dont le gros bourdon sonne. Il est aussi à l'Hôtel de Ville occupé par les émeutiers. On brise partout, sur les monuments publics, les fleurs de lys, on les efface sur les plaques des diligences. Les corps de garde sont attaqués, les barricades poussent à toute allure. Des groupes de gens armés se postent. Que va faire Marmont ?

Il demande des renforts, qui doivent venir de Versailles et de Saint-Denis. Il fait avancer trois colonnes, l'une le long des quais, l'autre sur les Grands Boulevards vers l'Hôtel de Ville par le faubourg Saint-Antoine, la troisième le long de la rue Saint-Honoré. Les gens tirent sur les soldats par les fenêtres et reforment derrière le passage des colonnes les barricades qu'elles ont dispersées. Parmi les insurgés, on voit quelques uniformes. Ce sont ceux des élèves de l'Ecole polytechnique. La foule insulte les soldats, qui manquent d'enthousiasme. Rue du Faubourg Saint-Honoré un gavroche ajuste un capitaine qui commande une colonne avec un énorme fusil. Le capitaine ordonne de tirer. Mais les soldats ne veulent pas tuer le gosse. Ils font exprès de le manquer. Des trois colonnes lancées par Marmont, une seule atteint son but, celle qui occupe l'Hôtel de Ville. Les autres sont arrêtées en chemin. La foule murmure que La Fayette va être président de la République. On a tué déjà 2 500 soldats. Le roi donne l'ordre à Marmont de concentrer ses forces autour des Tuileries. Tout l'est de Paris est à l'émeute.

Le 29 juillet, les émeutiers progressent encore. Ils sont dirigés par des jeunes, Cavaignac, Guinard, Bastide, Joubert. On apprend que le député Casimir Perier a parlé aux soldats de la ligne : deux régiments sont passés au peuple ! C'est la panique dans l'armée de Marmont. Les soldats abandonnent le Louvre et les Tuileries, ils refluent vers les Champs-Elysées. On pille le palais de l'archevêché. Les députés réunis chez le banquier Laffitte confient à La Fayette le commandement de la garde nationale reconstituée. Le général Gérard commande les mutins de la ligne. Une commission est désignée pour gouverner Paris, avec Perier et Laffitte. « Vive la liberté, vive la patrie ! » crie La Fayette au balcon de l'Hôtel de Ville.

Marmont évacue Paris, se retire avec ses troupes à Saint-Cloud, où est Charles X. Le roi renvoie ses ministres, annule les ordonnances. « Me voici, dit-il, dans la position où était mon malheureux frère en 1792. » Mais les révolutionnaires ne veulent pas engager le dialogue avec le roi, ils ne veulent plus de roi. La situation est sans issue. La Fayette lance, à l'Hôtel de Ville : « Toute réconciliation est impossible et la famille royale a cessé de régner. » Dans les rues les gens défilent aux cris de : « Vive la République ! »

On s'embrasse, on sort, à chaque fenêtre, des drapeaux tricolores. Le changement de régime est fait, dans l'illégalité la plus absolue. Charles X est totalement impuissant. Il ne peut rentrer dans Paris. « Il ne pourrait, dit Decazes, régner dans Paris que sur des cadavres. » Il n'y a plus de roi, plus de gouvernement, plus d'autre autorité que celle de la commission municipale. Que va-t-elle décider ? La Fayette va-t-il enfin crier, comme les émeutiers : « Vive la République ? »

Le matin du vendredi 30 juillet le peuple parisien peut lire sur les murs de sa ville une étrange proclamation. Il y reconnaît les noms de Thiers, le journaliste du *National,* et de son ami Mignet.

« Charles X ne peut plus rentrer dans Paris, il a fait couler le sang du peuple. La République nous exposerait à d'affreuses divisions. Elle nous brouillerait avec l'Europe.

« Le duc d'Orléans est un prince dévoué à la cause de la Révolution... Le duc d'Orléans était à Jemmapes. Le duc d'Orléans a porté au feu les couleurs tricolores... C'est du peuple français qu'il tiendra sa couronne. »

Louis-Philippe est-il dans le complot ? Il n'est pas prévenu. Thiers a peur qu'il ne démente. Il fait imprimer à la hâte sur les derniers exemplaires : « Le duc ne se prononce pas, il attend notre vœu. » Les députés se réunissent aussitôt au Palais-Bourbon pour commenter la singulière initiative de Thiers. Ils sont là une soixantaine, autour de Perier et de Laffitte. Ils sont favorables à la solution Thiers, ils ont peur de la République, mais ils n'osent pas se prononcer.

Les républicains se sont réunis, dans un restaurant parisien. Ils ont donné comme en 1793 un banquet. Ils ont formulé un programme, qu'ils portent à La Fayette. « Général, lui dit Charles de Remusat au nom des républicains, si l'on fait une monarchie, le duc d'Orléans sera roi ; si l'on fait une République, vous serez président. Prenez-vous la responsabilité de la République ? » La Fayette hésite. Les républicains veulent le nommer tout de suite président provisoire et élire une Assemblée constituante, seule habilitée, disent-ils, à choisir un régime pour la France. La Fayette finit par se prononcer. Certes il préfère personnellement la république. Mais il songe à la France. Il lui faut pense-t-il une monarchie constitutionnelle. La France ne peut pas courir une fois encore la sanglante aventure jacobine.

Thiers ne perd pas de temps. Il se rend à Neuilly, chez le duc. Il n'est pas reçu. Mais il voit la sœur du duc, Mme Adélaïde, qui l'encourage. Il vole au Palais-Bourbon. Au soir du 30 juillet, il persuade les députés d'accepter une solution de transition : nommer le duc lieutenant général du royaume.

A onze heures et demie, on apprend que le duc est entré dans

Paris. Il est au Palais-Royal. Le lendemain il rend publique une proclamation aux Parisiens, où il dit qu'il accepte la charge de lieutenant général.

Cependant la rue s'agite. Les cris de : « Vive la République ! » sont de nouveau lancés. La commission de l'Hôtel de Ville refuse de reconnaître le duc comme lieutenant général. Les amis de Thiers comprennent qu'il faut se hâter. Ils rameutent les députés qui lancent à leur tour une proclamation. Puis ils se rendent au Palais-Royal, où le duc les reçoit. « Je travaillerai au bonheur de la France par vous et avec vous », leur dit-il comme un bon père de famille. Et tous décident de se rendre à l'Hôtel de Ville, bastion des républicains.

Un cortège immense. Le duc à cheval, en tête. A son chapeau, un énorme ruban tricolore. Les députés le suivent. La foule est par moments hostile, ironique. On crie : « Plus de Bourbons ! » Quelqu'un confectionne à la hâte une pancarte qui est aussitôt brandie : « Celui-là est un Valois. » Non le duc d'Orléans n'est pas un Bourbon. Place de l'Hôtel-de-Ville, on crie : « Vive La Fayette ! » Le duc entre à l'Hôtel de Ville dans un tumulte incroyable. Il parle, mais personne ne l'entend. Il prend alors le vieux La Fayette par le bras et l'entraîne au balcon. Ils s'embrassent tous les deux, drapés dans un drapeau tricolore. La foule crie : « Vive La Fayette, vive le duc d'Orléans ! » Cette fois le tour est joué. Que peuvent les républicains ? La Fayette, leur seul porte-drapeau, s'est lui-même rallié. Chateaubriand écrit : « Le baiser républicain de La Fayette a fait un roi. »

Les républicains n'ont pas gagné parce qu'ils n'étaient pas prêts. Ils ont été pris de court, pris de vitesse. Républicain ? Nul ne l'est plus que moi, dit le duc. « Je pense comme vous, dit-il aux républicains, que la constitution des Etats-Unis est la plus parfaite qui puisse exister. » Le duc est républicain, dit La Fayette, il partage toutes nos opinions. Thiers présente au duc les jeunes chefs du mouvement républicain. Il leur parle avec cordialité et les Cavaignac, les Bastide, les Guinard sont assez convaincus. « C'est un bon homme », dit Bastide en sortant. Le 1er août, le duc prend le titre de lieutenant général et dirige le gouvernement qu'il désigne avec ses amis, Laffitte, Dupin, Perier, et aussi les noms désignés par la commission municipale : Guizot, Broglie, Gerard... Il convoque les Chambres.

Mais Charles X ? Il est toujours en France. Il a quitté Saint-Cloud pour Rambouillet. Il feint d'approuver les mesures du duc d'Orléans. Il a désigné, de son côté, un nouveau chef de gouvernement. Il envoie au duc d'Orléans une nomination, signée de sa main, de lieutenant général du royaume.

Que signifie cette nomination ? lui répond Louis-Philippe. Je suis nommé par la Chambre, et non par le roi. Charles X n'a d'autre solution que d'abdiquer. Il demande à Louis-Philippe de faire proclamer roi son petit-fils sous le nom d'Henri V. Louis-Philippe lui envoie un général, une escorte, et lui dit qu'il doit partir au plus vite. Déjà le peuple s'est rassemblé pour marcher sur Rambouillet. Charles X prend enfin son parti. Il monte en voiture et gagne Cherbourg, d'où il s'embarque pour l'Angleterre. Le 9 août, Louis-Philippe prend possession d'un trône que la Chambre a déclaré « vacant ». Il prend le titre de roi des Français. La révolution est terminée. Les notables orléanistes, les Thiers, les Guizot, les Perier, les Laffitte viennent d'escamoter la République. Le peuple rentre chez lui la rage au cœur. Dix-huit ans plus tard, il sera de nouveau dans la rue.

31.

VIVE LA BELGIQUE !

25 août 1830. La révolution est terminée à Paris. Le roi Louis-Philippe est sur son trône, et le drapeau tricolore flotte sur les bâtiments publics. A Bruxelles, ville où l'on parle le français, mais qui fait partie du royaume de Hollande créé en 1814 et imposé par les Anglais, les échos de la révolution parisienne sont profonds. Ce jour-là on joue au théâtre *La Muette de Portici.* C'est un opéra d'Auber sur un livret de Scribe. L'opéra raconte la révolte du peuple napolitain contre l'occupant espagnol. Un opéra grandiose, grandiloquent, théâtral, tragique. Le héros, à la fin, se jette dans la lave du Vésuve...

L'opéra exalte le public belge, las de la domination hollandaise. Les gens se lèvent, crient « Vive la liberté ». Un homme grimpe sur la scène et dit : « Faisons comme les Français. » Les hommes sortent du théâtre, exaltés, révoltés, ils se précipitent au bureau de police voisin et le mettent à sac. Les gens entonnent le grand air de l'opéra d'Auber « Amour sacré de la patrie ». Dans la rue, dans les cafés, on leur répond et bientôt Bruxelles est en ébullition.

Le roi Guillaume Ier est tout à fait surpris par l'émeute. On dresse, lui dit-on, des barricades dans Bruxelles, « comme des Français ». Les Belges se calmeront se dit le roi. Il sait bien, le roi Guillaume d'Orange, que les Belges ont des griefs contre lui. Ils lui reprochent de nommer des Hollandais dans les administrations, et non des Belges, de les coloniser en somme. Les libéraux lui reprochent d'avoir fait une constitution trop autoritaire, et les catholiques n'aiment pas les protestants hollandais. Oui, les Belges reprochent aussi au roi d'avoir imposé un régime électoral qui favorise les Hollandais. Les Belges sont un million de plus que les Hollandais, et ils n'ont pas plus de députés. Ce n'est pas juste. Ils se plaignent encore des impôts, des douanes, du système scolaire, de tout... Les Belges, se dit le roi Guillaume, ne sont jamais contents. Cette fois encore, ils se calmeront.

Mais ils ne se calment pas. Ils viennent de demander au roi un régime d'autonomie administrative. Ils savent que, pour obtenir l'indépendance, il faudrait faire pression sur l'Angleterre. Qui pourrait les aider ? L'Angleterre, à cette époque, domine l'Europe et le monde. Et les libéraux de Bruxelles regrettent le temps où les lois françaises étaient appliquées en Belgique, des lois qui favorisaient l'entreprise, et qui organisaient les libertés. Certes ils n'ont pas que des bons souvenirs de la longue occupation française, au temps de la Révolution et surtout de l'Empire. Mais tout est préférable au régime hollandais. Ils veulent s'en affranchir à tout prix. Le roi Guillaume a tort de sous-estimer l'émeute. Elle correspond, en pays wallon surtout, à un sentiment populaire profond. Et les émeutiers du théâtre de Bruxelles ne sont pas des vagabonds. A l'Opéra, il n'y a que des bons bourgeois. Toutes les élites belges sont d'accord, c'est clair, pour chasser la maison d'Orange.

Et les Belges font comme les Français. L'émeute du 25 août dans Bruxelles est certes réprimée par la police, mais les partisans de l'indépendance s'organisent. Ils savent que le roi de Hollande est intolérant. Il vient de refuser une transaction que proposait son fils aîné, le prince d'Orange : les deux royaumes, Hollande et Belgique, auraient été indépendants l'un de l'autre mais sous l'autorité du même roi. Il n'en est pas question, a dit le vieux roi Guillaume. Il ne faut rien changer. Il mobilise l'armée. Il organise l'investissement de Bruxelles. Le 27 septembre la ville haute est occupée, quadrillée, tenue sous la terreur.

Mais il est impossible aux soldats hollandais d'avancer dans la ville basse. Les Belges ont multiplié les obstacles, ils ont arraché le pavé, dressé des barricades, comme à Paris... et le roi de Hollande renonce, il ne peut occuper Bruxelles. Une sorte de gouvernement provisoire se constitue dans la ville basse. Sa première mesure est d'appeler les Belges aux armes, le 24 septembre. Puis le 4 octobre il proclame l'indépendance de la Belgique et convoque un congrès national le 10 octobre. C'est exactement le modèle français. Comme Marmont, le roi Guillaume a dû faire évacuer la capitale. Il ne peut imposer silence au gouvernement insurrectionnel qui fait sans lui, contre lui, l'indépendance de la Belgique.

Cette flambée populaire n'est pas seulement belge. Toute l'Europe refuse la domination du vieux système metternichien, des traités de 1815, l'Europe refuse l'arbitraire des princes. Les peuples veulent partout leur indépendance. Les villes italiennes se sont insurgées, et maintenant les villes polonaises. La révolution française a donné le signal à tous les peuples opprimés.

Il est naturel que le roi Guillaume, dans ces conditions, en appelle aux rois et aux princes ses cousins, puisqu'il ne peut seul maintenir l'ordre. Le roi de Prusse, qui depuis 1815 est présent sur le Rhin, se dit prêt à intervenir. Le tsar mobilise une armée en Pologne pour la lancer sur la Belgique. Les insurgés belges savent qu'ils sont à la merci d'une intervention étrangère. Ils se retournent vers la France. Seule la France, se disent-ils, peut les sauver. Certains patriotes belges souhaitent même se rattacher à la France et le font savoir à La Fayette. Les républicains français sont tentés. Quelle revanche sur le congrès de Vienne si la Belgique devenait française ! Mais La Fayette et les républicains ne sont pas en mesure d'aider efficacement les Belges. Un certain Louis-Philippe est assis sur le trône de France, depuis août.

Les Belges ont rudement combattu à Bruxelles. Pendant quatre jours, les troupes de Guillaume ont été tenues en échec.

Elles ont été enfermées dans le parc, neutralisées. Les insurgés sont vainqueurs. Mais leur victoire ne débouche sur rien, parce qu'ils sont à la merci d'une intervention extérieure. Pour l'Europe des princes, le rattachement de la Belgique à la France est impensable. On a justement créé le royaume de Hollande pour faire échec à toute tentative française vers le Rhin. Et d'ailleurs la plupart des patriotes belges ne veulent pas de ce rattachement. Ils ne veulent pas changer de maîtres.

Cependant Louis-Philippe ne peut pas manquer d'intervenir. Il ne peut laisser les Russes et les Prussiens écraser à sa porte un petit peuple fier. Il ne peut envisager une nouvelle guerre européenne pour la Belgique. Que faire ? S'entendre avec l'Angleterre. C'est le seul moyen de régler le problème belge, se dit Louis-Philippe. L'Angleterre aussi veut une Belgique indépendante. Elle ne veut personne à Anvers. Il n'est pas impossible de s'entendre avec les Anglais.

Et Louis-Philippe envoie à Londres un bien curieux ambassadeur, « vieillard tout cassé semblable à un lion mort ». Il y est acclamé longuement. C'est M. de Talleyrand. Choix heureux : il a jadis négocié pour la France, au congrès de Vienne. Il a préparé en 1814 le retour des Bourbons. S'il est un homme capable de s'entendre avec les Anglais, c'est bien Talleyrand.

Difficile négociation : Talleyrand doit d'abord rassurer. La France, dit-il, « répudie au dehors le principe d'intervention dans les affaires intérieures de ses voisins ». Son interlocuteur à Londres ? C'est Wellington, le vainqueur de Napoléon. On se retrouve décidément entre vieux complices. Wellington accepte le principe d'une conférence européenne sur la Belgique. Comment la Prusse et l'Autriche ne répondraient-elles pas à cette invitation ? Quant au tsar, l'insurrection de Varsovie l'occupe suffisamment. Il n'est plus en mesure d'intervenir. Et pourrait-il intervenir tout seul ?

Le 4 novembre les principales puissances européennes sont réunies à Londres. Entre-temps le ministère Wellington est tombé. Des whigs libéraux sont au pouvoir. Ils sont vigilants, certes, mais ils ne sont pas hostiles à quelques changements sur la carte des traités de Vienne. Le congrès de Londres se hâte de reconnaître l'indépendance belge, et pour les insurgés c'est l'essentiel.

Mais quel régime auront les Belges ? Ils demandent un roi. Le 22 novembre le congrès national belge, régulièrement réuni, décide que la Belgique doit être, tout comme la France, une monarchie constitutionnelle. Le roi Guillaume de Hollande est furieux. L'Europe tout entière l'abandonne. Il envoie sa flotte bloquer les ports belges. Les puissances réunies à Londres lui font savoir qu'il ne doit pas compter sur une aide armée, et qu'il doit cesser de menacer les Belges.

Les puissances cependant se demandent si la meilleure solution ne serait pas d'offrir le trône de Belgique à un prince de la famille d'Orange-Nassau. C'est l'avis de Talleyrand : le prince d'Orange est le meilleur candidat. Il n'en est pas question, disent les patriotes belges, nous ne voulons plus de cette famille.

Où trouver un roi ? Les Anglais proposent le prince Léopold de Saxe-Cobourg. Il est allemand, et veuf d'une princesse anglaise. Le Premier ministre anglais plaide chaleureusement pour Léopold. Mais à Paris la Chambre s'agite. Les députés de gauche, les libéraux trouvent inadmissible que le gouvernement n'aide pas les peuples insurgés à établir leur indépendance. La conférence de Londres ressemble comme une sœur au congrès de Vienne. Et si l'on demandait un peu l'avis des Belges ? Les nations nouvelles sont à la mode, furieusement. Des manifestants, sur les boulevards, crient « Vive la Pologne », ou « Vive la Belgique ! » « Aux Polonais tout mon amour », chante Bérenger. On chante aussi *La Varsovienne,* de Casimir Delavigne. Les journaux soutiennent à fond la cause des insurgés : « Intrépides Belges, vaillants Polonais, Italiens dévoués, écrit *Le Constitutionnel,* le peuple français s'avancera au milieu des autres peuples, ses frères en droits, en devoirs, en courage, le peuple français poussera de sa voix frémissante le cri libérateur « aux armes ! aux armes ! » »

Faut-il faire la guerre pour la Pologne et pour la Belgique ?

Un courant guerrier réunit à Paris les catholiques libéraux et les démocrates républicains. Ils poussent le gouvernement à la croisade. Va-t-on laisser un demi-Anglais monter, à nos portes, sur le trône belge ? S'il faut à tout prix un roi aux Belges, pourquoi ne prendraient-ils pas un Français ? Le duc de Nemours, le second fils de Louis-Philippe, est justement disponible. Naturellement les républicains ne proposent pas cette solution. Ils parlent de nouveau d'annexion, ou de partage. Mais la candidature du duc de Nemours est avancée avec suffisamment d'insistance pour qu'on en parle à Londres. Les Anglais ne veulent pas en entendre parler. « M. le duc de Nemours ou la réunion à la France sont une seule et même chose, et cette chose entraînerait inévitablement la guerre. » C'est Lord Grey qui en avertit Talleyrand.

Mais les Belges ? Ils prennent l'initiative. Le congrès national émet un vote, le 3 février 1831. Il élit le duc de Nemours par 97 voix contre 74 au duc de Leuchtenberg, fils d'Eugène de Beauharnais. Pas une voix pour Saxe-Cobourg. Et le congrès envoie une délégation à Paris pour demander l'acceptation du duc de Nemours.

Les menaces anglaises se font plus précises. A Louis-Philippe, flatté et tenté par la proposition des Belges, Talleyrand rapporte les propos de Grey et de Palmerston. Louis-Philippe connaît bien l'Angleterre. Il sait que Talleyrand ne bluffe pas. Il n'a aucunement l'intention d'envisager une guerre. Le roi tricolore n'est pas un roi guerrier. Il fait officiellement savoir aux Belges, le 17 février, qu'il ne peut accepter leur proposition.

D'ailleurs la situation politique se modifie en France : au ministère désordonné de Laffitte succède Casimir Perier, un grand bourgeois libéral qui rétablit l'ordre à l'intérieur et s'affirme, à l'extérieur, le partisan déterminé de la paix et de l'alliance avec l'Angleterre. « Comme nous sommes joyeux que Casimir Perier soit nommé, écrit Palmerston le 15 mars, maintenant nous pouvons espérer la paix à l'extérieur et à l'intérieur de la France. » Aussitôt Perier proclame le principe de non-intervention dans les affaires européennes. Les Belges, qui n'ont toujours pas de roi, se sentent abandonnés, trahis par les libéraux français.

Perier se rallie aux conclusions de la conférence de Londres, qui a proposé au nouvel Etat des frontières et un roi. Oui, il faut, dit-il à Bruxelles, que les Belges acceptent Léopold de Saxe-Cobourg. C'est le seul moyen de sortir de l'impasse et de maintenir la paix. Et les Belges acceptent. Le congrès national vote le 4 juin pour Léopold, le beau-frère du duc de Kent. Une consolation pour les Français : Léopold épouse une princesse d'Orléans, Louise, la propre fille de Louis-Philippe.

Le 26 juin les Belges acceptent le traité des dix-huit articles : la Belgique sera perpétuellement neutre sous la garantie des puissances. Le 21 juillet Léopold Ier entre à Bruxelles.

Mais Guillaume, le roi de Hollande ? Il n'accepte pas, il n'accepte rien. Le 2 août il envahit la Belgique avec son armée. Il faut une intervention française et anglaise pour libérer le pays et dégager Anvers. L'action est rapide, décisive. La France ne demande rien pour prix de ses services. Elle quitte, dit-on, la Belgique « sans avoir détruit le lion de Waterloo ».

Du moins le petit royaume est-il assuré de son avenir, même s'il n'a pas obtenu les frontières qu'il espérait. La France a laissé écraser la Pologne et n'est pas intervenue en Italie. Mais en faisant la politique de l'Angleterre, elle a réussi à constituer sur la terrible frontière du Nord un Etat ami dont la neutralité est alors garantie par la première puissance mondiale. Cette neutralité ne sera violée qu'en 1914, par les Allemands.

32.

LE FORT DE HAM

Le fort de Ham, en Picardie, n'est pas un endroit confortable. Construit au XVe siècle dans la plaine nue, entouré de marais, glacé l'hiver, il est flanqué de quatre grandes tours rondes et ceint de remparts aux pierres sombres. Deux casernes de brique dans la cour intérieure. C'est là, dans une de ces casernes prolongée par un pavillon à un étage, et non pas dans le donjon sinistre de la forteresse, que sont enfermés au XIXe siècle les prisonniers politiques.

L'un d'eux y est depuis six ans, bien oublié dans Paris. Il a été enfermé en 1840, avec son ami le docteur Conneau. Ils ont été condamnés pour conspiration. Il y a un troisième condamné. Un vieil homme de cinquante-huit ans qui était à l'île Sainte-Hélène avec Napoléon. Il s'appelle Montholon. Qui est donc le prisonnier ami de Conneau ? Toute la France le connaît, car il a plusieurs fois défrayé la chronique. Il s'appelle Louis Napoléon Bonaparte. C'est le neveu de l'Empereur, le fils de Louis de Hollande, Louis Bonaparte, et de la reine Hortense, fille de Joséphine et du général de Beauharnais. Il ressemble aussi peu que possible à son oncle. Il a l'air d'un jeune homme vieilli. Il a « le regard terne, la physionomie d'un rêveur éveillé, avec sa petite taille, son frac noir il a quelque chose de mesquin et d'étriqué ». On l'appelle dans les milieux libéraux « le nigaud impérial ». Il s'est comporté comme un éternel prétendant, dont les entreprises sont toujours malheureuses. Il a beaucoup lu, beaucoup voyagé. Sa mère lui a fait faire des études en Suisse. Il a parcouru l'Italie, l'Allemagne, l'Angleterre et même les Etats-Unis. En 1831 il a participé à l'insurrection italienne des Romagnes. Son frère y a laissé la vie. Il est un peu carbonaro, ami des patriotes italiens. Depuis la mort du duc de Reichstadt en 1832, il est l'héritier des Bonaparte, un héritier que Louis-Philippe ne prend pas très au sérieux, mais qu'il fait tout de même surveiller. En 1836 il a tenté de soulever l'armée à Strasbourg. Il n'a pas été condamné. Le gouvernement l'a exilé aux Etats-Unis. A Boulogne, en 1840, il a fait une nouvelle tentative, plus sérieuse. Cette fois il a été jugé et condamné. A la détention perpétuelle. C'est ainsi qu'il se retrouve au fort de Ham, avec deux de ses complices. Les autres sont emprisonnés à Doullens. Il leur envoie souvent des bouteilles de champagne.

La détention à Ham n'est pas trop dure. Elle s'est vite relâchée. Le ministre de la Guerre est le maréchal Soult. Après tout, il était à Waterloo, avec l'oncle. On accepte qu'il se promène librement dans le fort et qu'il écrive sans contrainte. Il peut même recevoir des visites et semer des fleurs sur les remparts. On autorise son valet de chambre Thélin à venir le rejoindre. Les visites se font de plus en plus nombreuses, anodines souvent, des voisins, le curé de Ham, le maire, le pharmacien Acar et le physicien Peltier. Quelques journalistes aussi, qui écrivent dans les feuilles de province, et puis le banquier du prince, ses notaires, ses avocats. Peu de personnalités marquantes, sauf Louis Blanc et Alexandre Dumas, un socialiste et un feuilletonniste. Le prince n'intéresse que les marginaux.

Il soutient pourtant fidèlement ses amis, et de ses deniers. Il doit entretenir ses camarades ou serviteurs prisonniers comme lui, les complices de Strasbourg et de Boulogne, comme Persigny et Montholon. Il n'a pas de ressources. Ses cent mille francs de revenus sont insuffisants. Il vend son cheval, sa propriété de Suisse, le talisman de Charlemagne, un saphir qui contient un morceau de la vraie croix, et que Napoléon a reçu du clergé d'Aix-la-Chapelle. Il vend aussi le camée d'Auguste que Bonaparte avait trouvé dans les ruines de Péluse. Et le lavabo de Louis XIV... Oui, le prisonnier est à bout de ressources, et les gens d'affaires ne l'aident pas. Décidément, cet homme n'est pas dangereux. On l'a autorisé à recevoir dans ses appartements sa lingère. Il faut bien être accommodant. Un condamné à perpétuité ! La lingère a un enfant. Le ministre de l'Intérieur dort sur ses deux oreilles.

Comment prendre au sérieux un candidat au trône qui ne publie des articles que dans *Le Guetteur de Saint-Quentin* et *Le Progrès du Pas-de-Calais ?* On devrait pourtant y regarder de près. Le prince y dévoile toutes ses idées politiques. Il est résolument partisan du suffrage universel et de la souveraineté populaire. Serait-il républicain ? Que non pas. Il n'aime pas la terreur. « Je ne puis m'empêcher de penser, dit-il, que si Robespierre eût vécu deux jours de plus, la tête de ma grand-mère l'impératrice Joséphine, de la meilleure femme du monde, aurait roulé sur l'échafaud. » Non, il le dit : « Je ne suis pas républicain, parce que je crois la république impossible aujourd'hui en présence de l'Europe monarchique et de la division des partis. » Il est pour le pouvoir d'un seul, à condition qu'il soit désigné par le suffrage populaire et qu'il s'entoure, pour gouverner, de toutes les capacités du pays. Il ne faut pas qu'un gouvernement de gens capables soit obligé de partir « au premier coup de sifflet des partis ». Le prince est pour la stabilité de l'exécutif. Il le dit aux lecteurs du *Guetteur de Saint-Quentin.* Il est pour la paix religieuse, pour une armée défensive, pour l'éclosion des nationalités en Europe, pour l'organisation de la production et le progrès rapide des sociétés. « Je passe, dit-il, mon temps à étudier, à réfléchir et à espérer. » Louis-Philippe n'a rien à redouter du « hussard aventureux », il est devenu une sorte de rêveur saint-simonien. Tous les rapports le confirment. Au reste sa santé se détériore. Il supporte mal la cinquième année de captivité. « La prison est une mort anticipée », écrit-il. Il se laisse aller au découragement. Le roi Louis son père intervient pour qu'il soit libéré.

Mais le gouvernement fait la sourde oreille. Il veut laisser le « hussard » à l'ombre. Le nom seul de Napoléon peut encore remuer les foules. On a vu des soldats de la garnison de Ham l'acclamer. Louis-Philippe consentirait à le libérer, à condition qu'il fasse acte d'allégeance, clairement. Mais cela, le prince ne peut l'accepter.

Alors, peut-il s'évader ? Le prince hésite, pour bien des raisons. On lui propose de se déguiser. Il refuse. Il connaît trop la police de Louis-Philippe, il ne veut pas tomber dans un piège qui permettrait à ses ennemis de le ridiculiser. Mais enfin 1846 commence. Le prince n'en peut plus. Il doit à tout prix sortir. Ses amis les plus chers ont l'air convaincus que sa libération est impossible. Jamais Louis-Philippe n'admettra la présence, dans un pays voisin, d'un nouveau duc d'Enghien. Le pouvoir de la monarchie de Juillet s'est beaucoup détérioré. Le long ministère de Guizot fabrique tous les jours de nouveaux ennemis à Louis-Philippe. Les démocrates et les libéraux commencent une violente campagne pour l'élargissement du droit de vote, pour la réforme de la loi électorale. « La France s'ennuie », dit Lamartine. Elle a besoin d'être réveillée. Le moment est venu pour Louis-Napoléon de se faire connaître dans le public, autrement que par ses articles du *Progrès du Pas-de-Calais*. Il doit se trouver une clientèle politique, et se préparer à entrer dans la lutte. Il ne doit rien attendre du gouvernement Guizot. Sa libération n'est pas proche. Il ne voit pas comment il pourrait être libéré. Il est le masque de fer de la monarchie de Juillet.

Mais comment sortir de Ham ? L'évasion paraît impossible. Un commissaire de police et un commandant le surveillent en permanence. On leur a recommandé, au début de 1846, de redoubler de vigilance. Ils changent constamment les gardes et les militaires de garnison, ils ouvrent le courrier, surveillent les colis. Tous les visiteurs doivent se présenter à la loge d'entrée après avoir franchi un pont-levis. Un sergent planton se tient derrière une porte à guichet. Le visiteur est introduit par une sentinelle et accompagné. Le pavillon où le prince est logé a deux portes successives derrière lesquelles se trouvent en permanence des gardiens. Tous les soirs, avant d'aller se coucher, le commandant du fort ferme lui-même l'une de ces lourdes portes et repart avec la clé dans sa poche. Comment peut-on s'évader de Ham ?

Pourtant le 25 mai 1846, le prince Louis-Napoléon Bonaparte s'est évadé du fort de Ham. La nouvelle plonge le gouvernement dans la stupeur, surprend les journalistes, étonne même les amis du prince. Comment, diable..., se dit Guizot, comment a-t-il pu nous tromper à ce point ?

Le prince a minutieusement préparé son affaire. Le docteur Conneau et le valet de chambre Thélin ont été mis dans la confidence. Pas Montholon, dont Louis-Napoléon se méfie. Conneau et Thélin surveillent minutieusement les entrées dans le fort. Sous des prétextes divers, ils approchent du poste de garde et remarquent le manège des factionnaires. Il est difficile d'entrer. On vérifie l'identité des gens. On consigne l'heure d'arrivée, on demande des papiers. Par contre ceux qui sortent ne sont pas vérifiés. Il suffit donc de trouver un déguisement, qui permette de franchir tranquillement le guichet et le pont-levis.

Le prince finit par se rallier à l'opinion de Conneau. Il se déguisera en ouvrier. Mais auparavant, il faut, dit le bon docteur, une préparation psychologique. Le prince se fait envoyer de Paris des lettres d'amis influents disant que sa libération est proche. Il sait que tout son courrier est ouvert et lu par le commandant. Une lettre annonce une prochaine amnistie avant les élections. Il s'agit d'endormir la méfiance du commandant. Pourquoi soupçonnerait-il de vouloir s'évader un prisonnier qui se croit prochainement libérable ?

Puis le prince demande que l'on réalise certains travaux dans son appartement. Le 18 mai un entrepreneur et un officier du génie se présentent. Une équipe d'ouvriers arrive. Conneau et Thélin les surveillent. Ils sont soigneusement comptés et scrutés par les gardiens quand ils arrivent et quand ils partent. On ne les autorise pas, à l'intérieur du fort, à circuler en dehors du lieu des travaux. Le commandant assiste lui-même à leur inspection, tous les soirs. Toutefois, remarque Thélin, ceux qui sortent seuls parce qu'il leur manque un outil ou un sac de ciment ne sont pas vérifiés. Thélin se procure des vêtements d'ouvrier. Il achète une chemise de toile, un pantalon, une casquette de drap et deux blouses. Ainsi le prince n'emprunte pas, contrairement à la légende républicaine, l'identité d'un ouvrier appelé Badinguet. Ses vêtements sont introduits dans le fort par les soins de son valet de chambre.

Le 23 mai, Louis-Napoléon obtient de Sir Robert Peel et de Lady Cramford qui lui rendent visite le passeport anglais d'un de leurs domestiques. Il dit qu'il en a besoin pour envoyer son valet de chambre en Angleterre. Le lendemain, 24 mai, il écrit au curé de Ham pour lui demander de reporter la messe qu'il devait célébrer le lendemain 25 dans le fort, et au pharmacien Acar son ami, qu'il remercie de son hospitalité. Le prince est prêt à partir. Il sait qu'il ne doit plus tarder. Les ouvriers ont presque achevé leur travail. Le 25 justement le commandant du fort est enrhumé. Il ne doit se lever que vers sept heures. Il n'a pas fermé la veille la porte de l'appartement du prince, qui était fraîchement repeinte. Le matin du 25, de très bonne heure, Louis-Napoléon se rase de frais, se coupe la moustache, se met du rouge végétal sur le visage, une perruque très brune sur la tête. Il prend la casquette toute déformée, les habits de travail sur lesquels on a répandu du plâtre. Il a une pipe de terre à la bouche, et des sabots garnis de paille. Il a demandé au préalable pour son valet de chambre Thélin la permission de sortir pour qu'il aille faire des courses à Saint-Quentin. Thélin est prêt, lui aussi. Il invite les ouvriers à venir boire un coup dans la salle à manger, pendant que le prince met la dernière main à son déguisement. Les ouvriers trinquent. Thélin va chercher au premier étage le chien du prince qui s'appelle Ham. Il redescend, avec le chien, suivi du prince qui porte une planche sur l'épaule. Il voit un ouvrier, hésite un instant. « Allons donc », lui dit Conneau, qui le suit. A la porte, Thélin bavarde avec un des gardiens. Le prince sort sans hésiter. Le gardien lui tourne le dos. Brave Thélin ! Le second gardien a un geste brusque pour éviter la planche que porte le prince. Il franchit ce dernier obstacle.

Le voilà maintenant dans la cour. Un ouvrier le suit, comme pour lui parler. Thélin voit le danger. Il l'interpelle. « Retourne à l'appartement, dit-il, le chef a besoin de toi. » Le prince continue. Il aperçoit une première sentinelle. Il tremble d'émotion, laisse échapper sa pipe en terre, qui se brise au sol. Il ne perd pas son sang-froid. Il se baisse, ramasse un à un les morceaux, passe devant le sergent de garde, qui lit une lettre. Quant au portier, il regarde le chien de Thélin. Le prince est maintenant devant la porte.

« Ouvre-moi donc », dit-il d'une grosse voix.

Le garde hésite ? Mais ce n'est pas la première fois que son chef lui a dit de laisser passer les ouvriers. Il ouvre. Louis-Napoléon, avec sa planche sur l'épaule, est maintenant sur le pont-levis. Il y a là l'officier du génie et l'entrepreneur qui regardent des plans. Il tremble de nouveau. Mais ils n'ont pas un regard pour lui. Deux ouvriers arrivent, venant de l'extérieur.

« Qui est celui-là ? » dit l'un d'eux, ne reconnaissant pas son visage. Le prince change précipitamment la planche d'épaule, pour cacher son visage.

« Ah ! c'est Bertout », dit un des hommes.

La route est libre. Il est dehors. Il va droit dans la direction de Saint-Quentin. Il fait deux kilomètres puis s'écroule, mort d'émotion, devant la croix du cimetière.

Thélin est allé chercher un cabriolet à la ville. Il est là, il arrive. Louis-Napoléon prend les rênes. A Saint-Quentin ils louent une chaise à deux chevaux qui les conduit à Valenciennes où ils prennent le train pour la Belgique.

Au fort, rien n'est découvert. Conneau a mis un mannequin dans le lit du prince. « Il est malade », dit-il. Toute la journée, le commandant n'y voit que du feu. Quand il découvre, au soir, l'évasion, le prince est déjà à Bruxelles.

De là il passe en Angleterre, revient en France après la révolution de 1848. Il est élu député à la Constituante et plus tard président de la République avant d'être l'empereur Napoléon III. Dix-huit ans après 1830, la révolution parisienne était de nouveau confisquée. Le maçon de Ham était devenu empereur.

33.
LES MASSACRES DU LIBAN

Qui veut les nouvelles, les dernières nouvelles, les massacres du Liban ?... C'est à Paris, sur les boulevards. Les lecteurs du *Figaro,* du *Charivari* ou de *L'Illustration* se précipitent. Les nouvelles courent vite sur les boulevards, et le public est friand de nouvelles internationales. Le Liban, où est-ce ? En Orient, parbleu. On vient de faire la guerre en Crimée. L'Orient ne laisse pas le pays indifférent. Pour un Parisien de 1860, l'Orient, c'est encore le Grand Turc.

Et le Grand Turc, traditionnellement, passe pour massacrer les chrétiens. Pourtant les Bonaparte ont des faiblesses pour les Turcs. Le dernier surtout. Il fait des bassesses pour avoir l'amitié de la « Sublime Porte » comme on dit. Il envoie ses meilleurs ambassadeurs, les bras chargés de présents.

Qu'apprend-on dans les journaux ? Une bande de maronites, en mars, a pillé les villages druses. Les Druses sont des montagnards musulmans. Mais de drôles de musulmans, plus près des Iraniens que des Turcs. Ils n'hésitent pas à boire du vin, à manger du porc. Mais quand la guerre éclate, ils sont rapides au fusil, infatigables au combat. Quant aux maronites, ce sont des chrétiens, mais de drôles de chrétiens. De ceux que Rome n'admet pas, avec des prêtres mariés, un gouvernement d'évêques, un rite oriental très spécial. Mais enfin ils sont chrétiens, comme les Druses sont musulmans. Quand les Druses tuent trois maronites en représailles, le 27 avril, et attaquent les communautés chrétiennes, l'Occident s'indigne. Le pacha dit que c'est la faute du comité chrétien de Beyrouth, qui pousse les maronites au crime. Le pacha vient s'installer avec ses soldats turcs au pied du Liban. Et les massacres commencent.

Pendant trois jours, les Turcs brûlent les villages chrétiens de la montagne, trente-deux villages. Il sabrent les habitants. Les consuls anglais et français à Beyrouth protestent. Kourchid Pacha leur répond que les évêques ont poussé les maronites à la violence, et qu'il doit protéger les Druses. Les Druses sortent alors de leurs villages, et montent à l'assaut des couvents et des villages de la côte. Ils brûlent et pillent. Les habitants s'enfuient vers Saïda, pour chercher aide. Les Druses les rattrapent et les massacrent. Ils tuent tous les catholiques qu'ils trouvent, et pas seulement les maronites. Un père jésuite est assassiné. De nouveau les consuls se plaignent. De nouveau Kourchid Pacha se dérobe, et ses soldats laissent les Druses rentrer tranquillement chez eux. Au mois de juin, à Deir el Kamar, les Druses attaquent de nuit. Les maronites se réfugient dans le sérail, transformé en caserne. Les Turcs les désarment, puis ils ouvrent la porte du sérail aux Druses qui massacrent tout ce qu'ils trouvent. L'émotion est grande dans les ambassades. Mais l'ambassadeur anglais à Constantinople soutient les Turcs et couvre les Druses. C'est la faute des évêques, dit-il.

Juillet, à Damas, capitale de la Syrie, alors peuplée de 130 000 musulmans et de 20 000 chrétiens. Tous les chrétiens, et pas seulement les maronites, sont massacrés par les musulmans auquels se joignent les policiers turcs. Les couvents catholiques sont violés, incendiés, et même une mission protestante. Les chrétiens réfugiés dans les églises sont massacrés. Le consul anglais s'indigne. On a touché aux protestants ! Mais le gouverneur Achmet refuse d'intervenir. Il n'y a guère que l'ancien ennemi de la France en Algérie, exilé à Damas, Abd el Khader, pour ouvrir sa maison aux chrétiens terrorisés. Les autres sont abandonnés.

L'émotion à Paris est considérable, ainsi que dans toute l'Europe. Mais que faire. La France protège traditionnellement les chrétiens d'Orient, de même que le tsar. Mais par ailleurs Napoléon III se dit le protecteur de l'Islam ; il a créé en Algérie — dont personne ne savait que faire : c'est un boulet aux pieds de la France écrivait-il à Persigny — un « grand royaume arabe », « pour ne pas, dit-il, sacrifier deux millions d'indigènes à deux cent mille colons ». Il a d'autre part soutenu l'entreprise de Lesseps, qui rêve de percer l'isthme de Suez et d'obtenir pour la France, sur la route des Indes, une position stratégique incomparable. Il y a peut-être chez Napoléon III, ce grand rêveur, la volonté de créer une vaste zone d'influence française en Méditerranée. Il doit pour cela ménager l'Islam.

Mais enfin le sultan est incapable de protéger les chrétiens, et le pouvoir de Napoléon III dépend largement de la bonne volonté des catholiques. Il les indigne par ses rapports difficiles avec le pape. Il encourage, contre lui, l'unité italienne. Le pape va perdre définitivement son domaine temporel. Il doit donner aux catholiques des satisfactions, surtout quand les Turcs et les Druses fanatiques égorgent en Orient les chrétiens par centaines.

La France a beaucoup d'intérêts au Liban. Des intérêts religieux, des écoles, des monastères, des missions, et des intérêts commerciaux. Il y a longtemps que les soyeux lyonnais exportent vers l'Orient. Ils ont tissé avec le Liban des relations si amicales que plus d'un notable lyonnais vient y résider à la belle saison. Nombreux sont les Libanais qui parlent notre langue. Il ne faut pas abandonner le Liban chrétien, dit-on de toutes parts à l'empereur.

Mais les Anglais se souviennent de l'affaire d'Alger. Ils sont particulièrement vigilants. Toute menace sur la route des Indes leur paraît suspecte. Ils ont assez travaillé à écarter les Russes des Détroits pour ne pas admettre la présence française en Orient. Les Anglais savent que la France du Second Empire a parfaitement les moyens d'intervenir. Elle l'a fait récemment, en Extrême-Orient. La marine impériale est des plus modernes. Elle comprend des vapeurs cuirassés, bardés de tourelles, des équipages aguerris. Elle a formé une armée d'Afrique, et surtout des corps de fusiliers marins, l'infanterie de marine, qui sont entraînés à ce que l'on appelle aujourd'hui les opérations de commandos. Oui, les Français sont dangereux.

L'empereur, avant d'agir, réunit à Paris une conférence internationale. Il y a, dit-il, urgence. On massacre tous les jours des Occidentaux au Liban, des prêtres, des voyageurs, des missionnaires. On a même attaqué un consulat. Les ambassadeurs étrangers, même l'anglais, admettent que la France peut être chargée par les puissances « d'aider le sultan de Constantinople à rétablir la paix ». Mais l'Angleterre a posé ses conditions : la France agira au nom de toutes les puissances, sans intérêt personnel et son intervention sera limitée à six mois. « Vous allez, dit l'empereur à ses soldats, non faire la guerre à une puissance quelconque, mais aider le sultan à ramener dans l'obéissance des sujets aveuglés. » Des casques bleus, en quelque sorte.

A-t-on demandé l'avis du gouvernement turc ? Nullement. Il s'en étonne. Il est trop faible pour s'opposer à l'expédition mais il essaye de gagner du temps. Il dit qu'il va punir lui-même les coupables. Un envoyé du sultan, Fouad Pacha, se rend à Damas. Il a carte blanche pour punir. Il ne s'en fait pas faute : des malheureux sont arrêtés dans la rue, rassemblés, sommairement jugés. 3 sont fusillés aussitôt, 57 sont pendus, 325 s'en vont au bagne, 145 sont chassés du pays. Qui sont les victimes ? Des comparses, des gens du petit peuple qui avaient le tort de se dire musulmans. Sans doute croyaient-ils ainsi échapper aux poursuites !

Où sont les responsables des massacres, demandent les consuls européens ? Ou est Achmet, ce gouverneur qui a laissé tuer les chrétiens par milliers dans Damas ? Il a été fusillé à l'aube, répond Fouad, il est déjà enterré. Nul ne peut voir son corps. Et Kourchid ? Il est arrêté, dit Fouad. C'est vrai Kourchid a été arrêté à Beyrouth, avec quelques chefs druses... mais ils n'ont pas été fusillés. Ils vont passer en jugement, assure-t-on.

A la fin du mois d'août 1860 6 000 marsouins débarquent sur la côte syrienne. Ils sont décidés à attaquer les villes, comme au bon vieux temps de l'expédition d'Egypte. Oui, ils veulent casser du Turc. Mais le commandant les arrête. Il faut tout faire, leur dit-il, en liaison avec les Turcs. Il demande à voir Fouad. « Nous venons ici, lui dit-il, pour aider votre maître le sultan à rétablir l'ordre. Mes instructions sont d'agir en étroit accord avec vous. Par conséquent, vous ne me quitterez plus. »

Voilà Fouad quasiment prisonnier. Il joue le jeu, feint d'éclairer les Européens. Les rebelles sont dans la montagne, dit-il. Et les Français se mettent à l'œuvre. Les caravanes prennent la direction des monts du Liban avec de l'artillerie portée à dos de mulets. Les Turcs de Fouad sont aussi de la partie.

« Où sont les Drusess ? » gronde le commandant. Fouad demande qu'on laisse ses soldats les poursuivre. Ils sont plus mobiles, plus légers, ils connaissent mieux la montagne. Les Français — on est en août — sont épuisés par la chaleur. Le commandant consent. Mais les Druses sont insaisissables. Les Turcs reviennent sans les avoir atteints. Les ont-ils laissés échapper ? Le commandant est sûr que les guerriers druses sont en alerte, partout dans les villages. Mais dès que ses troupes entrent dans un village, les Druses sont partis. Ils n'attaquent que par surprise, des éléments isolés. On ne peut les contraindre à la bataille. Et quand on réunit la population civile d'un village, les Turcs ne se décident pas à rechercher des coupables. Ils font constamment le jeu des Druses.

A Beyrouth des représentants des puissances européennes se réunissent pour dresser le bilan des massacres et des pillages : la liste est impressionnante. Il y a eu 6 000 victimes au Liban, 5 500 à Damas. Plus de 150 villages ont été brûlés. Où sont les responsables, qui va payer ?

Le sultan répond qu'il faut s'adresser à Fouad. Fouad comprend qu'il doit agir. Il fait arrêter quelques Druses. Le commandant du corps expéditionnaire proteste. Alors Fouad en rafle 7 à 800. Il retrouve Kourchid, qui n'avait pas été jugé, et le fait condamner... à la prison perpétuelle. Ses officiers sont aussi condamnés. Les Occidentaux restent sceptiques. Qui leur dit que les Turcs ne vont pas les libérer, sitôt qu'ils seront débarrassés du corps expéditionnaire ?

On exige des réparations. Les maronites y ont droit. Où trouver l'argent ? dit Fouad, les caisses du sultan sont vides. Qui va payer ? Les Druses ? Ce sont des montagnards pauvres. Il faut du temps, beaucoup de temps pour indemniser les maronites... A Damas les commissaires européens se montrent exigeants. On a pillé, disent-ils, il faut fouiller les maisons des voleurs, et restituer de force les biens volés. « Oserez-vous, dit Fouad, fouiller une ville entière ? Je ne garantis pas, dans ce cas, le maintien de l'ordre. Voulez-vous avoir tous les Syriens et tous les Libanais comme ennemis ? » Les commissaires n'obtiennent rien. Le temps passe. Fouad promet, écoute patiemment le commandant, et ne donne rien.

Six mois ont passé. L'Angleterre s'impatiente. Elle demande le retrait du corps expéditionnaire. « Mais rien n'est réglé, dit le ministre français Thouvenel. Si nous partons, nous exposons de nouveau les chrétiens à des massacres. Nous ne pouvons pas partir sans avoir établi un pouvoir fort et responsable. » On en convient. « A tout le moins, disent les Anglais, retirez vos troupes sur la côte. Ou vous allez mettre en état d'insurrection tout le pays druse. » L'Angleterre protège l'intégrité de l'Empire turc. Elle ne peut admettre sur ses terres une occupation européenne prolongée.

Une nouvelle conférence se réunit à Paris car l'empereur Napoléon III veut en finir. Il est convenu que le corps expéditionnaire reste sur place tant qu'une solution n'est pas adoptée. Cette fois les Anglais se hâtent d'en finir. Ils proposent, d'accord avec le sultan, de retirer tout pouvoir aux chefs des maronites comme aux chefs des Druses. Seul le sultan doit exercer l'autorité dans ces pays. Les gouverneurs doivent être tous turcs. « C'est impossible, dit Napoléon III. Songez à ce que les gouverneurs turcs ont fait pendant les massacres. » Soutenu par le tsar, il exige qu'un gouverneur au moins soit chrétien. La Prusse soutient cette thèse, et l'Angleterre s'incline. Il est décidé qu'un gouverneur chrétien gouvernera le Liban, nommé pour trois ans par le sultan. Le Liban compte six districts administrés par des conseils élus par les communautés, avec police et tribunaux mixtes. Régime simple, imposé par les puissances, admis par la Sublime Porte. Le sultan nomme un Arménien, Daoud, qui fait merveille. Il n'y a plus de troubles au Liban.

Mais la presse parisienne n'en parle pas ou presque. Elle est déjà plus occupée à monter en première page les drames et les massacres que les règlements heureux. Pour une fois que la France avançait 6 000 hommes et une flotte de guerre pour rien, cela méritait peut-être d'être souligné. C'est toujours le sort des bonnes nouvelles, que de ne faire jamais les gros titres.

34.

LA RÉPUBLIQUE DU 4 SEPTEMBRE

2 septembre 1870 au soir, Palais impérial des Tuileries. L'impératrice reçoit un message chiffré en provenance de Bruxelles. C'est un télégramme, que l'on a traduit en clair : « Grand désastre, Mac-Mahon tué. L'empereur prisonnier. » L'impératrice tient le message secret, elle n'en parle à personne. Mais le lendemain 3 septembre la nouvelle de la capitulation arrive à Paris par les dépêches privées expédiées de Belgique.

On apprend peu à peu les détails du désastre : après la défaite des armées d'Alsace, l'empereur avait pris lui-même le commandement d'une armée de réserve, celle qui attendait au camp de Châlons, pour enrayer l'avance des Prussiens. L'armée Mac-Mahon, battue en Alsace, tentait de rejoindre celle de Bazaine qui était dans le camp retranché de Metz. Mais il était finalement rejeté, et rejoignait vers Sedan Napoléon qui venait de Châlons, avec sa mauvaise armée de réservistes parisiens.

La bataille s'était engagée le 1er septembre. Une bataille d'extermination. Depuis l'Alsace, l'armée Mac-Mahon était sans arrêt poursuivie par les Prussiens, qui ne lui laissaient pas de répit. Ils attaquaient sans cesse, même à l'heure de la soupe. Dès le début du combat, Mac-Mahon avait été blessé et l'empereur était incapable d'exercer le commandement. Un adjoint, Ducrot, avait opéré, devant l'encerclement prussien, la retraite des troupes au nord de la Meuse, vers Mézières. A l'arrière, un petit groupe d'infanterie de marine avait défendu,

« jusqu'à la dernière cartouche », le village de Bazeilles. Les Allemands avaient coupé toute retraite vers le nord et les charges héroïques des chasseurs et des hussards de Margueritte et de Galliffet (« Ah ! les braves gens », disait le roi de Prusse) n'avaient pu rompre la tenaille.

Quatre cents gros canons allemands faisaient pleuvoir des obus sur Sedan. Sans arrêt. Un massacre. Napoléon III fit hisser le drapeau blanc et passer au roi de Prusse un billet : « Monsieur mon frère, n'ayant pu mourir à la tête de mes troupes, il ne me reste qu'a remettre mon épée entre les mains de Votre Majesté. » Et l'armée s'était rendue, sans condition, comme l'avait exigé Bismarck. Avec armes et bagages, 83 000 hommes. Seuls les officiers conservaient leurs épées. Les prisonniers étaient entassés dans une île de la Meuse. Ils y mangeaient leurs chevaux sous la pluie. Pour les Prussiens, la route de Paris était ouverte.

Paris ! La dépêche officielle de l'empereur à l'impératrice arrive enfin : « L'armée est défaite et captive, et moi-même je suis prisonnier. » Un par un les ministres arrivent aux Tuileries, affolés. « Le gouvernement de fait a cessé d'exister », tonne Jules Favre, un député d'opposition. L'opposition propose la déchéance de la famille impériale et la nomination d'un nouveau gouvernement par la Chambre.

On ouvre la séance de la Chambre à une heure du matin. Le chef du gouvernement, Le général Palikao, veut esquiver le débat, reporter la séance. Il veut prolonger la régence de l'impératrice. Mais Jules Favre lit une motion signée de vingt-sept députés de gauche : « Louis-Napoléon Bonaparte et sa dynastie sont déclarés déchus du pouvoir. » Le personnel de l'empire est accablé, il ne se défend plus. L'ancien chef de gouvernement Rouher murmure : « Il n'y a plus rien à faire, à demain la révolution ! » Les hauts fonctionnaires font leurs malles et brûlent leurs papiers.

Dimanche 4 septembre. Sur les murs de Paris, une proclamation annonce le désastre de Sedan. La foule la lit en silence. Elle n'a pas de réactions, elle est muette de stupeur. Qui défendra maintenant Paris contre les Prussiens ? Pourquoi avoir lancé la

France dans cette guerre absurde, sans les moyens de se défendre. Et l'on songe à ce ministre de la Guerre qui disait jadis à l'empereur : « Il ne manque pas un bouton de guêtre. »

Au petit matin, des groupes de révolutionnaires, de républicains, se sont donné rendez-vous. Ils ont travaillé, une partie de la nuit, pour assurer la relève du pouvoir. Les Gambetta, les Thiers ont leur idée sur la question. Vers dix heures la place de la Concorde est noire de monde : des ouvriers des quartiers de l'Est, des mécanos de Belleville ou de la Chapelle, des artisans du Marais, des gardes nationaux sans armes. Une concentration inquiétante. Que faire ? dit Schneider, président de l'Assemblée. Il demande des renforts au préfet pour protéger le Palais-Bourbon. Le préfet envoie ce qu'il peut : les agents, les inspecteurs et 800 gardes de Paris. Ils prennent position devant le Palais-Bourbon, sur le quai de la rive gauche, en face de la place de la Concorde. Des gendarmes à pied, des gendarmes à cheval barrent les ponts et les rues à l'arrière du palais. On sent bien que le destin du régime va se jouer là. Deux bataillons d'infanterie sont en réserve sur les marches du Palais-Bourbon. Mais ce sont de jeunes recrues sans expérience. Palikao se croit protégé. Il est à la merci d'un mouvement de foule.

Que veut la foule ? La République ; elle le fait bientôt savoir. A l'intérieur du palais, les députés siègent sans désemparer. Ils ne sont pas d'accord entre eux. Certains, comme le comte Palikao, voudraient sauvegarder les droits de la régence, éviter la remise en question du régime. D'autres, comme Favre, demandent la déchéance immédiate de l'impératrice et de son conseil. Mais le plus grand nombre sont des modérés qui suivent Adolphe Thiers qui demande la création provisoire d'un « comité de gouvernement et de défense nationale », réservant à demain la désignation du nouveau régime, après l'élection d'une Assemblée constituante. Une élection, avec les Prussiens qui arrivent devant Paris ? Ce n'est pas remettre la République à demain, c'est la renvoyer aux calendes !

Midi et demi. Un bataillon de la garde nationale est arrivé en renfort devant le Palais-Bourbon. L'épreuve de force va commencer. La foule demande des nouvelles de la séance, trépigne d'impatience quand on lui dit que les députés n'ont pas encore trouvé de solution, pas encore proclamé la déchéance.

C'est alors qu'arrivent les gardes nationaux. Ils sont en uniformes, en armes, mais ils viennent des quartiers de l'Est, ils sont pour la révolution. En silence, sans se découvrir, ils se présentent à l'entrée du pont de la Concorde, devant les piquets de gendarmerie. On les croit convoqués pour la défense, on les laisse passer. Une fois arrivés sur la rive gauche ils demandent aux questeurs de l'Assemblée de faire retirer les forces de police qui offensent le peuple, disent-ils. Le général qui commande au palais accepte de faire retirer les forces de police. Les gardes nationaux favorables à la révolution prennent donc position, en armes, juste devant le Palais-Bourbon. Sans tirer un coup de feu, ils sont déjà devant la place. A l'intérieur du palais, la séance est suspendue. On voit sortir la foule des tribunes les journalistes, les observateurs. Sur les marches, ils adressent des signes à la foule, sortent leurs mouchoirs, agitent leurs chapeaux, comme s'ils demandaient de l'aide.

Deux heures et demie. On attend toujours la sortie des députés, qui annoncent la déchéance. Rien ne vient. Alors les gardes nationaux républicains se présentent à la grille d'entrée. Les huissiers les repoussent. On parlemente. Enfin les huissiers consentent à les laisser passer, pour éviter l'assaut du palais. Une condition : qu'ils laissent leurs armes au vestiaire. Une centaine de gardes, abandonnant leurs chassepots, entrent dans le palais. Ils ne referment pas derrière eux les grilles. La foule les suit, compacte, menaçante. Les gens envahissent la cour, grimpent les marches, franchissent les couloirs, assiègent les tribunes. Personne ne s'oppose à cette invasion. Les jeunes soldats prennent peur, déposent leurs armes. Après tout, personne n'est armé. Les députés de gauche essaient de parler. Ils sont pour la légalité. « Vive la République, crie-t-on, nous l'avons assez attendue. L'aurons-nous ? — Sans doute, crie le député Ernest Picard, un jeune républicain, bourgeois, correct, avec sa redingote et son nœud papillon. Mais retirez-vous d'abord. » Les députés répugnent à délibérer sous la pression populaire. Un homme de gauche, Crémieux, affirme : « Je me suis engagé avec tous mes collègues de la gauche à faire respecter les délibérations de la Chambre. » Un autre, Léon Gambetta, solide, barbu, massif, s'adresse à la foule d'une voix tonnante. « C'est comme représentant de la révolution française que je vous adjure d'assister avec calme au retour des députés sur leurs bancs... Citoyens, une des premières conditions de l'émancipation d'un peuple, c'est l'ordre et la régularité. Nous nous sommes engagés à les respecter. Voulez-vous tenir le contrat ? » Personne ne lui répond. Quel patriote, ce Gambetta ! dit Schneider, le président de la séance. On attend les députés. Ils n'entrent pas. La foule s'impatiente. Schneider se couvre. Gambetta lance à la foule : « Patience ! les députés vont apporter le résultat de leurs délibérations. » Mais les députés n'arrivent pas. Ils n'osent pas entrer en séance. Ils ont peur. Seuls les députés de la gauche sont là. Alors on entend des vitres se briser, la salle des séances est envahie. Des gens se précipitent dans l'hémicycle, le poing levé, scandant : « déchéance, déchéance ! » On arrache les banquettes, on déchire les papiers. Gambetta monte seul à la tribune. Le président Schneider est sorti côté jardin.

« Attendu, dit-il, que la patrie est en danger, que tout le temps nécessaire a été donné à la représentation nationale pour proclamer la déchéance, que nous constituons le pouvoir régulier issu du suffrage universel libre, nous déclarons que Louis-Napoléon Bonaparte et sa dynastie ont à jamais cessé de régner sur la France. »

C'est fait. La déchéance de l'empire est proclamée. Thiers est débordé. Il n'a rien pu faire. « Nous vous avons attendu jusqu'à deux heures, lui dit un député républicain. Vous n'êtes pas prêt, le peuple n'attend pas. » Thiers non plus ne voulait pas de l'empire. Mais la république lui faisait peur, et les autres notables partageaient ses craintes. Mais il n'avait rien à proposer, rien à opposer au slogan « Vive la République » scandé par des milliers de poitrines. Les députés ne sont pas entrés en séance parce qu'ils avaient peur, mais surtout parce qu'ils n'avaient rien à dire.

Maintenant le Palais-Bourbon est vide. La foule a reflué. Par les quais, elle a gagné l'Hôtel de Ville. « Il faut constituer aussitôt un gouvernement provisoire », dit à ses collègues Jules Favre, homme d'ordre, homme de mesure. Et les députés se hâtent aussi de rejoindre l'Hôtel de Ville.

Pas de République sans proclamation à l'Hôtel de Ville. C'est une tradition des révolutions parisiennes. Tout se passe à l'Hôtel de Ville, comme en 1830, comme en 1848. Les républicains bourgeois sont conscients du danger. La République, c'est le seul moyen, pense Jules Favre, d'éviter la guerre civile. Dans le peuple, on estime que la droite a trahi, que les généraux ont trahi, que l'empereur a trahi. Seul un gouvernement révolutionnaire, comme en 93, peut sauver Paris des Prussiens. Gambetta l'a compris, qui parle sans cesse de la défense nationale. Il l'a dit à la tribune : « Allons proclamer la République à l'Hôtel de Ville ! » Et les députés de gauche, écharpe tricolore au vent, ont pris la tête du cortège, escortés par les gardes nationaux.

Quatre heures de l'après-midi. Un dimanche. L'Hôtel de Ville est désert. Il est gardé par un régiment. L'officier demande si la République est déjà proclamée : « Non, répond Gambetta. Nous venons ici pour le faire. Laissez-nous passer. » Et les soldats s'écartent. La foule pénètre à l'intérieur de l'Hôtel, sans piller, sans rien forcer. Tout est ouvert. On apprend que l'impératrice, qui est aux Tuileries, et dont personne ne s'est soucié, est partie en fiacre, on ne sait où. On apprendra plus tard qu'elle s'est réfugiée chez son dentiste, qui est Américain.

Et la République est proclamée. Dans la salle du trône. Trois proclamations l'annoncent, au peuple de Paris, à la garde nationale, à la nation française. Dans la rue la foule détruit tous les signes du régime impérial, les aigles, les « N ». Les gardes nationaux mettent des fleurs au bout de leurs fusils. Les cafés, les théâtres s'ouvrent. La rue s'emplit de flonflons et d'odeurs de guimauve. C'est la fête. On danse toute la nuit, pendant qu'à l'Hôtel de Ville, à partir de dix heures du soir, le gouvernement de la défense nationale tient sa première séance. Arago, un républicain modéré, est nommé maire de Paris. Jules Favre, un autre modéré, est ministre des Affaires étrangères. Gambetta est à l'Intérieur. Le gouvernement est dirigé par un général, le populaire Trochu qui, pour la circonstance, s'est habillé en civil. Les révolutionnaires sont exclus de ce gouvernement. Ils protestent en vain. L'heure n'est pas, leur dit-on, aux querelles politiques ni aux affrontements sociaux. Il faut défendre Paris, il faut sauver le pays. Ainsi la République reprend à son compte la guerre de l'Empire. Et elle veut la conduire jusqu'au bout. Va-t-elle décréter, comme le demandent les extrémistes de la « commune », la levée en masse et l'armement de tous les Français ? On murmure déjà, à gauche, que certains membres du gouvernement se préparent à rencontrer Bismarck, à traiter. Une révolution n'a pas été nécessaire, le 4 septembre, pour proclamer la République, mais si les républicains bourgeois font la paix, pourront-ils éviter la vraie révolution ?

35.

LE SIÈGE DE PARIS

Ils voudraient bien faire la paix, les républicains modérés qui suivent Jules Favre. Mais ils ont affaire, avec Bismarck, à un homme d'Etat qui n'est pas modérément impérialiste. Dès le 15 septembre Jules Favre rencontre Bismarck au château de Ferrières, que le baron de Rothschild a abandonné. Bismarck exige Strasbourg, toute l'Alsace, une partie de la Lorraine. « Strasbourg est la clé de notre maison, dit-il, nous voulons l'avoir. » Mais Jules Favre a déjà fait savoir publiquement qu'il était contre toute cession. « La France, a-t-il dit, ne cédera pas une pierre de ses forteresses, pas un pouce de son territoire. » Les négociations échouent. Jules Favre n'obtient même pas un armistice de quinze jours : Bismarck exigeait, comme garantie, la remise d'un fort dominant Paris.

Par force, le gouvernement républicain doit bien organiser la défense. Car le 18 septembre, deux armées allemandes se présentent devant Partis. Le gouvernement Trochu bat le rappel de tous ceux qui sont mobilisables. Il affecte à la défense les troupes de marine, y compris les artilleurs, les gendarmes, les douaniers, les agents de la police et même les gardes forestiers.

Paris est défendable. Il a conservé une vaste enceinte de trente-quatre kilomètres avec un rempart solide défendu par une ceinture de redoutes et de forts. Seize forts, sur cinquante-six kilomètres de périmètre. Oui, Paris peut se défendre. Mais ces fortifications, qui datent de Louis-Philippe, ne sont pas à l'abri des formidables canons prussiens, que l'on a vus bombarder Strasbourg, Sedan et Metz. Les canons Krupp. On construit hâtivement de nouvelles redoutes, surtout vers le sud. On fait entrer dans la capitale des stocks importants de vivres : du grain, du riz, des animaux : 30 000 bœufs, 180 000 moutons. De quoi tenir plus de deux mois : soixante et onze jours, évalue l'intendance.

Deux corps d'armée réguliers défendent la ville, l'un revient de Mézières — les débris de l'armée Mac-Mahon. L'autre se compose de réservistes, de nouveaux engagés, de démobilisés récupérés, de gardes forestiers, d'agents de police, au total 75 000 hommes à pied, 5 000 cavaliers, 128 batteries d'artillerie. On lève dans la Seine et dans les départements proches 115 000 gardes mobiles qui viennent s'ajouter aux 350 000 gardes nationaux de Paris.

Tranquillement, les Prussiens contournent Paris, pour trouver le point faible de la défense. Ils estiment possible une attaque au sud, et foncent sur le plateau de Châtillon. Un régiment de zouaves nouvellement constitué se débande. Les Prussiens occupent le fort. Ils ont déjà la hauteur qu'ils cherchaient à l'entrevue de Ferrières pour bombarder Paris sans risque. Au soir du 19 septembre les deux armées allemandes entourent entièrement la capitale. Trochu a fait entrer les troupes à l'intérieur des remparts. Le siège commence. Paris ne communique plus avec la province que par pigeons voyageurs ou par ballons.

Les Allemands sont 180 000 et le front s'étale sur quatre-vingt-dix kilomètres. Les assiégés sont trois fois plus nombreux, mais ils n'ont pas de troupes instruites, ni bien encadrées. Ils sont beaucoup moins bien armés. Trochu n'a aucune confiance dans son armée. Il ne peut tenter que des coups de main sans conséquence. Il a gardé dans les remparts toutes les bouches inutiles. Il sait qu'il ne pourra pas tenir longtemps. Il voit les Prussiens bien approvisionnés, bien nourris, se retrancher solidement et amener l'artillerie de siège. « C'est une héroïque folie », dit Trochu.

A quoi pense le gouvernement ? A faire des élections. Gambetta proteste. Nous ne sommes pas là pour faire de la politique, dit-il, nous sommes un gouvernement de défense nationale. Elire des députés en pleine guerre, sur le territoire en grande partie occupé, dans les villes assiégées, c'est une gageure. On reporte les élections. Mais à Paris ? Peut-on garder un conseil municipal hérité de l'empire ? Le gouvernement hésite. Les bourgeois modérés, comme Jules Favre et Jules Simon, ou encore Jules Grévy, ceux que Guillemin appelle les « Jules », redoutent que des élections, en plein siège, ne donnent le pouvoir à des éléments révolutionnaires, et qu'une commune de Paris ainsi élue n'ait plus de puissance que le gouvernement provisoire.

C'est que des bandes armées tiennent maintenant les rues. Il y a des orateurs populaires comme Blanqui, Delescluzes et de jeunes inconnus qui demandent une dictature et une « levée en masse » comme en 93. Les gardes nationaux des quartiers de l'Est, de Belleville surtout, sont la force armée de ce parti qui impressionne les bourgeois libéraux. Gambetta se sent assez proche de ces hommes nouveaux et demande des élections municipales, qui donnent satisfaction au peuple parisien. Déjà dans chaque arrondissement, spontanément, les démocrates révolutionnaires ont fait élire des « comités de vigilance » pour surveiller tous les agents du pouvoir et stimuler leur zèle. Ces comités ont élu un comité central qui se réunit dans les locaux de la Première Internationale ouvrière, rue de la Corderie. Le comité envoie des délégués à l'Hôtel de Ville, avec des commandants de bataillons de la garde nationale. Ils exigent des élections immédiates pour la commune de Paris. Les modérés refusent.

Les révolutionnaires parisiens sont de plus en plus inquiets, de plus en plus mécontents. Gambetta est parti en ballon pour Tours, afin d'y organiser la résistance armée. Mais les défaites succèdent aux défaites. Strasbourg tombe, le 27 septembre. Des armées improvisées résistent localement mais on apprenait le 27 septembre que l'armée de Bazaine, assiégée dans Metz, capitulait. Les révolutionnaires parisiens crient au scandale. Ils demandent, dans une « affiche rouge » les moyens de réquisitionner les vivres chez les commerçants, pour pouvoir nourrir la population assiégée. Flourens, qui commande la garde nationale de Belleville, vient à l'Hôtel de Ville à la tête de dix bataillons pour demander des élections, un pouvoir communal. Il veut aussi des chassepots pour ses hommes et une politique de guerre offensive. « Cet homme rêve de se faire général en chef », dit Trochu. Il demande des sanctions. Le gouvernement décide d'arrêter Flourens et Blanqui. Mais Blanqui se cache et Flourens rentre à Belleville. Qui pourrait aller l'y chercher ? Le 31 octobre, à la nouvelle de la capitulation de Metz, la foule a envahi l'Hôtel de Ville en criant : « Pas d'armistice, les élections, la commune ! »

Il faut réunir les bataillons de la garde nationale du quartier du Louvre pour dégager l'Hôtel de Ville où plusieurs membres du gouvernement sont retenus, insultés, menacés par les hommes de Flourens. Finalement on transige : le gouvernement promet des élections. Mais finalement Jules Favre exige un référendum : « La population de Paris, dit-il, doit dire si elle veut pour gouvernement MM. Blanqui, Félix Pyat, Flourens et leurs amis, ou si elle conserve sa confiance aux hommes qui ont accepté le 4 septembre le devoir de sauver la patrie. » Le plébiscite organisé le 3 novembre donne au gouvernement une majorité de 557 000 voix contre 62 000. Deux jours plus tard on élit un maire et trois adjoints pour chacun des vingt arrondissements. Et non pas une Commune de Paris. La plupart des maires et des conseillers élus sont pour le gouvernement, sauf ceux des quartiers ouvriers des 11ᵉ, 19ᵉ et 20ᵉ arrondissements. Toute manifestation révolutionnaire est désormais interdite dans Paris.

Et la guerre continue, de plus en plus décevante. Une sortie de Trochu sur Champigny échoue. La marche de l'armée de la Loire est interrompue par une offensive prussienne. Les notables, Thiers en tête, critiquent la politique de résistance à tout prix de Gambetta qui ruine le pays et ouvre la porte à la révolution sociale. « Le pays tout entier veut la guerre sans merci, réplique Gambetta, même après la chute de Paris. » Mais la tentative de Bourbaki pour dégager Belfort échoue. L'armée de la Loire, commandée par Chanzy, échoue près du Mans. Faidherbe, après un succès à Bapeaume, est mis en déroute près de Saint-Quentin. Paris peut-il encore tenir ?

A partir du 5 janvier les Allemands bombardent méthodiquement Paris par le sud. « Il faut amener la populace maîtresse de Paris à désirer une capitulation et la paix », dit le roi de Prusse. A Paris, plus de combustible, du pain de son noir, indigeste. On mange les chevaux, les chiens, les chats, les animaux du Jardin des plantes et même les rats. Les queues dans les magasins d'alimentation sont interminables. Tous les jours des enfants en bas âge meurent. Le 16 janvier une tentative de sortie sur Versailles échoue. Trochu démissionne le 18, à Versailles, le roi de Prusse est proclamé empereur d'Allemagne. Le 22, le gouvernement envoie Jules Favre à Versailles pour négocier avec Bismarck. Le 24, Bismarck accepte. Paris paiera une contribution de guerre. « Elle est, dit-il, une demoiselle assez riche et bien entretenue pour payer sa rançon. » La garde nationale sera désarmée, comme toutes les troupes. Le 28, l'armistice est signé. Paris l'accepterait-il ? Le gouvernement était à Bordeaux, une Assemblée élue siégeait à Versailles en mars. Gambetta avait démissionné. Thiers, l'artisan de la capitulation, était au pouvoir. Le 18 mars, soutenu par l'Assemblée à majorité royaliste qui venait d'être élue, il décidait de reprendre les canons que les gardes nationaux refusaient de rendre aux Allemands. Les canons étaient parqués à Montmartre et à Belleville. Les soldats chargés de les reprendre fraternisèrent avec le peuple et fusillèrent les généraux Lecomte et Thomas : Paris entrait dans l'insurrection.

Thiers, après l'affaire des canons, décide aussitôt d'évacuer la capitale. Il se souvient de 1830, de 1848. Il sait qu'une armée ne peut résister dans Paris.

Les gardes nationaux installent leur comité central à l'Hôtel de Ville, organisent des élections. Un conseil de la Commune élu groupe des socialistes comme Varlin et Vaillant, des jacobins comme Delescluzes, des amis de Blanqui, des anarchistes comme Jules Vallès. La Commune se donne le drapeau rouge, reprend le calendrier révolutionnaire, rédige un programme social, remet les loyers, les remboursements des prêts, mais n'ose pas utiliser les réserves d'or de la Banque de France ! La Commune a 160 000 hommes mais elle n'a pas d'argent.

Les chefs ? A part Rossel, ils manquent d'expérience. Ils disposent tout au plus de 30 000 combattants. Thiers a 130 000 hommes commandés par Mac-Mahon, levés avec l'approbation de Bismarck, des ruraux qui détestent les « mobiles parisiens », des prisonniers rapatriés. Une sortie des fédérés (ainsi appelle-t-on les soldats de la Commune) échoue le 3 avril. Les Versaillais fusillent sur place les prisonniers. Au Mont-Valérien.

Et le siège de Paris recommence, devant les Prussiens qui occupent les forts, fument leurs pipes et se ravitaillent grassement dans les campagnes. Les communards arrêtent des otages, des notables, des prêtres. Ils rasent la maison de Thiers, place Saint-Georges. Ils abattent la colonne Vendôme. Mais les forts d'Issy et de Vanves sont pris. Paris est menacé. Paris va tomber.

Thiers prépare minutieusement l'attaque, avec l'aide du général de Galliffet, qui commande les troupes d'assaut. On a fanatisé les soldats, en leur parlant des « crimes » des « communards ». Le 21 mai, les Versaillais entrent dans Paris par l'ouest. La porte de Saint-Cloud n'était pas gardée !

Trahison ? Non, épuisement, désordre, désespoir. La semaine sanglante commence, du lundi 22 mai au dimanche 28. Les forces populaires reviennent aux réflexes d'antan. Elles dressent plus de 500 barricades. La résistance est désespérée. « Plutôt Moscou que Sedan », disent les communards. Et ils mettent le feu, dans leur retraite, au palais des Tuileries, ancien siège du gouvernement impérial abhorré, à la Cour des comptes, à l'Hôtel de Ville. Paris est en feu, Paris brûle. Et les Versaillais continuent d'avancer. Les officiers, qui viennent de l'armée impériale, fusillent sans vergogne. Les communards répliquent en fusillant les otages qui sont en leur possession. L'archevêque de Paris, Mgr Darboy, tombe sous les balles. Et la résistance se poursuit pied à pied, barricade par barricade. Le dernier réduit est à l'est, sur les hauteurs de Belleville, au cimetière du Père-Lachaise. La répression est terrible : on fusille sur place tous ceux qui ont des armes, ou qui ont sur les mains des traces de poudre. On fusille aussi ceux qui sont dénoncés comme « communards ». Un député de Paris, Millières, qui n'avait pas pris part à l'insurrection, est fusillé sur l'ordre d'un officier sur les marches du Panthéon. Les gendarmes trient les prisonniers. Les « ordinaires » sont emprisonnés, les « classés » sont fusillés. Les morts ? 20 000 personnes, de source officielle. Pendant quatre ans la répression se poursuit. Les autorités enregistrent plus de 300 000 dénonciations. 1 000 femmes, 651 enfants sont gardés en prison. On entasse les prisonniers à Versailles, puis on les conduit dans les ports de l'Ouest, où ils sont gardés sur des pontons. Beaucoup finiront au bagne de Nouvelle-Calédonie, plus de 400. Ou en Algérie. Plus de 13 000 condamnations. A Paris la moitié des peintres, des couvreurs, des plombiers avait disparu. La révolution parisienne était décimée. Marx faisait paraître un ouvrage sur « la guerre civile en France » qui servirait pendant cinquante ans de modèle et de livre de référence aux révolutionnaires du monde entier. L'avenir, en France, était à une république conservatrice. Mais il y avait du sang sous ses fondations : celui des 20 000 fusillés.

36.

LA CRISE DU 16 MAI

16 mai 1877. Les crieurs de journaux parcourent les boulevards. « Le cabinet est par terre, demandez *Le Petit Journal.* Le cabinet par terre. Jules Simon a démissionné... » C'est vrai, le matin même le président du Conseil, Jules Simon, s'est rendu chez le Président de la République, le maréchal de Mac-Mahon, celui qui commandait les forces armées des Versaillais pendant la Commune. Et le président du Conseil, sans avoir subi un vote hostile de la Chambre des députés, a remis sa démission. Que se passe-t-il ? Entre Mac-Mahon, vieux maréchal d'Empire, et le républicain Jules Simon, il n'y a certes aucune sympathie politique. Mais dans la IIIe République naissante, le Président de la République n'a pas le pouvoir de « démissionner » son président du Conseil. Celui-ci ne quitte le gouvernement que s'il est renversé par la Chambre. C'est l'usage.

Gambetta, chef du parti républicain, comme on dit alors, proteste avec la plus grande énergie. C'est un abus de pouvoir. Pour qui se prend le vieux maréchal ? Pour Napoléon III ? « Vous savez, écrit-il, par quel acte singulier, et en dehors de toutes les traditions parlementaires, le Président de la République a frappé d'interdit tout un ministère qui n'avait été mis en minorité dans aucune des deux Chambres... » Cette prétention, juge Gambetta, est inacceptable par les républicains.

Que s'est-il passé ? Mac-Mahon a été désigné, après le renvoi de Thiers par l'Assemblée de Versailles (l'Assemblée des notables royalistes de 1871), comme président de la République. Thiers est tombé parce qu'il ne voulait pas d'une restauration monarchique : « Vous n'êtes pas un homme de notre temps », disait Gambetta au duc de Broglie, chef des royalistes. Mais le duc de Broglie avait obtenu des députés le renvoi de Thiers. La « république des ducs » n'avait pas renoncé à l'idée de ramener un roi sur le trône. Les bonapartistes, depuis la mort de Napoléon III en 1873, n'avaient pas de candidat. Il fallait en profiter, éliminer les républicains, C'est dans cet esprit que le vieux maréchal, duc de Magenta, avait accepté d'être Président. Il préparait la restauration et avait chargé le duc de Broglie de diriger le gouvernement.

Mais Broglie avait eu des malheurs. Le comte de Paris, candidat monarchiste, ne voulait revenir qu'avec le drapeau blanc. Singulière prétention, qui discréditait le candidat, et qui bloquait le parti royaliste. On ne pouvait restaurer la monarchie de 1815 dans un pays qui sortait d'une guerre civile et d'un écroulement national. Et le comte de Paris, héritier des Orléans, ne pouvait agir contre Chambord... Voilà les royalistes paralysés.

Ils croient avoir les moyens d'attendre, car leur partisan, Mac-Mahon, est désigné pour sept ans. Hélas ! le député Wallon introduit « furtivement » le mot de République dans les textes constitutionnels votés en 1875, grâce à un amendement adopté à une voix de majorité. De Broglie a été renversé. Et la nouvelle Chambre élue en 1876 a 360 députés républicains contre 155 monarchistes. Et Mac-Mahon a demandé à un homme de gauche de former le gouvernement. C'est Jules Simon. Mac-Mahon a dû le faire, parce que la majorité de la Chambre était devenue républicaine. Mais il ne l'a pas admis. Il a, dit-il, « consenti à accepter » Jules Simon. Il ne cherche qu'une occasion de s'en débarrasser. Les élections cantonales approchent. Il est grand temps, lui disent ses conseillers. Il profite d'une difficulté passagère de Jules Simon devant la Chambre pour lui demander des comptes. « Si je ne suis pas responsable, comme vous, devant le Parlement, lui écrit-il, j'ai une responsabilité envers la France. » Un Président de droite, un chef de gouvernement de gauche, soutenu par la Chambre. Et le Président renvoie son chef de gouvernement. Que va-t-il se passer ?

L'enjeu est d'importance : si Mac-Mahon l'emporte, la France républicaine évolue vers un régime présidentiel. Si les républicains l'emportent, ils imposent le régime parlementaire, où le gouvernement est directement responsable devant le Parlement. Mais, dans ce cas, le président de la République, élu des Chambres et non du pays, n'est plus qu'une potiche irresponsable.

A la Chambre, Gambetta fait voter un ordre du jour rappelant « la prépondérance du pouvoir parlementaire » et la « responsabilité ministérielle ». Mais Mac-Mahon désigne le 17 mai, comme chef de gouvernement, de Broglie. C'est un cabinet de droite, sans un seul républicain. Comment ce cabinet pourrait-il dominer l'Assemblée ? D'autant qu'il commence par donner lecture d'un message de Mac-Mahon : « Tant que je serai dépositaire du pouvoir, dit le maréchal, j'en ferai usage dans toute l'étendue de ses limites légales pour m'opposer à ce que je regarde comme la perte de mon pays. » Il n'a pu choisir, explique-t-il, qu'un gouvernement qui soit d'accord avec ses vues personnelles. Il s'attribue, en somme, le droit de choisir lui-même ses ministres. Si on ne le suit pas, dit-il, il dissoudra la Chambre pour faire des élections. D'ailleurs il ne veut pas qu'on discute son message. La Chambre actuelle est ajournée jusqu'au 16 juin. Le Président déclare la guerre au parti républicain.

Il fait contre lui l'union de toutes les tendances républicaines, des modérés aux radicaux, des « Jules » aux gambettistes. Un manifeste signé de 363 noms de députés est aussitôt adressé aux électeurs. « Un cabinet qui n'a jamais perdu la majorité dans aucun vote est congédié sans discussion », leur dit-on. Les républicains commencent une action de propagande en profondeur, parcourant le pays, multipliant les banquets, les réunions, les manifestations. Pendant ce temps de Broglie fait valser les préfets et les sous-préfets et les remplace par des conservateurs. La bataille est en vue.

Quand la Chambre rentre, le 16 juin, le conflit éclate aussitôt : « Le ministère est composé d'hommes dont la France a déjà condamné la politique, dit la gauche. Leur présence au pouvoir compromet la paix intérieure et extérieure. » Mais le ministre de l'Intérieur répond, au nom de Broglie : « Quand un désaccord éclate entre deux pouvoirs publics, la constitution a prévu le moyen dy mettre un terme, le recours au jugement du pays par la dissolution », et de conclure : « Nous sommes la France de 1789 se dressant contre la France de 1793. »

Quelle prétention, dit Bérenger au Sénat. Car Bérenger et Victor Hugo sont encore à cette époque sénateurs. « Vous n'avez pas, dit Bérenger à de Broglie, la prétention de vous présenter au nom des républicains ; pas un seul ne sera avec vous. » La France ne veut pas d'un gouvernement antirépublicain. La Chambre, par 363 voix contre 158, vote un ordre du jour de défiance. « Considérant, dit-elle, que le ministère a été appelé aux affaires contrairement à la loi des majorités qui est le principe des régimes parlementaires, qu'il s'est dérobé le jour même de sa formation à toute explication devant les représentants du pays, qu'il a bouleversé toute l'organisation intérieure afin de peser sur les décisions du suffrage universel par tous les moyens, qu'à raison de son origine et de sa composition il ne représente que la coalition des partis hostiles à la république..., déclare que le ministère n'a pas la confiance des représentants de la nation. » Le Sénat vote pour autoriser la dissolution de la Chambre. Elle est prononcée le 25 juin. Désormais le Président de la République affronte le parti républicain à mains nues. Il est vrai qu'il dispose, pour l'emporter plus sûrement, de tout l'appareil de l'Etat. Mais les républicains ont le vent en poupe. Ils espèrent que le courant d'opinion qui les a amenés à la Chambre quelques mois plus tôt va se trouver renforcé par le coup de force du maréchal de Mac-Mahon.

On prépare, de part et d'autre, les élections dans la fièvre : le ministère envoie, aux préfets, une circulaire : « Les fonctionnaires de tout ordre sont unis au pouvoir qui les nomme et dont ils exercent la délégation par des liens qu'ils n'ont pas le droit d'oublier. Nous ne pourrions admettre l'hostilité d'aucun d'eux. » Ainsi le gouvernement désigne ses candidats, et, dans son esprit, tous les fonctionnaires doivent les soutenir. Rien n'aurait-il changé depuis le Second Empire et ses « candidats officiels » ? Même le ministre de l'Instruction envoie une circulaire aux préfets pour qu'ils lui signalent les fonctionnaires de l'enseignement « qui prendraient dans le département une attitude politique de nature à leur créer des difficultés ». Le ministre des Finances menace de suspendre les titulaires de bureaux de tabac qui feraient au gouvernement des « torts politiques ». Les colporteurs, les vendeurs de journaux sont particulièrement surveillés. On leur impose une autorisation pour l'exercice de leur métier. « Vous saurez faire comprendre à tous les vendeurs et distributeurs de journaux, dit-on aux préfets, que leur nouvelle autorisation leur serait immédiatement retirée, s'ils se faisaient les complices des mensonges, calomnies et attaques dont la société, le gouvernement et les lois sont journellement l'objet. » Autrement dit, les marchands de journaux ne doivent vendre que la bonne presse. Les débits de boisson où se réunissent les républicains sont menacés de fermeture. On ferme des cercles républicains et des loges maçonniques, on suspend des conseils municipaux. On poursuit Gambetta parce qu'il a dit à Lille, dans une réunion : « Après que la nation aura parlé, il faudra se soumettre ou se démettre. » C'est une offense au Président de la République, lui dit-on. Il est condamné à trois mois de prison. Bien sûr, il fait défaut. Les journaux sont aussi condamnés pour offense. L'un d'eux, commentant un dessin de Mac-Mahon à cheval, avait écrit : « La monture a l'air intelligent, ma foi. »

Les républicains se donnent le même programme et décident de ne pas se faire, entre eux, de concurrence. Ils multiplient les réunions en province, boycottent celles de Mac-Mahon et de ses représentants. Les banquets, les manifestations se succèdent, de plus en plus violents, de plus en plus suivis. Ils utilisent tous les prétextes pour frapper l'opinion. Thiers est salué du nom de « libérateur du territoire ». Quand il meurt en pleine campagne le 3 septembre, les républicains organisent une manifestation formidable pour son enterrement. Le vieux réactionnaire est ainsi porté en terre par toute la gauche réunie.

Mac-Mahon modère son langage et se défend d'avoir voulu « renverser la république ». Il veut être à la fois l'homme d'ordre et le conciliateur. « Ce que j'attends de vous, dit-il à ses électeurs, c'est l'élection d'une Chambre qui, s'élevant au-dessus des compétitions de partis, se préoccupe avant tout des affaires du pays. » Il ne faut pas que cette Chambre soit une nouvelle « Convention », de nature « despotique ».

Si l'on veut barrer la route aux jacobins et aux communards, il faut voter, dit Mac-Mahon, pour les candidats officiels, seuls dignes de foi. C'est Mac-Mahon ou Gambetta, disent les affiches. Si l'on ne veut pas du maréchal, on aura les radicaux jacobins.

Et l'on vote. Les républicains perdent des voix : ils étaient 363, ils reviennent 321. Partout le clergé a fait voter Mac-Mahon. Gambetta n'avait-il pas dit, dans une envolée lyrique : « Le cléricalisme, voilà l'ennemi ? » Les pertes sont sensibles surtout dans les départements catholiques pratiquants, les Alpes, les Pyrénées, le Massif central, le Nord et les Côtes-du-Nord en Bretagne, la vallée de la Garonne et le Vaucluse. Les votants sont quatre cinquièmes des inscrits. Il y a eu moins d'abstentions qu'en 1876. L'ardeur de la campagne a mobilisé les électeurs.

Malgré le recul des républicains, ils avaient gagné : ils mobilisaient 4 200 000 voix contre 3 600 000 aux conservateurs. Ils avaient 321 députés contre 208.

Aussitôt les ministres se rendent à l'Elysée. « Nous devons continuer la lutte, dit Broglie à Mac-Mahon, et surtout ne pas nous montrer d'avance disposés à céder. » Et Mac-Mahon veut garder son poste. « J'y suis, j'y reste », a dit jadis le maréchal à la tour de Malakoff. Eh bien, qu'il reste, disent les royalistes. Broglie veut une nouvelle dissolution. D'autres veulent un plébiscite. Mais de Broglie doit néanmoins démissionner. En minorité à la Chambre, il n'est pas soutenu par le Sénat pourtant conservateur. Et Mac-Mahon persiste, insiste. Il forme un cabinet de fonctionnaires présidé par un général. Naturellement ce cabinet doit se retirer. Mac-Mahon, à bout de ressources, pressent un homme du centre, Dufaure. Mais Dufaure refuse. Il essaie encore un nouveau cabinet et, pour prévenir les désordres, fait consigner les soldats dans les casernes. On envisage des mesures d'exception. Mais les républicains tiennent bon, et Dufaure, de nouveau pressenti, accepte de former un gouvernement, s'il a la possibilité de choisir lui-même ses ministres aux postes essentiels, et de les présenter devant les Chambres. Mac-Mahon, finalement, accepte. Dans un message aux Chambres, il reconnaît enfin la république parlementaire. Le 30 juillet 1879, il démissionne. Le républicain Jules Grévy lui succède. La crise du 16 mai n'a pas accouché d'un régime présidentiel, mais d'une République parlementaire... et républicaine.

37.

LE BRAVE GÉNÉRAL BOULANGER

20 avril 1887 : le commissaire Schnaebelé est arrêté par les Allemands. Ce commissaire de police français a été attiré au poste frontière de Lorraine. Un officier allemand lui a demandé de le rencontrer. Quand il est arrivé au rendez-vous, les Allemands l'ont retenu et inculpé d'espionnage.

Cette affaire est grave. Toute une partie de l'opinion française ne se console pas d'avoir perdu l'Alsace et la Lorraine après la guerre funeste de 1870. Beaucoup d'Alsaciens et de Lorrains ont choisi de vivre en France ; ceux qui sont restés, attachés à un long passé de culture française, souffrent de la germanisation brutale voulue par Bismarck, des instituteurs et des fonctionnaires prussiens. Les liens des pays annexés se resserrent avec la France, d'autant que, chez les républicains, les plus à gauche n'admettent pas l'annexion, et beaucoup s'attendent à une guerre de revanche. « Pensez-y toujours, n'en parlez jamais », disait Léon Gambetta quand on lui parlait de la revanche, et Clemenceau le radical reprochait à Ferry « le tonkinois » de ne pas avoir les yeux fixés, perdu dans ses entreprises coloniales, « sur la ligne bleue des Vosges ». Oui, les radicaux étaient l'aiguillon patriote de la majorité des républicains modérés. Ils poussaient à la vigilance, et même à la tension franco-allemande. Une « ligue des patriotes » s'était fondée avec comme devise : « Qui vive ? France ! » Elle avait pour chef Paul Déroulède, une sorte de poète lyrique de la revanche, qui avait chez les radicaux de chaudes sympathies. Les Allemands savaient tout cela, et s'exagéraient les périls. Au moindre incident, ils surveillaient la frontière. Après l'arrestation de Schnaebelé, les sentinelles sont doublées sur le front des Vosges. La France ne fait-elle pas, disent les journaux allemands, des « préparatifs militaires » sur sa frontière de l'Est ? Le gouvernement français a protesté lors de l'arrestation de Schnaebelé et les Allemands ont relâché le commissaire. Mais, sur la frontière, les sentinelles allemandes tuent un chasseur français qui s'était égaré dans les bois. Il est tué sur territoire français. Déroulède sonne le clairon, la France de nouveau proteste. L'Allemagne indemnise, l'Allemagne paye et Bismarck exprime ses regrets, mais en même temps il informe le gouvernement français qu'il ne doit pas laisser les partisans de la revanche multiplier les incidents de frontière. Il vient de faire voter une loi qui augmente les effectifs de l'armée. Il est prêt, s'il le faut, à la guerre. Il ne renoncera jamais aux terres d'Empire d'Alsace et de Lorraine, que les Français se le tiennent pour dit. Et qu'ils cessent, comme le reprochait jadis Bismarck à Gambetta, d'agiter « l'Europe comme un homme battant du tambour dans une chambre de malade ».

Agiter l'Europe ? Mais les Français ne pensent qu'aux colonies... Ferry a pris le Tonkin, la Tunisie. Les républicains modérés ne veulent pas la guerre et redoutent l'Allemagne. Mais justement, observe Bismarck, Clemenceau a renversé Ferry. Clemenceau, lui, est un homme de guerre, et la meilleure preuve, c'est qu'il a imposé comme ministre de la Guerre un de ses amis politique, le général radical Boulanger.

Qui est Boulanger ? Un brillant soldat. Ancien élève du lycée de Nantes, comme Clemenceau, il a fait une carrière rapide. Nommé très jeune général de division, c'est lui qui a dirigé le corps expéditionnaire français en Tunisie. Il a quarante-huit ans, il est commandeur de la Légion d'honneur et immensément ambitieux. Il est follement applaudi par la gauche quand il écarte les régiments de cavalerie de la région parisienne, parce que leurs officiers passent pour royalistes. « L'armée a le strict devoir, écrit-il dans une circulaire aux chefs de corps, de rester en dehors de la politique. » La Chambre loue ce jour-là « son énergie et son dévouement à la République ». Il est encore plus applaudi quand il fait rayer de l'armée le duc d'Aumale et le comte de Chartres! La Chambre vote l'affichage de son discours. Voilà un général qui est un bon républicain.

Il est follement populaire dans le public. La revue du 14 Juillet se passe alors à Longchamp. Quand « le brave général Boulanger » de la chanson arrive sur son cheval noir, la foule exulte. On l'acclame. Les modérés s'inquiètent de cette folle popularité. Il est, dit-on, démagogue dans l'armée. Il a obtenu des crédits supplémentaires, non pour l'armement mais pour humaniser la vie de caserne; il a amélioré l'hygiène, la nourriture, l'avancement des officiers. Cet ancien directeur de l'Infanterie connaît bien la troupe. Il sait qu'elle aime les petites manifestations de prestige. Il autorise le port de la barbe, il fait peindre les casernes en tricolore, il remplace la « gamelle » par des assiettes. Il devient vite populaire chez les soldats. Trop populaire... On l'appelle déjà « le général revanche ».

Les conservateurs et les modérés sont sensibles aux reproches de Bismarck. C'est vrai, Boulanger est provocant. Ses bravades accroissent le risque de guerre. Ils renversent le cabinet et dans le nouveau gouvernement, celui du banquier Rouvier, Boulanger, à la grande colère de ses amis radicaux, n'est plus ministre. Mais que faire de Boulanger ? Sans qu'il soit candidat, sans qu'il soit éligible, il a réuni sur son nom une écrasante majorité dans une élection complémentaire de la Seine. Boulanger devient un phénomène politique. Pour tous ceux qui sont mécontents de la politique de la droite d'affaires, et qui reprochent aux Ferry et aux Grévy une politique extérieure d'effacement et de complaisance envers Bismarck, Boulanger représente un espoir. Un certain nombre de radicaux le soutiennent, à cause de son programme de réarmement, de son attitude ferme dans l'affaire des princes, de son patriotisme et de sa popularité dans l'armée.

Car il est de plus en plus populaire, Boulanger. « C'est Boulanger qu'il nous faut », chantent les manifestants dans les rues. On vend son portrait, sa biographie, des chansons sur lui. Il est acclamé à la ligue des Patriotes de Déroulède. Les modérés du gouvernement s'inquiètent ? Et si ce Boulanger était un général de coup d'Etat ? On l'éloigne. On le nomme commandant de corps d'armée à Clermont-Ferrand. On veut, dit le polémiste Rochefort, le « déporter » pour le « faire prisonnier dans les montagnes ». La ligue des Patriotes se renseigne. A quelle heure part-il ? Et quand il se présente avec son bagage sur le quai de la gare de Lyon, une foule énorme est rassemblée, avec des drapeaux. Le train est entouré de manifestants, qui grimpent sur la locomotive. Le wagon de Boulanger est dételé, des hommes se couchent sur la voie. Boulanger ne peut partir qu'en grimpant sur la locomotive. Boulanger part le 8 juillet. Trois jours après, le président du Conseil Rouvier doit s'expliquer sur son départ : « Si le pouvoir civil avait reculé d'une semelle, dit-il, c'en était fait de lui. »

Désormais les républicains modérés pensent que Boulanger est un danger pour la République. Les radicaux révisent leur opinion. Clemenceau lui-même s'inquiète : « Cette popularité, dit-il, est venue trop vite à quelqu'un qui aimait trop le bruit. » « A bas Ferry, crie-t-on à la revue du 14 Juillet, vive Boulanger ! » Et Ferry de commenter : « Tous ceux qui ne se ruent pas derrière le char d'un Saint-Arnaud de café concert sont rangés dans le parti de l'étranger ! » Oublié Boulanger ? Le scandale des décorations le remet soudain au premier rang. Le gendre du Président de la République Grévy, un député nommé Wilson, trafique des décorations. Il vend les Légions d'honneur. Grévy est contraint de démissionner. Boulanger devient le symbole de tous ceux qui veulent remettre de l'ordre dans l'Etat. Ses amis, désormais, ne sont plus à gauche.

Oui, en décembre 1887, le profil politique de Boulanger se modifie. S'il est encore suivi par quelques radicaux, comme Naquet ou Rochefort, qui rêvent d'une République autoritaire et jacobine, il est abandonné par les amis de Clemenceau. Par contre la droite le brandit comme un étendard, et cherche à rallier sur son nom de nouvelles troupes. Le comte de Paris, désormais héritier du trône, vient de faire savoir qu'il était pour un pouvoir fort. Les chefs royalistes, le comte Albert de Mun, le baron de Mackau, ont pris contact avec Boulanger. La duchesse d'Uzès mobilise le parti, réunit des fonds, Boulanger doit être le général populaire qui rétablira la monarchie. Les bonapartistes aussi souhaitent un coup de force. Ils ont un prince héritier. Il suivent Boulanger, comme les « patriotes » de Déroulède. Le programme du général ? « Dissolution, Constituante, révision. » Il faut dissoudre la Chambre, élire une Constituante qui donnera au pays une constitution instaurant un régime autoritaire : de l'ordre, de la discipline, il faut balayer le régime pourri des ferristes et des rouviéristes. Et vive l'armée !

Que fait Boulanger ? Il hésite. Un comité l'a présenté à quatre élections complémentaires. Mais il est inéligible, puisqu'il est général. Quand on le questionne, il dit qu'il n'a jamais été candidat. Il vient pourtant à Paris, plusieurs fois, déguisé, maquillé, marchant en boitant. Le ministère a sur lui des fiches de polices détaillées. On sait qu'il intrigue, qu'il complote. Le gouvernement le met à la retraite en mars 1888. Cela décide Boulanger. Il fait le saut, il s'engage. Il est désormais éligible. Un comité national de soutien prend pour emblème sa fleur préférée, l'œillet rouge. Les journaux radicaux de Rochefort, *La Lanterne, L'Intransigeant,* le présentent aux boutiquiers parisiens comme l'homme qui va nettoyer les écuries politiques. C'est le « syndic des mécontents », disent les républicains, le « grand dégoût collecteur ». Sans publier le moindre programme le général est élu dans la Dordogne et dans le Nord, grâce aux voix de droite. Par haine de la Chambre anticléricale, même le clergé a fait voter pour lui. Boulanger se déclare dans un banquet « pour une République ouverte, où tous seront admis, sans que nous ayons à demander à qui que ce soit d'où il vient ». On ne peut être plus vague. La France se divise en deux camps : au Quartier latin les étudiants de gauche insultent la police en la traitant de boulangiste.

Voilà Boulanger député. Il vient à la Chambre. Il lit un

manifeste où il demande la révision de la constitution. Il veut supprimer le Sénat, réduire l'Assemblée à une chambre d'enregistrement. Comme les Bonaparte en somme : « A votre âge, lui lance le modéré Charles Floquet, à votre âge, monsieur, Napoléon était mort et vous ne serez que le Sieyès d'une constitution mort-née. » Et Clemenceau tonne : « Vous méprisez les luttes de paroles... Gloire aux pays où l'on parle, honte aux pays où l'on se tait. Si c'est le régime de discussion que vous croyez flétrir sous le nom de parlementarisme, sachez-le, c'est le régime représentatif, c'est la république, sur qui vous osez porter la main. » Boulanger demande la dissolution, Floquet l'insulte : « Vous êtes passé, lui dit-il, des sacristies dans les antichambres », et Boulanger le traite de « pion de collège mal élevé ». Un duel à l'épée s'ensuit. C'est Boulanger qui est blessé, au cou ! Il se présente néanmoins dans toutes les élections partielles. Il mène grand train dans l'hôtel parisien où il reçoit, en province où ses amis font une campagne coûteuse, publicitaire. D'où vient l'argent ? Du comte de Paris, disent les républicains, ou des maisons de vins de Champagne que possède la duchesse d'Uzès, qui est très riche. En août Boulanger est élu dans le Nord, dans la Somme, dans la Charente-Inférieure. A Paris où il est candidat contre un certain Jacques (pauvre Jacques, ou frère Jacques, disent les boulangistes), le général l'emporte malgré une vive campagne des radicaux. Il a gagné son défi contre Clemenceau. En janvier 1889 il est plus populaire que jamais. Ses partisans sont attroupés place de l'Opéra. Une foule immense. « A l'Elysée, mon général », lui lance un partisan. La police est débordée, le ministre de l'Intérieur, Constans, est impuissant. Mais le général hésite et Constans tire sa montre de son gousset : « Midi cinq, dit-il, depuis cinq minutes, le boulangisme est en baisse. » C'est vrai, ses partisans sont déçus. Et le gouvernement se ressaisit rapidement. La ligue des Patriotes est dissoute, les candidatures multiples sont interdites, le ministre de l'Intérieur répand dans tout Paris le bruit qu'il va faire arrêter Boulanger. Le général prend peur. Il s'enfuit en Belgique où il rejoint sa maîtresse, Mme de Bonnemain.

Piteuse retraite, qui discrédite le général. L'Exposition universelle permet aux républicains, en multipliant les fêtes et les manifestations, de faire oublier la politique aux Parisiens. Les boulangistes font campagne, mais perdent les élections de septembre-octobre 1889. Les républicains, qui ont rétabli le scrutin d'arrondissement, ont soigneusement découpé leurs circonscriptions. Ils reviennent largement vainqueurs. Boulanger, qui a perdu sa maîtresse, se suicide sur sa tombe deux ans plus tard. Commentaire féroce de Clemenceau : « Il est mort comme il a vécu : en sous-lieutenant. » Telle est l'épitaphe du Tigre pour son ancien condisciple, qui, par sa seule prestance, avait un instant menacé la République.

38.
LES CHÉQUARDS DE PANAMA

1892. *La Libre Parole,* le journal de l'antisémite Drumont, dénonce un scandale. Cela ne surprend pas le public. *La Libre Parole* est un journal spécialisé dans le scandale. C'est aussi un journal scandaleux, par ses polémiques d'une bassesse inouïe contre le personnel républicain, qui, depuis la fin de Boulanger, l'a emporté définitivement en France. Ce triomphe est, pour Drumont et ses amis, le résultat d'un complot des juifs, des francs-maçons et des protestants contre la France honnête, catholique et conservatrice. Drumont doit sa réputation à un pamphlet antisémite intitulé *La France juive,* qui est de 1888. Un autre journal, *La Cocarde,* d'inspiration boulangiste, dénonce le même scandale que la feuille de Drumont.

Ce n'est pas un hasard, disent les républicains. Les boulangistes et les antisémites se rejoignent. Aussi personne n'est surpris quand un député catholique et conservateur, Delahaye, dénonce à son tour le scandale à la tribune du Parlement. Oui, Delahaye demande des explications sur le canal de Panama. Il accuse Charles Floquet, l'ancien président du Conseil, le grand ennemi de Boulanger, celui qui s'est battu en duel avec le général, il accuse Charles Floquet d'avoir touché de l'argent pour faire campagne contre Boulanger, pour payer cette campagne, et d'avoir obligé la Compagnie du canal de Panama à lui verser 300 000 francs à cette fin. Accuser Charles Floquet de concussion ? Cela passe les bornes. Ce Pyrénéen courageux, éloquent, chaleureux est un des vieux républicains de l'Empire. Les meilleurs. Il a crié : « Vive la Pologne ! » lors d'une visite du tsar à Paris en 1867. C'est un notable du parti républicain, il a été président du Conseil municipal de Paris, député de la Seine, préfet de la Seine, président de la Chambre des députés, président du Conseil des ministres. Attaquer Charles Floquet, c'est quasiment attaquer l'institution républicaine. Cet avocat né à Saint-Jean-Pied-de-Port est de ceux qui personnifient la République. Et c'est bien ce qui intéresse les boulangistes, les conservateurs, les antisémites. Nous sommes en 1892. Les élections législatives sont en 1893. Il s'agit de discréditer le personnel républicain, de venger Boulanger, d'emporter la République sous le scandale.

Car le scandale existe, les journaux sont bien informés. Sans doute Floquet n'a pas personnellement touché d'argent de la Compagnie de Panama. Mais il est vrai que cette compagnie a, depuis 1888, de graves difficultés financières. Elle a été fondée par Ferdinand de Lesseps et par son fils Charles. Or Lesseps est un vieux monsieur couvert de gloire, qui a réussi le premier grand canal d'intérêt mondial, celui de Suez. Il a pensé qu'il pouvait aussi facilement percer l'isthme de Panama. Et sa compagnie, pour réunir des fonds, a drainé la petite épargne. Les difficultés techniques, les embrouilles financières ont mis la compagnie dans un mauvais cas. Pour trouver de l'argent frais, et achever les travaux, elle a demandé au gouvernement l'autorisation d'émettre des obligations remboursables par tirage au sort, par loterie en quelque sorte. Une loterie ? La loi l'interdit. Il faut une autre loi pour l'autoriser. Le Parlement est donc consulté et les députés sont partagés. Ils sont conscients qu'ils doivent aider une entreprise française, et sauver Lesseps dans l'embarras. Mais ils sont sceptiques sur l'avenir financier de la Compagnie de Panama. Cependant l'autorisation est votée. Et la compagnie dépose son bilan. Une faillite retentissante, avec plus d'un milliard et demi de passif et une comptabilité irrégulière. Une instruction a été ouverte en justice, contre les directeurs. Va-t-on mettre en prison le vieux, l'illustre Ferdinand de Lesseps ? La justice traîne, comme si elle était embarrassée. Pourquoi a-t-on abandonné les poursuites contre Lesseps ? demande à la Chambre le député boulangiste Delahaye.

A la Chambre une commission d'enquête est désignée, comme il est d'usage en pareil cas. Quatre directeurs de Panama sont poursuivis ainsi que l'entrepreneur des travaux Gustave Eiffel, le constructeur de la Tour. Encore une gloire de la France républicaine. La commission qui comprend trente-trois membres est présidée par le radical Brisson.

Elle apprend qu'un certain Jacques de Reinach, financier, mort depuis le 20 novembre, est soupçonné d'avoir acheté les votes des députés avec des fonds de la Compagnie de Panama. Et la mort du baron Jacques de Reinach, un financier bien connu des milieux gambettistes, est suspecte. Pour acheter les députés, il a, dit *La Libre Parole,* utilisé lui-même des intermédiaires, Aaron dit Arton, et un certain Cornelius Hertz. Le journal antisémite se déchaîne : le syndicat « juif » achète les députés de la Chambre. Le gouvernement laisse faire. Le baron de Reinach s'est suicidé opportunément la veille de son procès. Comme c'est curieux ! Les papiers de Reinach n'ont pas eu le temps d'être mis sous scellés. Alors, on ne saura jamais le fin mot du scandale ? La commission décide de faire pratiquer l'autopsie du corps de Reinach et demande le dossier de l'instruction. Refusé. La justice n'a pas à délivrer le dossier d'une affaire qui n'est pas terminée. Brisson, au nom de la commission, exige toute la lumière. Il entraîne à la Chambre la majorité des députés. Voilà le gouvernement par terre !

C'est un autre radical, Ribot, qui devient président du Conseil, avec, comme ministre de l'Intérieur, un radical du Midi, Emile Loubet. Et Ribot promet toute la lumière sur Panama. Il promet « de ne pas étouffer par le silence des scandales ou des faiblesses ». Son ministre des Finances est l'ancien banquier Rouvier.

Et le magistrat instruit l'affaire : il découvre que Jacques de Reinach a touché plus de 10 millions de la Compagnie de

Panama. Il découvre que cinq cents personnes ont reçu des chèques. Il soupçonne que la compagnie a généreusement « arrosé » la presse au moment des émissions de titres, et que le « syndicat » des banquiers parisiens a touché de bons dividendes, de grasses commissions à l'occasion des souscriptions. Oui, l'affaire de Panama a été juteuse pour la haute banque, qui s'est défossée sitôt ses bénéfices pris.

Naturellement la presse attaque, et cette fois ce n'est plus seulement la presse à scandale. *Le Figaro,* grand organe conservateur, se met de la partie. Il met en cause deux hommes politiques de première importance : le modéré Rouvier, ministre des Finances, et le radical Clemenceau. Ils ont, dit *Le Figaro,* reçu Cornélius Hertz. Est-ce à leur crédit que ce personnage doit d'avoir été élevé à la dignité de grand officier de la Légion d'honneur ? Mais où est Cornélius Hertz ? Il n'est plus en France, il est en Angleterre. Il est parti juste après la mort du baron de Reinach. Que dit Clemenceau ? Que Jacques de Reinach est venu le voir, avec Rouvier. Ils lui ont demandé de les accompagner chez Hertz, pour que la campagne diffamatoire contre Reinach cesse enfin. Reinach voulait s'expliquer devant eux. Quant à Rouvier, il affirme qu'il n'a pas eu d'autre intention que d'y voir clair, pour éviter la crise financière et politique. Il donne néanmoins sa démission. Aussitôt le 3 %, l'emprunt des pères de familles, perd des points à la Bourse. Une tempête se prépare.

La commission poursuit son enquête. Elle demande le droit de faire des saisies et des perquisitions. C'est exorbitant. Mais c'est de justesse que la Chambre lui refuse cette autorisation, à six voix de majorité, dont six ministres ! Le gouvernement arrête l'aministrateur de la Compagnie Panama et un député, qui, pour 200 000 francs, avait rédigé le rapport concluant à l'autorisation des emprunts à lots. La commission va de trouvaille en trouvaille : Vingt-six chèques signés Reinach, pour 3 millions et demi. Des carnets à souche, avec des noms ou des initiales. Cinq députés et cinq sénateurs sont poursuivis. Un député, Andrieux, un radical boulangiste, remet à la commission la photographie d'une note que Reinach, affirme-t-il, aurait dictée, et d'après laquelle cent quatre députés auraient touché de l'argent. C'est lui, c'est Andrieux, qui a renseigné *La Libre Parole.* Il en est fier, il le proclame. Honnête Andrieux !

Le scandale est sans précédent. Le plus étonnant, dans l'histoire de Panama, c'est que la presse est constamment sollicitée par tous ceux qui trouvent avantage à la publication des papiers scandaleux, dont l'origine n'est pas toujours claire, mais qui servent à jeter la suspicion sur l'ensemble du personnel républicain. Les journaux publient les noms des députés et des sénateurs, les destinataires des fameux chèques. Une formidable campagne de presse s'engage à droite. Le ministère fait front comme il peut, mais il est débordé. Charles Floquet reconnaît qu'il a demandé en 1888 à la Compagnie de Panama de s'assurer du concours des journaux républicains. Il fallait bien répartir ces fonds publicitaires avec justice ! dit Charles Floquet. Il se retire à son tour et le ministère tout entier se retire. Pour la deuxième fois, le cabinet tombe.

C'est encore Ribot qui revient, avec un nouveau gouvernement. Et qui promet toute la lumière : au début de 1893, nouveau scandale : un ancien ministre des Travaux publics, Baïhaut, reconnaît avoir touché 300 000 francs pour déposer le projet de loi sur Panama... La Cour d'assises, qui juge de l'affaire, interroge le directeur de la Sûreté. Ce haut fonctionnaire reconnaît avoir demandé à la femme d'un administrateur de Panama des renseignements compromettants pour les députés de droite. Charles de Lesseps raconte que l'honnête Feycinet, un autre grand républicain, lui a demandé de faire verser 5 millions au baron de Reinach pour que cesse la campagne diffamatoire de ce Cornélius Herz. Et de nouveau le cabinet Ribot démissionne, le 30 mars. Un homme nouveau lui succède, un honnête homme, Charles Dupuy.

Les parlementaires poursuivis, les « cent cinquante petits veaux de la Chambre », comme disait Barrès, sont tous acquittés. On ne peut faire la preuve que les listes saisies chez Reinach correspondent effectivement à des versements. Ils ont été, à coup sûr, « démarchés » par les représentants de la compagnie, mais faute de preuves, l'accusation ne tient pas. Un seul condamné, le malheureux Baïhaut, qui a avoué, et deux administrateurs de Panama. Ferdinand de Lesseps et Gustave Eiffel sont condamnés pour le principe, pour opérations frauduleuses, mais le délai de prescription est écoulé. Ils ne subiront aucun dommage.

Par contre le personnel politique est durablement touché. L'argent utilisé dans la campagne antiboulangiste, l'argent distribué dans les journaux, la collusion entre presse, finance et politique entretiennent le sentiment durable que le régime parlementaire est corrompu. C'est bien ce que cherchaient, au départ de l'affaire, les boulangistes et leurs amis. Ils tiennent leur revanche sur les élections perdues. Pourtant, dans leur immense majorité, les députés étaient honnêtes. Ils étaient sollicités, sans doute, mais combien succombaient ? Dans leurs efforts pour empêcher les révélations, les leaders politiques furent accusés de complicité, de compromissions. En réalité des hommes comme Charles Floquet et Clemenceau, se rendant parfaitement compte des origines de la campagne, comprenaient que, cette fois, les détracteurs de la République étaient sur un terrain solide. Mais Floquet et Clemenceau ne tenaient, dans cette affaire, qu'à protéger la République et le personnel républicain. Ils ne voulaient pas étouffer une affaire judiciaire, ils voulaient empêcher l'utilisation politique du scandale par leurs ennemis.

Ils ont payé Panama. Pendant longtemps Floquet, Rouvier, Clemenceau ont été écartés des affaires politiques. Ils ont souffert du discrédit. Ils ne sont pas les seuls. Quand Loubet, quelques années plus tard, sera élu à Versailles président de la République, une immense manifestation de droite l'accueille aux cris de : « Vive Panama Ier ! ». La plupart des ministres des gouvernements Ribot et Dupuy sont écartés de la politique, impitoyablement. Les boulangistes et les antisémites ont gagné : ils ont abattu le personnel républicain.

Ce qu'ils n'avaient pas prévu, c'est la montée au pouvoir de nouvelles élites, de jeunes députés totalement vierges de toute participation au scandale, et qui se présentent nombreux dans les allées du pouvoir. Panama n'a pas donné l'occasion à la droite antiparlementaire d'exploiter à son profit la situation, comme le craignaient Clemenceau et Charles Floquet, mais elle a amené aux affaires une nouvelle génération de républicains, qui ont de trente à quarante ans, et qui ne sont pas moins ardemment républicains que leurs aînés : les Poincaré, les Barthou, les George Leygues, les Delcassé, les Charles Dupuy ont désormais la voie libre. Ils vont en user. *La Libre Parole* trépigne et s'exaspère : mais elle ne peut rien dire contre ces jeunes gens. Ils sont honnêtes, ils sont convaincus, ils vont prendre en main les affaires de la République de Gambetta.

39.

L'AFFAIRE DREYFUS

Après Panama, *La Libre Parole* n'a pas désarmé. A la fin de 1894 Drumont attire l'attention de ses lecteurs sur l'arrestation du capitaine Dreyfus. Il y a, dit-il, un « grand complot juif qui nous livrerait à l'ennemi ».

Et *La Libre Parole* menace le général Mercier, ministre de la Guerre, de le dénoncer à l'opinion publique : il essaie, dit Drumont, d'étouffer l'affaire. Sans la campagne patriotique de *La Libre Parole,* jamais on n'aurait condamné « le capitaine juif ». Effectivement Dreyfus est condamné, et promptement, en décembre 1894. Il doit être dégradé et déporté à l'île du Diable. A l'époque le verdict ne fait pas grand bruit, Dreyfus n'a pas de défenseurs dans l'opinion. Personne ne se soucie de polémiquer avec Drumont dans une affaire intéressant la défense nationale.

Que reproche-t-on à Dreyfus ? L'accusation — on devait le savoir longtemps plus tard — repose sur une seule pièce, dérobée dans la corbeille d'un attaché de l'ambassade d'Allemagne. C'est un bordereau annonçant l'envoi de documents. Pourquoi Dreyfus est-il concerné ? Ce capitaine d'état-major, ancien élève de Polytechnique, est bien noté de ses supérieurs. D'origine alsacienne, il vit honorablement, il est riche, il n'a pas de besoins d'argent. Son patriotisme est incontestable. Il a choisi, pour ce motif, la carrière militaire. Les circonstances de son arrestation et de sa mise en accusation sont insensées, mais cela, personne ne le sait. L'officier chargé de l'enquête, grand lecteur de *La Libre Parole,* est un certain d'Aboville. Il compare l'écriture du bordereau avec celle de tous les officiers de l'état-major. L'écriture de Dreyfus, affirme d'Aboville, est la seule qui ressemble à celle du bordereau. L'officier chargé de la mise en accusation, du Paty de Clam, est persuadé au départ de la culpabilité de Dreyfus, le seul officier juif de l'état-major. Il le convoque au cabinet du général de Boisdeffre, chef d'état-major, et lui fait écrire une lettre. Il y mêle certains termes du fameux bordereau. Sans méfiance, Dreyfus s'exécute. Du Paty tient sa preuve : il fait aussitôt arrêter Dreyfus.

Ainsi l'accusation ne repose que sur des présomptions, et une similitude d'écriture. Dreyfus proteste. Personne ne l'écoute. Il est conduit au Cherche-Midi. On désigne aussitôt des experts graphologues. Gobert, expert à la Banque de France, dit que les écritures ne sont pas semblables. Bertillon, le chef du service de l'anthropométrie, se déclare pour l'identité. Du Paty est conscient de la « fragilité de la preuve matérielle ». Mais *La Libre Parole* fait campagne. Elle a été informée directement, pour que l'affaire ne soit pas étouffée, par un officier du service de renseignements, le commandant Henry. Elle pousse à bout le général Mercier, baptisé colonel Ramollot. Mercier fait diligence. Dreyfus est jugé à huis clos. Henry a juré au procès que Dreyfus était coupable, mais qu'il ne pouvait pas révéler les preuves réelles, étant tenu par le secret. Ces preuves, le jury les a réclamées. Alors le colonel Sandherr, chef du service de renseignements, a fait parvenir au jury, sous pli fermé, les fameuses preuves que personne ne connaît. Et Dreyfus, dans l'indifférence générale, est parti pour l'île du Diable.

Mais Alfred Dreyfus a une femme, un frère, Mathieu, des amis, comme l'avocat Bernard Lazare. Ils recherchent, patiemment, difficilement, les preuves de son innocence. L'état-major et la presse antisémite font un formidable barrage. Pourtant un journal publie en novembre 1896 (Dreyfus est alors au bagne depuis près de deux ans) un fac-similé du bordereau. Déjà

L'Eclair, en septembre, a révélé l'existence du dossier secret. On a donc condamné Dreyfus sans permettre à son avocat de le défendre, puisqu'il n'a pas eu communication de l'ensemble du dossier. Qu'y a-t-il dans ce dossier ? Une pièce secrète, et le journal la publie : elle commence par les mots : « Ce canaille de D. » N'est-ce pas une preuve décisive ? D. ne peut être que Dreyfus... Et c'est alors que Picquart, un autre officier des services secrets, un Alsacien, comme Dreyfus, que ses chefs avaient chargé de « nourrir le dossier », découvre au cours de ses recherches que Dreyfus n'est pas l'auteur du bordereau. L'auteur, le véritable coupable, il le démasque, c'est un commandant d'infanterie, un certain Esterhazy qui a, lui, de gros besoins d'argent. On rapporte de l'ambassade d'Allemagne une lettre jetée dans une corbeille par l'attaché militaire — décidément bien négligent —, c'est un pneumatique, un petit bleu, adressé par l'attaché à Esterhazy. On compare l'écriture d'Esterhazy à celle du bordereau. C'est bien lui l'auteur. Picquart prévient ses chefs. Ceux-ci lui conseillent de ne plus s'occuper de l'affaire et l'expédient en Tunisie. Mais Picquart a pris ses précautions. Il a laissé les traces de ses découvertes chez son avocat, maître Leblois. Et celui-ci a prévenu Scheurer-Kestner, un Alsacien, vice-président du Sénat. Scheurer-Kestner rend visite au général Billot, ministre de la Guerre, et lui demande de réviser le procès.

« Vous n'y pensez pas, lui dit Billot. Le gouvernement n'y survivrait pas. Et peut-être la République. » Et Billot fait une déclaration à la Chambre, pour répondre à la furieuse campagne de presse des antidreyfusards. « Dreyfus, dit-il, a été justement et légalement condamné. » Méline, le président du Conseil, lance à la tribune : « Il n'y a pas d'affaire Dreyfus. » Le frère de Dreyfus dénonce Esterhazy. C'est lui, dit-il, qui est l'auteur du bordereau. L'opinion s'agite, l'état-major s'inquiète. Que va faire Esterhazy ? Il faut le prévenir, le contenir. L'homme est inquiétant, peu sûr, peu recommandable. Il ne faut pas qu'il fasse des déclarations aux journalistes. Pour prévenir tout procès régulier, l'armée juge elle-même Esterhazy. C'est un conseil de guerre qui l'acquitte. Il triomphe, et ses partisans le portent en triomphe, le 10 janvier 1898.

L'affaire est-elle de nouveau enterrée ? On peut le craindre. C'est alors que Zola, dont la réputation de romancier est déjà immense, écrit dans le journal de Clemenceau, *L'Aurore*, une lettre ouverte au Président de la République intitulée « J'accuse ».

« Voici un an, écrit Zola, que le général Billot, que les généraux de Boisdeffre et Gonse savent que Dreyfus est innocent et ils ont gardé pour eux cette effroyable chose. Et ces gens-là dorment, et ils ont des femmes et des enfants qu'ils aiment.

« J'accuse le général Mercier de s'être rendu complice, tout au moins par faiblesse d'esprit, d'une des plus grandes iniquités du siècle.

« J'accuse le général Billot d'avoir eu en main les preuves certaines de l'innocence de Dreyfus et de les avoir étouffées.

« J'accuse les généraux de Boisdeffre et Gonse de s'être rendus coupables du même crime.

« Je n'ignore pas que je me mets sous le coup des articles 30 et 31 de la loi sur la presse du 29 juillet 1881 qui punit les délits de diffamation. Et c'est volontairement que je m'expose. J'attends. »

Les politiques n'ont pas plus envie de poursuivre Zola que de rouvrir le dossier Dreyfus. Mais ils y sont contraints par le formidable écho de l'article « J'accuse », et par la campagne antidreyfusarde qui s'ensuit. Désormais l'affaire Dreyfus est devenue une bataille d'opinion, un affrontement politique. Clemenceau a pris partie. Jaurès l'a rejoint. De Mun, orateur catholique, intervient à la Chambre pour exiger du gouvernement qu'il poursuive Zola. Il faut mettre fin, dit-il, « à la campagne entreprise contre l'armée ». Une flambée d'antisémitisme envahit la France. On crie : « Mort aux juifs ! » dans les rues de Paris, et dans les rues d'Alger où cent cinquante magasins sont pillés. L'affaire divise les familles et Caran d'Ache décrit les repas où la vaisselle a volé en éclats parce que, dit-il, « ils en ont parlé ». Comment mettre un terme à l'affaire

Dreyfus ? Si le gouvernement ose demander la révision, il risque l'émeute, au nom de la défense de l'armée et de la justice. S'il ne fait rien, il s'expose aux campagnes de plus en plus violentes et qui, à la fin, ne peuvent laisser les radicaux ni les socialistes indifférents même si ces derniers prétendent se laver les mains des « querelles de famille de la bourgeoisie ».

Zola est poursuivi. Il est fou de joie : il va pouvoir obliger le gouvernement à rouvrir l'affaire Dreyfus. A travers lui, on va refaire le procès de Dreyfus. Mais dès que « l'affaire » risque d'être évoquée, le président du tribunal tranche imperturbable : « la question ne sera pas posée ». Et pourtant, quelles lumières jette le procès Zola ! On apprend que les juges de 1894 ont bien eu communication du dossier secret, que Dreyfus n'a pu être défendu, que l'écriture du bordereau est bien d'Esterhazy, on apprend tout cela, mais qui veut l'entendre ? Les généraux viennent en personne déposer au procès, pratiquent l'intimidation. « C'est un crime, disent-ils, d'ôter la confiance que l'armée peut avoir dans ses chefs. Car si les soldats n'ont plus confiance, que feront les chefs, au jour du danger, qui est peut-être plus proche qu'on ne croit ? Vos fils seront conduits à la boucherie. » Henry vient dévoiler une autre pièce secrète, un billet de l'attaché militaire allemand à son collègue italien. Et Boisdeffre lance au jury un ultimatum. « Si la nation n'a pas confiance dans les chefs de son armée, ils sont prêts à laisser à d'autres cette lourde tâche. » Zola est condamné au maximum. Le jugement est cassé, pour vice de forme. Il est de nouveau jugé à Versailles, mais il fait défaut et part en exil en Angleterre.

Les conséquences de ce procès sont graves. Des ligues se constituent dans le pays, de part et d'autre. La ligue des Patriotes existait déjà, elle défend farouchement l'armée. La Ligue antisémite développe son action de violence et d'appel à la violence. La Ligue de la Patrie française défend Esterhazy, accable les dreyfusards. Les « intellectuels » dreyfusards se regroupent dans une ligue des Droits de l'Homme qui fait campagne dans tout le pays pour obtenir la révision.

L'affaire rebondit après les élections de 1898, quand le ministre de la Guerre du cabinet Brisson, Cavaignac, lit à la tribune la pièce secrète que Henry a communiquée au procès Zola, le billet de l'attaché militaire allemand : « Je dirai que j'avais des relations avec ce juif. C'est entendu, dites comme ça, si on vous demande, car il ne faut pas qu'on sache jamais, personne, ce qui est arrivé avec lui. » La Chambre l'acclame et vote l'affichage de son discours dans toutes les communes de France. Or la pièce citée par le ministre est un faux. Un officier lui en fait la démonstration. Henry est aussitôt arrêté, conduit au mont Valérien. On le retrouve la gorge tranchée avec un rasoir. Le chef d'état-major de l'armée démissionne. Cavaignac démissionne. Esterhazy s'enfuit en Angleterre. La révision du procès Dreyfuss est enfin décidée.

Les antidreyfusards ne désarment pas. Ils font une souscription pour aider la veuve de Henry. De très grands noms y figurent, dont celui de Paul Valéry. Ils affirment que Henry a fait un faux patriotique. Il ne pouvait verser au dossier la vraie pièce, une lettre de l'empereur d'Allemagne. Les campagnes de presse font rage de part et d'autre mais désormais Dreyfus a ses défenseurs. *Le Figaro,* depuis longtemps, est devenu dreyfusard. Des comités de vigilance républicains se constituent dans Paris, car on craint un coup de force des militaires, des ligueurs, des antisémites. Paul Déroulède a prononcé à la tribune des paroles menaçantes. Pour la troisième fois, un ministre de la Guerre a démissionné. On s'attend au pire.

La Cour de cassation déclare l'affaire Dreyfus recevable. Les antidreyfusards manifestent contre elle, accusant les magistrats d'être payés par le « syndicat Dreyfus ». Quesnay de Beaurepaire, président de la Chambre, donne sa démission dans une atmosphère d'émeute. Les funérailles de Félix Faure, le Président de la République qui vient de mourir, provoquent des manifestations de l'extrême droite. On crie « Vive l'armée » sur les boulevards. Un régiment rentre de la caserne. Déroulède se précipite devant le cheval de l'officier et lui crie : « A l'Elysée, mon général ! » Déroulède est arrêté, jugé mais bientôt acquitté, avec la complicité du gouvernement qui fait tout pour apaiser les émeutiers. Freycinet, ministre de la Guerre, suspend un professeur à l'Ecole polytechnique, qui s'est déclaré, dans ses cours, convaincu de l'innocence de Dreyfus. A la Chambre on interpelle Freycinet. Il démissionne. C'est le quatrième ministre de la Guerre qui démissionne depuis le début de l'affaire.

Unanime, la Cour de cassation, qui a admis que le bordereau, pièce unique du procès, était de la main d'Esterhazy et non de Dreyfus, décide de casser le procès. Mais pour ne pas préjuger du nouveau jugement, elle casse le premier pour irrégularité. Les nationalistes sont exaspérés. Aux courses d'Auteuil, un royaliste donne un coup de canne sur le chapeau du Président Loubet. Le ministère tombe, on nomme Waldeck Rousseau. Et quand ce grand avocat libéral prend le gouvernement, c'est la fin de l'affaire Dreyfus.

Il constitue un cabinet avec le socialiste Millerand et le marquis de Galliffet comme ministre de la Guerre. Galliffet, le vieux sabreur de la Commune, est respecté dans l'armée. Il lui suffit d'une circulaire pour y rétablir l'ordre. Les agitateurs d'extrême droite sont arrêtés. Dreyfus, ramené de l'île du Diable, comparaît de nouveau à Rennes. A la surprise générale, il est de nouveau condamné. Dans un climat d'émeute. Son avocat, Laborit, est blessé dans la rue d'un coup de revolver.

Le jugement de Rennes est un compromis. Dreyfus obtient les circonstances atténuantes. Il est condamné à dix ans de détention, mais assuré de sa grâce. La famille va-t-elle accepter le marché de Waldeck Rousseau, qui veut d'abord rétablir l'ordre ? Zola est atterré, Clemenceau indigné, Jaurès exaspéré. Mais la famille accepte. Dreyfus a trop souffert. Accepter, c'est le libérer. Il y a des circonstances où la politique doit s'effacer devant les sentiments de simple humanité. Mais même si Dreyfus n'était pas dreyfusard, même s'il est resté jusqu'au bout un officier patriote qui ne demandait qu'à retrouver son honneur, le camp dreyfusard a remué la France en profondeur.

On a pu parler de révolution dreyfusienne. La droite, la vieille droite du XIXe siècle, a perdu la bataille et ce n'est pas un hasard si la victoire des gauches suit de peu la liquidation de l'affaire Dreyfus. Le grand combat d'opinion lui avait ouvert la voie.

40.

LA CANONNIÈRE D'AGADIR

1er juillet 1910. Une canonnière allemande, la *Panther,* revient du Sud-Ouest africain, où les Allemands ont une colonie, et jette l'ancre dans le port d'Agadir, dans le Sud marocain. Quoi de plus normal, en apparence ? Mais le petit navire battant pavillon impérial allemand braque ses canons sur Agadir. S'il tire, la Première Guerre mondiale risque d'éclater.

C'est que les Allemands et les Français se disputent le Maroc depuis longtemps. Le 31 mars 1905 l'empereur d'Allemagne lui-même a débarqué à Tanger pour y faire un grand discours sur l'indépendance du Maroc — en réalité pour y affirmer la présence allemande. L'Allemagne, dit l'empereur, a dans ce pays des intérêts commerciaux. Ils doivent être protégés contre les entreprises des Français. La France a d'ailleurs accepté, à la conférence d'Algésiras, la neutralisation du Maroc, mais l'Allemagne lui a reconnu une mission de maintien de l'ordre. Un accord financier a même été conclu peu après, et un échange de lettres a affirmé, du côté de Berlin, lè « désintéressement politique de l'Allemagne ». La France s'est donc crue les mains libres pour entrer à Fez, à la demande du sultan, afin d'y rétablir l'ordre, et d'y protéger les intérêts des étrangers. Le gouvernement allemand a vivement protesté, menaçant d'intervenir à son tour. La France, dit-il, prépare la « tunisification du Maroc ». Et l'Allemagne veut obtenir des compensations. Que faire ? Faut-il négocier sous la menace ?

A Paris, c'est la panique. Un nouveau gouvernement vient d'être mis en place il y a trois jours à peine, présidé par le radical Caillaux, un grand bourgeois, ancien inspecteur des finances, qui n'est en aucun cas l'homme d'une politique d'agression. Cet homme « hautain, monoclé, fumeur de cigare, joueur de billard », comme le dit Duroselle, « chauve, d'une calvitie totale » est certes nerveux, irritable, dangereux en période de crise. Mais il n'a pas envie de faire la guerre. Il modère les gens du Quai d'Orsay, qui sont excités. Herbette, le directeur de cabinet du ministre de Selves, veut une politique de fermeté. « C'est un lièvre ventru, dit de lui Caillaux, gonflé d'une germanophobie qui confine au fanatisme. » D'ailleurs, ajoute-t-il, les Allemands l'ont surnommé Herr Bête. Caillaux s'oppose de toutes ses forces à la solution préconisée par le Quai d'Orsay : envoyer un navire de guerre français devant Mogador.

« Oui, dit Caillaux, il faut négocier. Il n'y a pas d'autre solution. On me reproche de négocier sous la menace. Mais voulez-vous la guerre ? » Il fait venir Joffre, le généralissime. Il lui demande, au cas où la France aurait à faire la guerre, « si elle aurait 70 chances pour 100 de victoire ». « Je ne crois pas que nous les ayons, répond Joffre. — C'est bien, dit Caillaux, alors, nous négocierons. »

Négocier avec l'Allemagne, qui tient sous le feu de ses canons le port d'Agadir ? Comment négocier avec un ministre des Affaires étrangères hostile, une Chambre en émoi, un Quai d'Orsay agité ? Caillaux décide de mener les négociations seul, en secret, contrairement à tous les usages, en dehors des commissions parlementaires spécialisées. Il ne tient aucun compte de l'opinion publique qui est ulcérée, des journaux, qui sont hystériques. Il utilise pour sa négociation un homme d'affaires, Fondère, qui établit un contact avec le confident du Kaiser, conseiller de l'ambassade d'Allemagne à Paris, M. de Lancken. Une conversation difficile, qui ne dure pas moins de quatre mois. Jules Cambon, notre ambassadeur à Berlin, en revient, dit Caillaux, « avec une vraie mine d'enterrement ». Cambon n'a rien à dire. Le secrétaire d'Etat allemand, Kiderlen Wächter, « fait le sphynx », laisse les Français sur le grill. En réalité, il veut obtenir, dit Cambon, que la France lui cède tout le Congo. « C'est beaucoup », dit Caillaux, qui guigne pour sa part les mains libres au Maroc. C'est aussi l'avis de l'Angleterre qui ne veut pas laisser se développer l'impérialisme allemand en Afrique. Les Anglais menacent, et mobilisent la flotte. Est-on au bord de la guerre ? Fondère voit Lancken. Il est chargé de lui dire que Caillaux ne cédera pas tout le Congo, mais que, contre le Maroc, il est prêt à en céder une partie. Lancken envoie son compte rendu à Berlin. Les services français du chiffre au Quai d'Orsay décriptent le message de Lancken. De Selves est informé. Il se plaint.

En août, on est rassuré. Le ministre allemand accepte le principe de négocier sur la base de la cession d'un morceau seulement du Congo. Il a une maîtresse qui passe ses vacances en Savoie. Caillaux est informé par la police que le ministre allemand passe lui-même ses vacances à Chambéry. Quoi de plus rassurant ? D'ailleurs, en septembre, la bourse de Berlin connaît une crise que Caillaux se flatte d'avoir provoquée. L'Allemagne est plus conciliante. Il faut en profiter. Le 4 novembre, l'accord est signé : la France cède à l'Allemagne une grande partie de son Congo, des milliers de kilomètres carrés qui vont considérablement agrandir le Cameroun allemand. En échange, elle obtient un petit, tout petit territoire du Cameroun du côté du lac Tchad, que l'on appelle par dérision le « bec de canard ». Mais l'Allemagne fait une concession de taille, une concession capitale pour le financier Caillaux, elle accepte, sous réserve de la sauvegarde de ses intérêts économiques, que la France établisse son protectorat au Maroc.

En Allemagne l'opinion publique, dominée par les « pangermanistes », qui veulent développer dans le monde entier l'impérialisme allemand, est extrêmement hostile. Elle proteste avec véhémence et le ministre allemand des Colonies doit donner sa démission. Les services secrets français informent le gouvernement que les Allemands construisent en grand hâte des quais d'embarquement et des voies ferrées supplémentaires le long de la frontière belge.

En France, pendant toutes les négociations, l'opinion s'est montrée en grande partie hostile à Caillaux. Au banquet de l'Alliance démocratique, une formation républicaine du centre, Poincaré et Barthou ont critiqué violemment les négociations faites sous la violence. *Le Figaro* a commencé contre Caillaux une campagne de grande envergure. Calmette écrit, le 13 novembre : « On ne peut confier plus longtemps à de pareils gredins les destins de la France. » *L'Action française* estime que le « cabinet Caillaux est condamné » et *Le Temps* prévoit l'arrivée aux affaires du Lorrain Poincaré, connu pour son intransigeance à l'égard de l'Allemagne.

A la Chambre cependant, en dépit de l'ironie de Jaurès, des attaques d'Albert de Mun, le traité est ratifié. Mais au Sénat, l'opposition au traité semble irréductible. C'est que la puissante commission des affaires étrangères du Sénat a parmi ses membres Clemenceau, et pour rapporteur Poincaré. Ni Clemenceau ni Poincaré ne sont favorables au traité ; et tous les deux veulent renverser Caillaux.

Devant les attaques de Clemenceau, de Selves, le ministre des Affaires étrangères de Caillaux, rend son portefeuille. Caillaux le propose à Delcassé, puis il offre à Poincaré la Marine. Ils refusent tous les deux. Caillaux se retire. « Le ministère est démissionnaire, écrit Jaurès dans *L'Humanité,* c'est une dent gâtée qui tombe. » Je souhaite un gouvernement Poincaré, dit Clemenceau dans les couloirs. Les Allemands s'inquiètent. La crise va-t-elle rebondir ?

Une campagne de presse d'une grande ampleur attaque Caillaux. Dans les journaux de droite, si *Le Figaro* est pour la modération, *L'Echo de Paris* publie des articles venimeux d'Albert de Mun, *L'Eclair* parle de la « débâcle du régime » et *La Liberté* d'une « crise nationale ». « Les parlementaires, écrit *L'Echo de Paris,* sont prêts à voter tous les abandons, et à renverser tout gouvernement de fierté nationale. Conspuez les parlementaires ! » Cette agitation dicte au Président de la République son devoir. Il appelle au pouvoir l'homme qui a obtenu, au Sénat, la peau de Caillaux, le rapporteur de la commission des affaires étrangères, le solide Lorrain Raymond Poincaré.

Voilà Poincaré aux affaires. Il ne prend pas Clemenceau dans son gouvernement. Mais il nomme Delcassé au ministère de la Marine. Il se charge lui-même du Quai d'Orsay. L'entrée de Delcassé est significative. C'est lui qui avait démissionné lors de la précédente crise marocaine, celle d'Algésiras, parce qu'il voulait résister aux Allemands, au besoin en les menaçant de guerre. Oui, Delcassé-Poincaré, c'est un ministère de choc. On s'inquiète chez les socialistes. Jusqu'où veut donc aller la droite ?

Poincaré monte à la tribune du Sénat, aussitôt investi. Il a en main le traité de 1911, le traité de Caillaux. Va-t-il le déchirer ? Rouvrir la crise ? Pas du tout, il le défend, avec toute son habileté d'avocat, et de grand avocat. Comment pourrait-on lui tenir grief des négociations dont il avait, en son temps, dénoncé le premier les irrégularités de forme ? Car sur le fond, il fallait signer. Tout de suite. La parole de la France était engagée.

« Folie ! dit Clemenceau. Vous avez négocié sous la menace, et amené le drapeau français sur d'immenses territoires. »

Mais Poincaré montre que ce traité n'implique en rien une modification de notre politique étrangère. Il n'y a pas d'entente avec l'Allemagne. Nous maintenons les alliances avec l'Angleterre et avec la Russie, nous restons fidèles à la politique de Delcassé. La meilleure preuve, dit Poincaré, c'est que Delcassé est là, au banc du gouvernement. Non, le vote du traité n'est pas pour la France une abdication, un renoncement. Il est seulement le moyen de sortir de la crise. Les options fondamentales demeurent. Ce qui change, c'est l'esprit de l'équipe gouvernementale, et l'esprit de la majorité dominante. Autour de Poincaré, il n'y a pas de divergences, ni d'hésitations. La presse ne s'y trompe pas, quand elle loue de Poincaré le langage de fermeté. Il n'y a pas, dit *Le Temps* dans son éditorial, de meilleur gage de paix « que la conservation jalouse de notre puissance militaire, navale, et financière ». Et de fait, tous les sénateurs de l'Est, qui avaient, au temps de Caillaux, voté contre le traité, l'approuvent désormais parce qu'ils font confiance à Poincaré. Pourquoi cette confiance ? Pour préparer la guerre, évidemment.

Poincaré se défendra jusqu'au bout de sa vie d'avoir voulu la guerre. Mais il reste qu'il s'y prépare sans relâche, dès son arrivée aux affaires. Il commence par renforcer les alliances, avec l'Angleterre, avec la Russie. Au Quai d'Orsay il fait valser les ambassadeurs, il nomme directeur des affaires politiques un homme à lui, Maurice Paléologue. Il commence par demander aux Anglais l'autorisation de pénétrer en Belgique, en cas de guerre, comme Joffre le lui recommande. Mais après consultation de Londres, il l'en dissuade. Jamais les Anglais, ni les Belges n'admettront une occupation préventive. Il faut attendre l'attaque allemande. Son devoir est de maintenir l'Entente cordiale. Aux militaires de changer leurs plans. Puis il se rend lui-même en Russie, et il demande au tsar le doublement des voies ferrées qui conduisent de Moscou à la frontière, pour que la France soit sûre d'une intervention rapide des troupes russes en cas de guerre. Et le tsar promet, en se félicitant du « réveil militaire et national de la France ». A Nantes, à son retour, il prononce un discours où il parle de la « fierté d'un peuple qui ne veut pas la guerre et qui pourtant ne la craint pas ». Voilà le langage que la droite et le centre politiques français attendaient depuis la crise d'Agadir. La grande presse, unanime, le soutient. Un grand mouvement se crée, du centre à l'extrême droite, pour le porter, en janvier 1913, à la Présidence de la République. Et l'on voit à Versailles, où sa candidature est vivement combattue par Clemenceau, ce spectacle inhabituel de la droite et de l'extrême droite, le comte de Mun en tête, se ralliant spectaculairement à ce modèle de parlementaire républicain, à ce Meusien volontiers anticlérical, qui a toujours proclamé son attachement maniaque au rituel républicain. Ah ! certes, ni les amis de Caillaux ni ceux de Jaurès ne se joignent à ce concert d'éloges. Clemenceau fait aussi bande à part. Mais des radicaux, comme Léon Bourgeois, jusqu'à l'Action française, une sorte d'unanimité se fait dans une idéologie nationale, dans un grand « rassemblement autour du drapeau ». Oui, la guerre est en vue, depuis Agadir. C'est la menace de guerre qui a porté au pouvoir Raymond Poincaré. Et s'il a fait ratifier au Sénat le traité de Caillaux, qui lui donnait les mains libres vis-à-vis de l'Allemagne, c'est sans doute pour mieux se préparer à être ce rassembleur des énergies nationales, capable d'imposer au pays l'effort de guerre — par exemple la loi de trois ans — même si, dans la consultation électorale du printemps de 1914, les forces pacifistes menées par Jaurès et Caillaux l'emportaient. En portant au pouvoir Raymond Poincaré après Agadir, une certaine France indiquait clairement qu'elle était prête à accepter la guerre — naturellement au cas où — comme ne manquait pas de le préciser toujours Poincaré — elle lui serait imposée.

41.
LE CAFÉ DU CROISSANT

31 juillet 1914. Il fait chaud dans les rues de Paris, vers sept heures du soir. Dans un taxi Renault, sur la place de la Concorde, trois hommes épuisés s'épongent le front. Le premier, courtaud, barbu, coiffé d'un vieux canotier, c'est Jean Jaurès, directeur de *L'Humanité,* chef du groupe socialiste à la Chambre, orateur populaire à l'éloquence chaude du Midi. Les autres sont ses amis socialistes, Longuet et Renaudel. Jaurès vient de prendre la parole à la Chambre. Une dernière fois. Mais les nouvelles sont trop accablantes. A quoi bon faire un long discours ! Il faut aller au journal, plutôt, très vite au journal. Il faut que l'opinion soit informée, que les gens se mobilisent. « Ce n'est pas possible, dit Jaurès, ce n'est pas possible, allons-nous déchaîner un cataclysme mondial ? » Et il se tourne vers ses camarades :

« Au journal, vite ! Il n'y a plus rien à faire ici. Je vais écrire un nouveau « J'accuse ». J'accuse la Russie d'avoir voulu la guerre... J'accuse la France de n'avoir pas su l'empêcher ! J'y passerai la nuit. Je dirai tout ce que je sais. Toutes les intrigues, tous les complots seront dévoilés.

— Mais il n'y a qu'une nuit, dit Longuet, demain, c'est la guerre.

— Une nuit me suffira », répond Jaurès.

Il cherche encore à voir Viviani, le président du Conseil. C'est un ancien socialiste. Jaurès veut lui parler. Mais Viviani est débordé. Il ne peut le recevoir. Il le renvoie sur Abel Ferry, son collaborateur. Jaurès attend devant la porte de Ferry, avec tous ses camarades socialistes, Vaillant, Cachin, Sembat et naturellement Longuet et Renaudel. Un homme sort de chez Ferry. C'est Isvolsky, l'ambassadeur de Russie.

« Canaille, grommelle Jaurès. Canaille d'Isvolsky ! » Mais l'autre a passé sans le saluer, comme s'il ne le voyait pas. Et Jaurès est reçu par Abel Ferry. Il lui dit toute la colère de ses camarades.

« Que ferez-vous, Jaurès, que ferez-vous, s'il y a la guerre ?

— Nous continuerons, dit Jaurès, à mobiliser les travailleurs contre la guerre.

— Alors je crains fort qu'on ne vous assassine au coin d'une rue », répond le sous-secrétaire d'Etat Abel Ferry.

Dans le taxi qui traverse la place de la Concorde, Jaurès ouvre la fenêtre, il étouffe. Dehors, des relents d'absinthe, qui viennent de la terrasse des cafés. On est maintenant rue Royale, devant la Madeleine. Le taxi s'arrête. Un attroupement. Un homme est à terre, blessé. C'est un musicien roumain. La foule l'a frappé en criant : « A mort, l'espion ! » Jaurès est écœuré. Le taxi poursuit sa route. On entend les cris : « A Berlin, vive l'armée ! » On arrive enfin au siège du journal *L'Humanité.* Jaurès se précipite, monte à la rédaction.

« A-t-on des nouvelles de l'Angleterre ? demande-t-il. Qu'a dit Asquith ?

— Nous n'avons pas encore sa déclaration. Elle devrait arriver vers neuf heures. » Jaurès regarde sa montre. « Neuf heures ? Allons dîner.

— Au Coq-d'or ? demande Longuet.

— Au Croissant plutôt, dit Jaurès, nous serons entre nous.

— Il y a là des têtes qui ne me plaisent pas, dit Longuet.

— Il faut manger en trois quarts d'heures. Dépêchons-nous ! »

Et Jaurès et ses amis s'engouffrent, rue Montmartre, dans le café du Croissant.

Quand il entre au café du Croissant, au soir du 31 juillet 1914, Jaurès est un homme convaincu que la guerre est, hélas !, inévitable. Il cherche avec ses amis leur table habituelle, leurs trois tables à gauche de l'entrée, alignées bout à bout. Jaurès est sur la banquette, le dos contre un rideau qui abrite les clients et les coupe de la rue. Il est accablé.

Depuis le matin, une succession de mauvaises nouvelles, et encore ne les connaît-il pas toutes, car on ne dit pas tout aux socialistes. Ils doivent se contenter des dépêches d'agences de presse, des confidences de cabinets ministériels, ou des bruits du salon des Quatre-Colonnes, à la Chambre. Non ils sont loin de tout savoir, et s'ils savaient...

Jaurès, le 29, était allé à Bruxelles pour rencontrer les socialistes de tous les partis d'Europe. Il voulait convaincre ses camarades allemands d'empêcher la guerre à tout prix. Il a compris là qu'il n'y avait rien à faire. Depuis le 28 juin, depuis l'assassinat, à Sarajevo, de François-Ferdinand, héritier du trône d'Autriche, et de sa femme, par un jeune nationaliste serbe, l'Europe a la fièvre. Les Balkans sont une poudrière. Le jeu des alliances peut faire de la guerre une guerre européenne. Après l'attentat, le cabinet de Vienne a en effet décidé « d'en finir avec la Serbie ». Et l'Allemagne a décidé de soutenir l'Autriche. « Une guerre avec la France, a dit le Kaiser Guillaume II, est inévitable et prochaine. » Le 16 juillet Poincaré et Viviani ont fait un voyage en Russie, prévu depuis de longs mois. L'Autriche attend leur retour, le 23 au soir, pour remettre son ultimatum à la Serbie, en sachant très bien que la Russie ne peut pas abandonner la Serbie, ni la France la Russie. Jusqu'au 29 juillet la France n'a pas ses présidents, qui se rendent encore en Suède. Ils savent que l'Allemagne a demandé « la localisation du conflit ». Mais le 24 les Russes annoncent qu'ils vont soutenir la Serbie. Le 25 la Serbie et l'Autriche mobilisent. Le 26 une tentative de médiation anglaise est repoussée par les Allemands qui ne veulent pas, disent-ils, « traîner l'Autriche devant un tribunal européen ». Le 28 l'Autriche déclare la guerre à la Serbie. Une nouvelle médiation anglaise échoue le 29 quand Jaurès prononce son discours à

Bruxelles. Et c'est aussi le 29 que Poincaré et Viviani débarquent à Dunkerque.

Dès le 28, dès la déclaration de guerre autrichienne à la Serbie, le tsar a mobilisé treize corps d'armée. Le 30 il ordonne la mobilisation générale, à la demande de son état-major. La France n'a pas été consultée, elle est mise devant le fait accompli. Le 31, Grey a fait savoir aux Allemands qu'il était prêt à offrir une nouvelle médiation mais que si l'Allemagne voulait la guerre, l'Angleterre serait aux côtés de la France et de la Belgique. L'état de danger de guerre est alors décrété en Allemagne. Jaurès l'a appris le soir même à la Chambre. Les Allemands ont commencé à barrer les ponts et les routes sur la frontière du Luxembourg. La frontière avec la Suisse est fermée également. Les Suisses, les Hollandais se préparent à mobiliser. L'Autriche a décrété la mobilisation générale, pour répondre, dit l'empereur, à la menace russe.

Toute l'Europe est en folie et personne ne peut plus empêcher la mobilisation russe, même pas le tsar. Des millions d'hommes sont partis à la frontière autrichienne. Les trains sont bondés, les gares envahies. Les Autrichiens de leur côté sont sur le pied de guerre. Toute l'Europe s'attend à ce que la guerre éclate, d'un instant à l'autre. « Ce qui me frappe, dit Poincaré en débarquant à Dunkerque, c'est qu'ici beaucoup de personnes semblent croire la guerre imminente. » Les journaux sont pleins de menaces. Que va dire demain Jaurès dans *L'Humanité,* oui, que va-t-il dire ? Va-t-il parler de la responsabilité du gouvernement français dans la mobilisation des Russes, va-t-il parler du peu de vigilance de notre représentant à Moscou, Maurice Paléologue ? Il est probable que Jaurès médite des paroles très dures contre Isvolski et sa politique de guerre, et aussi contre le système des alliances, qui mène l'Europe à sa fin.

Chez Poccardi, non loin du café du Croissant, un jeune homme boit du vin italien. Il est étudiant en égyptologie au musée du Louvre. Un raté, fils de greffier, un illuminé qui croit à son génie ; membre de l'association très patriotique des « Jeunes amis d'Alsace et de Lorraine », il considère Jaurès comme l'ennemi, il l'appelle, comme l'Action française qu'il lit chaque matin, « Herr Jaurès ». Il a dîné et se dirige vers la rue du Croissant. Il a deux revolvers dans ses poches. Il s'appelle Raoul Villain.

Neuf heures et demie. Jaurès et ses amis sont toujours là. Le service est lent, le café plein de monde. Jaurès mange, en se hâtant. Il écoute Longuet qui traduit les articles du *Daily Citizen,* l'organe du parti travailliste anglais. A la gauche de Jaurès, Renaudel et George Weill. A sa droite, Landrieu, l'administrateur de *L'Humanité.* Jaurès sort de ses poches des papiers, des coupures de presse qu'il étale devant lui, sur la table. Il prépare son article du lendemain. Il parle peu. Mais soudain il lève la tête.

C'est Marius Viple qui vient d'entrer. Il vient du journal. Il tient en main les dernières dépêches. Jaurès les lui demande. Et si la médiation d'Asquith et de Grey était acceptée... Il lit tout haut, pour ses camarades, la déclaration que vient de faire Asquith à la Chambre des communes : « Nous venons d'apprendre, non de Saint-Pétersbourg mais d'Allemagne, que la Russie a proclamé la mobilisation générale de son armée et de sa flotte et qu'en conséquence la loi martiale a été proclamée en Allemagne. Nous croyons savoir que cela signifie que la mobilisation suivra en Allemagne si la mobilisation russe est générale. Dans ces conditions je préfère ne répondre à aucune question avant lundi. »

« Avant lundi ? Mais le temps presse », dit Jaurès. Parmi les camarades, personne ne commente ; tous sont abattus. Jaurès donne des ordres, pour l'édition du lendemain. Il annonce les grandes lignes de son article. Le seul espoir est peut-être une intervention de dernière heure du président américain Wilson. Il faut faire, dit Jaurès, le bilan de la faillite des gouvernements impérialistes d'Europe. Ils sont tous responsables. Le dîner se termine. Un journaliste du *Bonnet rouge,* qui dîne à la table voisine, montre à Landrieu la photo de sa petite fille. Jaurès demande à voir. Il aime les enfants. Il se penche.

Le rideau de mousseline qui donne sur la rue s'écarte

brusquement. Un revolver pointe. Une lueur « couleur de soufre », disent les témoins. Une détonation. Les verres se brisent, un homme s'écroule, tout doucement, sa tête tombe sur la table. C'est Jaurès.

« Ils ont tué Jaurès ! » Le cri se répand aussitôt dans la rue. Déjà Renaudel s'est précipité, il a saisi un siphon sur une table. Il jette le siphon très fort à la tête de l'homme qui s'enfuit. Il l'assomme. La foule s'attroupe. Les agents de police arrivent, saisissent l'assassin.

Renaudel rentre dans la salle du café. Jaurès est étendu sur deux tables. Son cœur bat encore. On est allé chercher un médecin. La police écarte la foule, houleuse. Compère Morel tient dans sa main celle de Jaurès. Renaudel a localisé la blessure, un trou en bas du crâne. Le sang coule. Renaudel l'épanche avec une serviette de restaurant. Le docteur arrive, ouvre la chemise de Jaurès. Il l'ausculte pendant une minute. « Messieurs, dit-il, M. Jaurès est mort. » Il est dix heures.

Le lendemain 1er août, une affiche signée Viviani était apposée sur les murs de Paris.

« Citoyens, un abominable attentat vient d'être commis. M. Jaurès, le grand orateur qui illustrait la tribune française, a été lâchement assassiné. Je me découvre personnellement et au nom de mes collègues devant la tombe si tôt ouverte du républicain socialiste qui a lutté pour de si nobles causes et qui, en ces jours difficiles, a, dans l'intérêt de la paix, soutenu de son autorité l'action patriotique du gouvernement. Dans les graves circonstances que la patrie traverse, le gouvernement compte sur le patriotisme de la classe ouvrière et de toute la population pour observer le calme et ne pas ajouter aux émotions publiques par une agitation qui jetterait la capitale dans le désordre. L'assassin est arrêté. Il sera châtié. »

Le 3 août, l'Allemagne déclarait la guerre. Les socialistes Guesde et Sembat entraient au gouvernement. Sur la tombe de Jaurès, le 4 août, le secrétaire de la CGT Léon Jouhaux lançait : « Acculés à la lutte, nous nous levons pour repousser l'envahisseur. » Tous les ouvriers mobilisés rejoignaient leurs corps. « La vérité, a écrit le leader socialiste Frossard, c'est que le

31 juillet 1914, si nous avions voulu essayer de résister, nous aurions été emportés par le torrent de chauvinisme qui déferlait alors sur le pays. » Mais Jaurès, qu'aurait fait Jaurès ? Il aurait à coup sûr fait entendre jusqu'au dernier moment sa grande voix pour sauver la paix. Car la guerre, qui tua son propre fils, était le véritable ennemi de tous les peuples d'Europe. Oui, « guerre à la guerre », aurait peut-être dit Jaurès, même s'il était conscient de son impuissance et de celle de ses amis devant l'effrayant cyclone qui allait dévaster l'Europe. « L'assassin est arrêté, il sera châtié », a dit Viviani. Las ! Villain n'est pas jugé avant 1919. Il passe toute la guerre en prison. En 1919, la politique a changé. La France a élu une Chambre de droite. Elle est dirigée par Clemenceau, qui combat, depuis 1917, les socialistes. Et Villain est acquitté, aux grands applaudissements de l'Action française. Et Mme Jaurès est condamnée aux dépens. Que devient Villain ? Il se réfugie à Minorque. Il meurt en 1936, tué par les républicains espagnols qui ont tenu, à leur manière, la promesse de M. Viviani.

42.

LES TAXIS DE LA MARNE

Le 3 septembre 1914, les Parisiens peuvent lire sur les murs de la capitale une affiche signée Gallieni, gouverneur militaire : « Les membres du gouvernement de la République ont quitté Paris pour donner une impulsion nouvelle à la défense nationale. J'ai reçu le mandat de défendre Paris contre l'envahisseur. Ce mandat, je le remplirai jusqu'au bout. »

Ainsi, moins d'un mois après la déclaration de la guerre de l'Allemagne, l'ennemi est à Paris. L'offensive allemande est aussi foudroyante qu'en 1870. Paris a un nouveau Trochu, il s'appelle Gallieni. Peut-être Paris va-t-il connaître un nouveau siège.

Joseph Gallieni n'est pas un jeune homme. Cet ancien officier des troupes coloniales a servi en Afrique, au Tonkin, à Madagascar. En 1911 il aurait pu être nommé chef d'état-major général. Mais il a laissé la place à Joffre son cadet. Il vient d'être nommé gouverneur militaire de Paris, à soixante-cinq ans.

Joffre a reculé sans cesse, depuis la frontière. Il a reculé partout, en Lorraine, où les Allemands ont failli prendre Nancy, dans les Ardennes et sur la Sambre. Dès le 23 août, les Français et les Anglais sont battus. Du 24 août au 5 septembre, toute l'armée est en retraite. Des colonnes de « pantalons rouges » marchent vers le sud, protégées par les batteries de 75 qui retardent l'avance allemande. C'est une retraite, pas une débâcle. Les soldats sont harassés, ils manquent d'eau, de nourriture, mais ils se replient en bon ordre. Joffre change les officiers incapables : 2 commandants d'armée, 9 commandants de corps, 33 commandants de divisions d'infanterie se retrouvent « limogés » et l'on nomme de nouveaux généraux, ceux qui ont déjà fait leurs preuves au feu. Tout indique que les Français vont reprendre l'offensive.

Mais à Paris on ignore tout de la situation, et les bruits alarmistes circulent. Les lettres des mobilisés mettent plus d'une semaine pour arriver. Dans ses Mémoires, Poincaré indique qu'il n'est pas lui-même au courant de la situation militaire. Joffre en dit le moins possible, même au gouvernement, et la censure fait le reste. On ne peut compter sur les journaux pour être informés. La foule se presse autour des immeubles des grands quotidiens, pour lire les communiqués. Ils sont décevants, peu clairs, embarrassés. De fausses nouvelles circulent. On dit que les Allemands ont mis le feu à la forêt de Compiègne pour brûler vives plusieurs divisions qui refusent de mettre bas les armes. Le 29 août, on apprend que les Allemands ont franchi la Somme. Tout le Nord de la France est envahi. Et l'on voit bientôt arriver les premiers réfugiés. Oui, l'exode de septembre 1914 est pire que celui de juin 1940. Les populations de Belgique et du Nord prennent les routes du Sud, essaient de s'embarquer dans les gares. A Paris on dirige les réfugiés vers le Cirque d'Hiver ; plus de 20 000 personnes y sont hébergées. Il y en a aussi salle Wagram, au séminaire Saint-Sulpice. Plus de 100 000 réfugiés sont accueillis en Seine-et-Oise. Les autres s'en vont dans l'Ouest ou dans le Midi. Ils racontent les atrocités commises par les Allemands, les viols, les violences, les prises d'otages. Ils en rajoutent, pour se faire plaindre. Ils parlent des « enfants aux poignets coupés », des villes incendiées.

Les réfugiés sèment la panique dans la capitale. Dès le 31 août, les ménagères prennent d'assaut les magasins. Les queues sont immenses car les Parisiens ont peur d'un long siège, comme en 1870. On stocke tout ce que l'on trouve, le riz, les légumes secs, la farine, les pommes de terre, l'huile et le sucre, le beurre et les pâtes, on se jette sur la nourriture et même sur le fromage de Hollande. Ceux qui achètent sont ceux qui restent. Car les riches, les privilégiés, se sont déjà enfuis. On a vu donner 3 000 francs à un chauffeur de taxi pour se faire conduire en Normandie. D'autres donnent 1 000 francs pour rejoindre au plus tôt Orléans. Tout, mais pas le siège. Aux portes de Paris, les soldats vérifient les papiers de ceux qui partent. Il y a des files interminables. On prend d'assaut, dans les gares, les trains qui vont vers le sud. Comment condamner les fuyards ? Le gouvernement a donné l'exemple. Le train officiel, celui qui conduit le Président de la République, est parti le 2 septembre au soir. Il est déjà arrivé à Bordeaux quand les Parisiens peuvent lire la proclamation de Gallieni.

Maintenant, les portes de Paris sont fermées. On annonce que dans trois jours aucune automobile ne pourra plus les franchir. Mais Gallieni n'empêche pas les gens de partir, au contraire. Pas de bouches inutiles. Il organise les départs. Des trains spéciaux sont annoncés dans toutes les directions. Les mairies ont des billets gratuits à distribuer. Paris se vide. Sur les Champs-Elysées, à quatre heures de l'après-midi, plus une voiture, plus un vélo. Paris est une ville fermée.

Tous ceux qui restent dans le camp retranché de la capitale ont une confiance totale dans la détermination du général Gallieni. Ils attendent calmement la bataille, maintenant que les « septembrisards » se sont enfuis.

Gallieni, dans le camp retranché de Paris, dispose de vieux combattants, de territoriaux : cinq divisions de territoriale, une brigade territoriale, deux divisions de réserve et seulement une division d'active et un détachement de fusiliers marins. Les deux divisions de réserve sont au nord-ouest, près de Pontoise. Toutes les autres forces sont dans Paris ou immédiatement autour. Gallieni sait qu'il ne doit pas, comme Trochu, se laisser enfermer. Ses troupes doivent livrer bataille en dehors de la ville. Les fortifications, avec l'artillerie de 1914, ne veulent plus rien dire. Les canons Krupp peuvent briser tous les obstacles. Gallieni ne s'attend pas à une guerre de siège.

Le 3 septembre, il obtient des aviateurs en reconnaissance des renseignements d'une importance capitale : les colonnes allemandes, de couleur grise, s'allongent dans la direction nord-sud. Il n'y a pas de colonne allemande vers Paris. Les Allemands marchent vers le sud-est, vers la Marne, vers Château-Thierry et La Ferté-sous-Jouarre.

« Il faut que Maunoury attaque tout de suite, sur le flanc des Allemands », se dit Gallieni. Maunoury est à la tête d'une armée de réserve hâtivement constituée par Joffre et qu'il a placée dans ce secteur. L'armée Maunoury se trouve, l'arme au pied, juste à l'ouest des colonnes allemandes qui s'étirent vers la Marne, des colonnes de von Kluck. Oui, von Kluck a désobéi, il s'est avancé trop vite, tout seul, il faut en profiter sur-le-champ.

Joffre, dans son état-major, a la même idée. Mais Joffre est prudent. Il doit d'abord convaincre les Anglais, qui tiennent tout l'ouest du front. Il rencontre French près de Melun, au château de Vaux-le-Pénil. L'heure est décisive.

« L'honneur de l'Angleterre est en jeu, monsieur le maréchal », dit Joffre à French en tapant sur la table. Et French répond : « *I will do my possible.* » Joffre ne comprend pas l'anglais, mais on lui traduit : le maréchal a dit oui.

Joffre regagne en toute hâte Châtillon-sur-Seine, son nouveau Q.G. Il est prêt à engager la bataille, au matin du 6. Il sait que Gallieni et Maunoury vont attaquer à fond. Il a confiance. « Au moment ou s'engage une bataille dont dépend le sort du pays, dit-il aux soldats, il importe de rappeler à tous que le moment n'est plus de regarder en arrière. »

Et l'offensive commence, au matin du 6 septembre. Une offensive générale. Maunoury doit attaquer d'ouest en est sur Meaux. Gallieni voulait qu'il attaque deux jours plus tôt. Il l'avait demandé à Joffre. Mais Joffre voulait attendre les Anglais. Maunoury a attaqué quand même, dès le 5 septembre sur ordre de Gallieni. Il est au nord-est de Meaux, sur le front de Neufmoutiers-Le Mesnil Aubry. Il sait que le 4e corps allemand se fortifie sur la rive droite de l'Ourcq. Il faut lui faire repasser la rivière. Dès le 5 les Allemands sont bousculés par deux divisions d'infanterie et un corps de Marocains. La grande attaque est commencée. Et Maunoury est le premier à l'avoir déclenchée, vingt-quatre heures avant l'assaut général.

Von Kluck est complètement surpris. Mais le 6, il réagit, et cherche à tenir sur la Marne. Il doit absolument contenir la marche de cette armée Maunoury qui l'attaque par l'ouest. Il doit faire front vers l'ouest. Il laisse deux corps d'armée au sud de la Marne et donne l'ordre à toutes ses forces de déborder Maunoury par le nord. Les soldats allemands du sud de la Marne reçoivent aussi l'ordre d'abandonner leurs positions et de rejoindre leur aile droite. Ils font ainsi cent kilomètres en vingt-quatre heures, marchant jour et nuit, pour envelopper Maunoury.

Le danger, pour Joffre, est immense. Si l'armée Maunoury éclate, c'est tout le dispositif de la contre-offensive française qui est par terre. A Paris de nouveau, le gouverneur militaire demande le général en chef au téléphone. Il faut immédiatement renforcer l'armée Maunoury. Il y va de l'enjeu de la bataille, du sort de la guerre.

Gallieni a sa réserve : l'armée de Paris. Il veut l'engager immédiatement dans le combat, sans plus penser à protéger la capitale. C'est sur la Marne, évidemment, que se joue le sort de Paris. Il faut à tout pris renforcer l'aile gauche de Maunoury sur laquelle vont converger toutes les troupes allemandes mises en route par von Kluck. La victoire dépend, plus que jamais, des jambes des soldats.

Dans la nuit du 7 au 8 le gouverneur militaire demande quels sont les moyens de transports disponibles. Il y a des trains, des camions, mais en nombre insuffisant. Que faire ?

« Il y a bien les taxis, dit quelqu'un.

— Les taxis ? Vous voulez rire. Combien sont-ils, dans Paris ?

— Environ un millier. »

Gallieni calcule rapidement. Mille taxis, quatre hommes par

taxi, cela fait 4 000 hommes. Si on les entasse à cinq ou six, cela peut faire deux régiments. La décision est prise.

« Rassemblez les chauffeurs de taxis. »

Les voilà mobilisés. Ou plutôt réquisitionnés. Car ils sont autorisés, les conducteurs des taxis Renault à pneus pleins, à mettre le compteur en marche. Le gouverneur de Paris paiera.

Les hommes s'engouffrent dans les taxis et ils prennent la route, sous les vivats de la population qui s'est rassemblée pour les voir partir. Une longue course, de jour et de nuit. Jamais les taxis n'avaient conduit des soldats à la bataille ; il faut avancer sur les routes défoncées, parfois bombardées, coûte que coûte. Une course dont ils se rappelleront longtemps. Un de ces « taxis de la Marne » est encore exposé, patriotique relique, dans le musée des Invalides.

Les renforts ainsi acheminés décident du sort de la bataille. Von Kluck voulait déborder Maunoury. C'est lui qui est débordé, et de plus une brèche s'est ouverte entre son armée et celle de son voisin von Bülow. Voilà les généraux prussiens pris au piège de leur stratégie. Les Français s'engouffrent dans la brèche. Le sort de la bataille est décidé. Sur l'ensemble du front, Français et Anglais avancent. Les soldats morts de fatigue trouvent encore le courage de repartir à l'assaut alors qu'ils marchent sans arrêt depuis Charleroi ou Maubeuge. Certaines unités avancent d'un bond de plus de trente kilomètres, repoussant les Prussiens devant eux. Le 10 septembre, les Allemands commencent leur retraite. Ce n'est pas une déroute, mais ils ont pris la décision de se regrouper. Décision historique : la guerre de positions est presque commencée. Ils vont s'étendre vers l'ouest, vers la mer, au lieu de menacer Paris et de marcher droit vers le sud. Ils constituent un front. Ils veulent faire durer la guerre.

Joffre est satisfait. La bataille est gagnée. Le 10 mars il télégraphie au ministre de la Guerre Millerand, qu'il avait jusqu'ici beaucoup négligé d'informer : « La bataille de la Marne s'achève en victoire incontestable. »

C'est vrai, Maunoury poursuit maintenant l'ennemi au nord de la forêt de Villers-Cotterêts. Paris est dégagé, Paris respire.

Les boutiques relèvent le rideau de fer. Les cafés dressent leurs tables. Les théâtres reprennent les locations. Les rues sont de nouveau animées. On a échappé au siège.

Pauvre Joffre ! Est-il assez critiqué, assez calomnié par les politiques, depuis le début des opérations ! A-t-on assez dit dans l'entourage de Millerand qu'il fallait changer le généralissime, qu'il était trop lent, trop timoré, qu'il n'avait pas le goût de l'offensive ! A-t-on assez dit, dans l'entourage politique de Gallieni, que le gouverneur de Paris devait prendre l'initiative, et bousculer le général en chef ? Quand on demandait à Joffre : « Mais qui donc a gagné la bataille de la Marne ? », il répondait malicieusement : « Je ne sais pas qui a gagné la bataille de la Marne, mais je sais bien qui l'aurait perdue. »

43.
LE 6 FÉVRIER

Le 6 février 1934, Paris se réveille dans une atmosphère d'émeute. Depuis la veille, des groupes parcourent les rues, s'attroupent, se dispersent, se rejoignent, lancent des slogans, arborent des banderoles avec de singuliers mots d'ordre. C'est à croire qu'une émeute se prépare. Une émeute, dans Paris ? On a perdu le souvenir de ces violences depuis la Commune, depuis 1870.

L'Action française, un journal royaliste, très actif ces années-là, annonce une manifestation géante : ce soir, à la sortie des bureaux, les Français se rassembleront devant la Chambre aux cris de : « A bas les voleurs ! » Ainsi, c'est bien au Palais-Bourbon que les manifestants ont rendez-vous. Le but de la manifestation ? Jeter les députés à la Seine.

La vague antiparlementaire est immense, elle risque de submerger le régime. Une association d'anciens combattants, dirigée par le colonel de La Rocque, a donné des mots d'ordre pour que ses Croix-de-Feu, ces « irréprochables combattants de première ligne », ceux qui ont eu la croix de guerre, soient présents au rendez-vous. Ils veulent « remettre de l'ordre dans le pays ». Ils se défendent de toute appartenance politique. Mais ils sont disciplinés, hiérarchisés, comme au front, et terriblement efficaces. Ils ont aussi le plus grand nombre de militants.

D'autres ligues sont mobilisées pour la « journée » : les

Jeunesses patriotes de Taittinger, qui portent une sorte d'uniforme, avec béret basque, de style fasciste. Et les Camelots du roi, ces militants royalistes, ont de solides gourdins. Ceux-là, comme dit Maurras, sont venus pour tordre le cou de la Gueuse. La Gueuse ? C'est la République. Le grand rendez-vous du 6 février 34 est un rendez-vous de droite. Toutes les ligues y sont présentes. Toutes veulent en finir avec la corruption parlementaire.

Les députés n'ont-ils donc aucun défenseur ? A gauche, le parti socialiste mobilise : « Les Camelots du roi, les Jeunesses patriotes, les Croix-de-feu et autres fascistes partent en guerre pour la défense de leur Chiappe et contre la République », lance *Le Populaire.*

Qui est Chiappe ? Le préfet de police. Il passe pour favorable aux ligueurs. Et le nouveau président du Conseil, le radical Edouard Daladier, vient de le nommer... résident général de France au Maroc... Oui, Chiappe est limogé. Et le directeur général de la Sûreté, Thomé, est nommé administrateur de la Comédie-Française ! « Il doit veiller, dit Henri Bernstein, sur la sécurité de Racine, Corneille et Molière. »

Le renvoi de Chiappe a suscité l'émotion de toutes les ligues de droite. Le gouvernement, c'est clair, veut les désarmer. Elles mobilisent. Chiappe a refusé le poste au Maroc. « Vive Chiappe, à bas Daladier ! »

L'extrême gauche mobilise aussi. « La place des communistes est à la tête des masses dans la bataille », dit le secrétariat du Comité central. La C.G.T. dit aux travailleurs : « Ceux qui veulent s'emparer de la rue s'inspirent des régimes fascistes et hitlériens. Nous ne sommes pas en Allemagne... »

Devant la menace de la dure journée qui se prépare, le gouvernement Daladier lance « un appel au calme et à la sagesse de la population parisienne ». Il proteste contre les « agitateurs professionnels » et s'adresse aux anciens combattants : « Le chef du gouvernement, ancien combattant lui-même, demande à ses camarades de combat de ne pas lier leurs revendications à des agitations politiques. » Et il ajoute, dans un beau mouvement de menton : « De toute façon, le gouvernement, responsable de l'ordre, saura le maintenir. »

« A bas les voleurs ! » Le cri des ligueurs remplit les rues. Les députés n'ont pas bonne presse depuis le scandale Stavisky. Cet aventurier avait détourné des millions dans des opérations financières très louches que lui avaient facilité des complaisances de parlementaires ou de conseillers municipaux. Pourquoi ne pas poursuivre Stavisky, et faire la lumière sur le scandale ? C'est impossible. On a retrouvé Stavisky... mort. Le régime l'a tué, dit la droite. Il s'est suicidé, répond le gouvernement. L'opinion publique est indignée. C'est vrai, le régime est pourri, les députés sont compromis. On a tué Stavisky pour l'empêcher de parler. On veut étouffer le scandale. L'indignation est universelle. Même la C.G.T. proteste contre « les voleurs et les écumeurs de l'épargne ».

Le nouveau gouvernement Daladier avait accepté la nomination d'une commission d'enquête parlementaire sur l'affaire Stavisky. Il avait promis de rechercher et de punir tous les coupables. « La commission qui sera chargée, dès la rentrée, avait dit Daladier, d'examiner à fond l'affaire Stavisky recevra, dans l'heure qui suivra sa constitution, tous les documents nécessaires à l'accomplissement de sa mission et notamment la liste complète des chèques Stavisky. »

Si l'affaire Stavisky inquiète à ce point le gouvernement, si elle mobilise l'opinion publique, si elle est un danger pour le système, c'est, bien sûr, que la France, en 1934, vit la crise économique mondiale avec une particulière intensité. Elle est en France à son maximum : chômage, maigres salaires, incertitude du lendemain. Il est facile, dans ces circonstances, de profiter du mécontentement de ceux qui ont fait la guerre et les 35 000 Croix-de-Feu mobilisés par de La Rocque ont le sentiment d'être des héros méconnus, trahis, bafoués. Ils ont le sentiment que leur colère est légitime. Ils ne comprennent pas les faillites, les bas salaires, l'usure de l'épargne. Si en plus ils pensent que des coquins profitent du système, ils sont prêts à renverser le régime. L'affaire Stavisky fait déborder le vase. Daladier ne s'y trompe pas. Il essaie de rassurer. Il sait qu'il a contre lui, non seulement les ligues, qui touchent de grasses subventions du patronat, mais aussi la presse de droite, la grosse presse d'opinion, qui depuis des mois attaque le régime parlementaire. En 1932 les élections ont été à gauche. Daladier gouverne à gauche. Le but des ligues et de la presse est de modifier profondément le jeu politique en imposant des solutions d'ordre. Quand il prétend défendre le régime républicain, Daladier est assurément sincère : il défend le régime parlementaire.

Il sait que ses propos ne désarmeront pas les ligues, qu'on va vers un affrontement. De fait, dès le 5 février, les quinze conseillers municipaux de Paris, dont Frédéric Dupont, font afficher sur les murs de la capitale des mots d'ordre de manifestation. Les Jeunesses patriotes, les Camelots du roi, les militants de la ligue de la Solidarité française, payée par le parfumeur François Coty, distribuent des tracts aux passants. « La IIIe République, peut-on lire, a délibérément saccagé la victoire. Par haine du fascisme, elle a méprisé Mussolini et irrité l'Italie ; par sa faiblesse, elle rend à l'Allemagne son insolence traditionnelle. La République, c'est la guerre. » Dès le lundi 5 février, le colonel de La Rocque a convoqué ses militants. Le rassemblement est fixé à vingt heures, place de la Madeleine. Une demi-heure plus tard 5 000 manifestants descendent les Champs-Elysées en chantant *La Marseillaise.* Les gardes à cheval les dispersent quand ils s'approchent du ministère de l'Intérieur. On crie : « Vive Chiappe ! Daladier, démission ! Les patriotes au pouvoir ! » Le colonel a mobilisé pour le lendemain les chefs de section de province pour « mettre fin à la dictature de l'influence socialiste ». Ainsi toutes les organisations de droite et d'extrême droite sont prêtes pour le mardi 6. Des tracts et des affiches sont encore imprimés dans la nuit. « Il faut la France aux Français, dit Solidarité française. Et les Français chez eux le balai à la main ! Manifestez aujourd'hui contre le régime caricatural. »

Tout commence à la Chambre, pour la séance de quinze heures. Les députés ont remarqué, en pénétrant dans le Palais-Bourbon, que les grilles étaient cadenassées et que les gendarmes mobiles montaient la garde. Brillante assistance, les tribunes sont pleines. Daladier monte à la tribune. Les communistes se lèvent et scandent sur l'air des lampions : « Les soviets, les soviets ! » Puis ils chantent *L'Internationale* et crient : « Chiappe en prison ! » Il faut interrompre la séance, les députés se battent. Il est quinze heures quinze. Quand la séance reprend, Daladier lit jusqu'au bout le texte qu'il a préparé sans se soucier des interruptions ni des injures. « Nous saurons, dit-il, défendre le régime et le Parlement. » Quand il a terminé, les socialistes se lèvent pour lui faire une ovation.

On vote alors sur la question de confiance. Pour les explications de vote, André Tardieu, un des leaders de la droite, monte à la tribune. Les communistes chantent *L'Internationale* pour l'empêcher de parler. Les députés de droite se lèvent à leur tour et chantent *La Marseillaise*. Ybarnegaray va prendre à partie Daladier au banc du gouvernement. Des huissiers s'interposent. Xavier Vallat, un ancien combattant, dit qu'il va rejoindre ses camarades dans la rue. Et Tardieu tente de reprendre la parole.

« Aventurier, provocateur ! lui lance Thorez, de son banc.

— Monsieur Thorez, je vous reconnais le droit de tout dire. Je vous ai mis en prison et je recommencerai quand je pourrai... »

Blum succède à Tardieu : « Nous sommes résolus, dit-il, sur le terrain parlementaire comme sur tous les autres, à barrer la route à l'offensive outrageante de la réaction fasciste. » Blum est interrompu... Les allées et venues se multiplient au banc du gouvernement. On annonce que les manifestants ont forcé les barrages de la place de la Concorde.

C'est vrai, on se bat aux portes du palais. Il y avait pourtant un solide barrage : des gardes mobiles, des gardes à cheval, des camions et un cordon de gardiens de la paix. Les Croix-de-Feu et les volontaires nationaux étaient à l'arrière du palais, rue de

Grenelle. Les Camelots du roi étaient boulevard Saint-Germain. Les Jeunesses patriotes place du Châtelet, les gens de Solidarité française sur les Grands Boulevards. D'autres ligues d'anciens combattants aux Champs-Elysées. On a tiré sur les gardes avec des billes d'acier et des boulets de charbon, on a tailladé les jarrets des chevaux avec des lames de rasoir fixées au bout de bâtons.

A dix-neuf heures on entend des coups de feu.

« On tire ! » crie au Palais-Bourbon Scapini, aveugle de guerre. On demande à Daladier s'il a donné l'ordre de tirer. Les communistes scandent : « Les soviets ! » « C'est un gouvernement d'assassins ! » crie Scapini.

Il y a des blessés des deux côtés. Les gardes ont chargé. On improvise une ambulance au Palais-Bourbon. On apprend que les Croix-de-Feu parlementent, au lieu de donner l'assaut. Ils font bientôt demi-tour et n'attaquent pas. De l'Hôtel de Ville, les conseillers de Paris décident de se rendre en cortège au Palais-Bourbon. Les Jeunesses patriotes les accompagnent. Quand le cortège se présente place de la Concorde, la fusillade fait rage. Jean Fabre, des J.P., est touché. Il y a des morts et des blessés. 30 000 émeutiers veulent prendre d'assaut le Palais-Bourbon. D'autres défilent aux Champs-Elysées pendant qu'une manifestation communiste se déroule rue La Fayette.

A l'intérieur du Palais-Bourbon, la confiance vient d'être votée, vers vingt heures trente. La Chambre s'est peu à peu vidée de ses députés. A la fin, ils ne sont plus que cinq : Herriot, Campinchi, Tony Revillon, Jules Julien et Cornu. Ils veulent quitter le palais par la porte de Bourgogne pour accompagner Herriot à son hôtel des Grands Boulevards. Sur l'esplanade des Invalides, Herriot est reconnu : « Herriot à la Seine ! » crient les manifestants. Cornu, en hâte, va chercher des secours. On dégage Herriot, qui, ce jour-là, couche chez Campinchi.

La contre-attaque de la police, ordonnée par le colonel Simon, de la gendarmerie, débute à vingt-deux heures trente. Les gardes et les gendarmes réussissent à dégager la Concorde, sans tirer un coup de feu. Mais on continue à tirer au Cours-la-

Reine. Il y a 15 morts, 655 blessés chez les manifestants, 1 664 blessés dans les forces de l'ordre. Une chaude journée.

Le ministre de l'Intérieur apprend que dans les jours qui viennent il faut s'attendre à des troubles encore plus graves. Pour prévenir ces troubles, le cabinet démissionne le 7 février. Ce jour-là communistes et socialistes défilent dans la rue. Il y a des bagarres, et de nouveau 4 morts. La C.G.T. lance un mot d'ordre de grève générale pour le 12 février. Est-ce la fin du régime ?

Non. Le 8 février, à neuf heures quinze, un politicien du Sud-Ouest arrive de Tournefeuille où il réside. Il est appelé par le Président de la République pour former le gouvernement. Il s'appelle Gaston Doumergue. Il fait un ministère d'union, comme on dit alors, avec des radicaux comme Herriot et Sarraut, mais surtout des hommes de droite : Laval, Tardieu, Flandrin, le maréchal Pétain. La République est sauvée. La droite antiparlementaire bénit le gouvernement. La droite triomphe, elle ose demander la mise en jugement de Daladier. Mais il y a dans ses rangs des esprits lucides, qui ont observé, au cours des journées de février, une inquiétante union, à la base, des manifestants socialistes et communistes : le Front populaire est en marche.

44.

LE 14 JUILLET 1936

Depuis le grand, l'immense défilé de la victoire en 1919, il n'y avait plus à Paris de 14 Juillet. La cérémonie ressemblait de plus en plus à une morne manifestation d'anciens combattants, devant la Tombe du soldat inconnu. Il n'y avait plus l'enthousiasme des 14 Juillet d'avant-guerre quand la foule se rendait, joyeuse, sur les pelouses de Longchamp. Non, on voyait des anciens combattants arborer leurs décorations, coiffer le casque de la Grande Guerre et se rendre dans un silence pieux au défilé des troupes, qui était d'abord un défilé des drapeaux. On dansait encore, le soir, dans les quartiers de Paris. Mais en dehors des bals des pompiers, rien ne soulevait plus la joie populaire.

Les 14 Juillet n'étaient guère plus appréciés à gauche qu'à droite. La droite préférait, pour ses manifestations, la fête de Jeanne-d'Arc, le 8 mai, ou le 11 Novembre, vraie fête des anciens combattants. Quant à la gauche, elle se désintéressait d'une « célébration conformiste, dit en 1930 un article du *Fonctionnaire syndicaliste,* qui a pris place dans la série des anniversaires archaïques et de tout repos que l'on propose aux réjouissances mécaniques des foules inconscientes ». La fête de la classe ouvrière, à l'évidence, était le 1er Mai.

Pour que le 14 Juillet redevînt à la mode dans la gauche française, il fallait que celle-ci reprît goût au drapeau tricolore. Dès 1935, une tendance se dessine. Plusieurs organisations de gauche demandent que l'on « reprenne la grande tradition révolutionnaire qui faisait du 14 Juillet la journée de l'espérance et de la communion des volontés populaires ». Même le parti communiste se rallie. Son drapeau a-t-il changé de couleur ? Il s'agit, en fait, d'organiser « un immense rassemblement de toutes les forces résolues à défendre la liberté ».

Depuis le 6 février 1934, les partis, les syndicats, les organisations de gauche ont compris la justesse du raisonnement de Léon Blum : seules les forces populaires peuvent soutenir le régime républicain expirant, menacé par les ligues parafascistes, condamné par les parlementaires eux-mêmes qui ne voient de recours que dans une remise en ordre générale. Soutenir le régime républicain, c'est réaliser la grande union des démocrates, à l'occasion d'une fête qui ne divise personne. Le 14 Juillet subit singulièrement une réanimation politique.

Le Populaire du 7 juillet 1935 célèbre ainsi « l'immortelle journée du 14 juillet 1789 », symbole de toutes les libérations, de tous les affranchissements. Car la liberté, à gauche, c'est la libération, c'est le triomphe des classes ouvrières dans la lutte sociale. Dans *L'Humanité* du 2 juillet, Jean Bruhat écrit un article sur « la tradition jacobine et le prolétariat ». Vive le 14 Juillet qui réconcilie communistes et socialistes, en froid très vif depuis le congrès de Tours en 1920 ! Vive le 14 Juillet qui attire autour du drapeau tricolore tous ceux qui veulent défendre la République, même s'ils ne font partie d'aucun parti ! Vive le 14 Juillet, qui réconcilie, et groupe autour du thème de la liberté, tous les antifascistes ! Oui, comme l'écrit *L'Ami du Peuple,* « les Français veulent vivre et travailler à l'ombre des trois couleurs ». Il faut, dit Jacques Duclos, réconcilier les deux drapeaux, le rouge, « symbole des luttes et des victoires présentes », et le tricolore, « symbole des luttes du passé ».

Et le matin du 14 juillet 1935 au stade Buffalo, un immense meeting tient les assises « de la paix et de la liberté » : 10 000 participants, représentant tous les partis de gauche, les syndicats, les organisations. Et ils prêtent serment « de rester unis pour désarmer et dissoudre les ligues factieuses ; pour défendre et développer les libertés démocratiques et assurer la paix humaine ». Les manifestations de l'après-midi se font sous le signe de la défense des libertés. De la Bastille à la Nation, des milliers d'hommes et de femmes défilent. Choix symbolique du parcours : le faubourg Saint-Antoine, appelé jadis le « faubourg de la gloire ». Sur le parcours du cortège, conduit par les parlementaires en écharpe, on tend le poing, on lance des slogans politiques. Mais on arbore aussi le drapeau tricolore devenu ainsi, soudain, l'emblème de tous les antifascistes.

Toute la campagne du Front populaire, en mai 1936, est bariolée de tricolore. Le célèbre discours de Maurice Thorez, dit « de la main tendue », est significatif : Thorez ne tend pas seulement la main au « camarade chrétien » mais aussi au « volontaire Croix-de-Feu ». « Nous te tendons la main, dit-il, volontaire national, ancien combattant devenu Croix-de-Feu, parce que tu es un fils de notre peuple, que tu souffres comme nous du désordre et de la corruption, parce que tu veux, comme nous éviter que le pays ne glisse à la ruine et à la catastrophe. » Et c'est Thorez lui-même qui le dit : « Nous, communistes, nous avons réconcilié le drapeau tricolore de nos pères et le drapeau rouge de nos espérances. »

Il faut dire que, dans sa propagande patriotique, le parti communiste a été beaucoup aidé par la politique de Pierre Laval. L'année 1936 est celle des premières grandes agressions fascistes. L'Italie s'est lancée dans la guerre d'Ethiopie, l'Allemagne hitlérienne est en train de réarmer à toute allure. Au début de mars 1936 elle réoccupe sans coup férir la Rhénanie, déclarée « démilitarisée » par le traité de Versailles. Elle ridiculise les traités internationaux. Le gouvernement français n'a pas réagi. Première reculade, qui oblige les responsables français à se chercher des alliés, puisque les alliances traditionnelles ne sont plus efficaces. Dans cet esprit, Pierre Laval a fait en 1935 un voyage à Moscou. Il a eu de longues conversations avec Staline et Staline a fini par approuver publiquement la politique française du réarmement. Désormais, par antifascisme, comme Staline lui-même, les communistes français peuvent, sans mauvaise conscience, travailler pour la guerre et applaudir l'armée. Ils peuvent devenir tricolores. Le parti communiste sort de son isolement politique pour entrer dans le combat antifasciste, considéré comme prioritaire, aux côtés des autres formations de la gauche. Le 14 Juillet 1935 Thorez a pu défiler aux côtés de Blum et de Daladier. L'union de la gauche était réalisée dans la rue.

Elle l'était aussi dans les nombreuses organisations qui surgissaient dans Paris : le comité Amsterdam-Pleyel de lutte contre la guerre et le fascisme, par exemple, ou le comité de Vigilance des intellectuels antifascistes, avec Alain, Paul Rivet et le physicien Langevin ; ou encore le mouvement d'Action combattante qui rassemblait les anciens du front, de tendance socialo-communiste. Toutes ces organisations ne se limitaient pas à un seul parti. Elles avaient la préoccupation d'établir, en profondeur, l'union.

Les agressions de la droite ligueuse renforçaient naturellement cette tendance. En février 1936 la voiture de Blum avait croisé le cortège funèbre d'un homme d'Action française, Jacques Bainville. Blum avait été reconnu, entouré, injurié, blessé. Des ouvriers d'un chantier voisin l'avaient sauvé de justesse des entreprises de la foule déchaînée. Une énorme manifestation des forces de gauche avait été de nouveau l'illustration du mouvement unitaire. A la suite de cette manifestation, le gouvernement avait dissous l'Action française. Ainsi l'antifascisme était efficace. On pouvait mobiliser la gauche sur ce thème.

Les élections de mai devaient le confirmer. La victoire incontestable de la gauche profitait inégalement aux diverses formations. Dans l'ensemble, la gauche gagnait 300 000 voix. Mais les radicaux en perdaient 400 000. Les socialistes, qui restaient le premier parti français, en perdaient 30 000. Les grands vainqueurs étaient les communistes, qui gagnaient 800 000 voix dans tous les départements, 200 000 rien qu'à Paris. L'ouverture du Parti avait été payante. Il apparaissait désormais comme un grand parti « français ». Vive le 14 Juillet, qui, en prônant la réconciliation de toutes les gauches, avait donné la victoire au parti le plus avancé !

Mais les communistes ne dominaient pas plus que les socialistes le profond mouvement de libération qui désormais entraînait les travailleurs à quitter l'usine ou l'atelier, à participer spontanément aux fêtes, à considérer la grève elle-même, sur les lieux du travail, la célèbre « grève sur le tas », comme un moyen d'introduire la fête sur les lieux du travail, l'émancipation sur les lieux de la contrainte. Le printemps de 1936 est ainsi la découverte d'une sorte d'âge d'or, où les conflits s'éliminent devant la fraternité affirmée. Les artistes du groupe Octobre ont joué du Prévert dans les usines, sur les lieux de travail et même dans les grands magasins, « au rayon communiantes des magasins du Louvre ». Les quêteurs « pour les grévistes » bénéficient d'une sorte de sympathie joviale dans la population. Comme si les lendemains n'existaient pas. On voyait Blum interrompre un Conseil des ministres pour recevoir une délégation de mineurs. Les adhésions à la C.G.T. montaient en flèche. La fête n'avait rien de provocant, de révolutionnaire, elle rassemblait en toutes occasions tous ceux qui devant la montée des dangers éprouvaient le besoin naturel de retrouver la chaleur d'une libération collective. Au mur des fédérés, le 28 mai 1936, il y eut plus de 600 000 manifestants !

Et pourtant les communistes avaient refusé de faire partie du gouvernement de Léon Blum, qui obtenait le 6 juin la confiance de la nouvelle Chambre. Seuls les radicaux et les socialistes avaient des postes ministériels. Mais les communistes n'avaient pas fait au gouvernement la moindre difficulté. Quand Blum obtint du patronat la signature des accords Matignon au début de juin, quand il avait obtenu le vote des grandes lois sociales sur les conventions collectives, les libertés syndicales et les congés payés, Thorez avait le premier expliqué à ses militants qu'il fallait savoir « terminer une grève » et que « tout n'était pas possible ». Cette modération et cette détermination avaient favorisé la reprise du travail.

Le 14 juillet 1936, le temps était au beau fixe et les vainqueurs du printemps reprenaient espoir, pour la consolidation de leur victoire.

C'est sans doute pour cette raison que ce 14 Juillet fut une fête inimaginable. L'après-midi les participants se retrouvaient au défilé traditionnel de la Bastille à la Nation. Ils portaient à la boutonnière l'églantine rouge de la victoire. Comment engouffrer dans l'étroit faubourg Saint-Antoine plusieurs centaines de milliers de participants ? Ils auraient mis de longues heures pour atteindre la Nation. Cette année-là, on dédoubla le cortège, on balisa un itinéraire de délestage, en quelque sorte. Et tous purent se retrouver place de la Nation, pour applaudir les politiques, les chefs du Front populaire, ministres ou non-ministres. Les portraits géants de Blum et de Thorez dominent la foule nombreuse. Des slogans réclament le pain, la paix, la liberté, les trois mots d'ordre de 1936. Aux fenêtres, les Parisiens ont sorti des drapeaux, des drapeaux tricolores. Ils sont, il est vrai, cravatés de rouge. Certains manifestants portent le bonnet phrygien, on voit des filles en costumes révolutionnaires. La fête est dans tout Paris. On organise des cavalcades avec des chars qui représentent les grandes journées révolutionnaires. Sur un char, une jeune fille incarne la Marseillaise. Toute la mythologie de la « grande Révolution » est utilisée : on chante le *Ça ira* et les chansons révolutionnaires. Des troupes de théâtre rassemblent la foule, pour des spectacles de circonstance. Jamais Paris, depuis 1919, n'a été à pareille fête. Toute la nuit les gens dansent dans les rues, sur les places. Oui, Paris est au Front populaire. Et Paris retrouve son visage de 1789, qu'il avait oublié depuis la Commune. Le 14 Juillet 1936 est à cet égard une restauration.

Trois ans plus tard, la gauche est de nouveau divisée. La fête est finie. Le 14 Juillet est redevenu une parade militaire. Bientôt Hitler va s'entendre avec Staline, et les communistes français, dédouanés par Laval, vont retourner à l'isolement, bientôt à la persécution puisque Daladier va déporter leurs leaders en Tunisie. Il faut attendre la fin de la guerre pour que dans Paris libéré, avec quelque retard sur le calendrier, les fêtes de la Libération évoquent la joie immense du 14 Juillet 1936, celle de la réconciliation des Français.

45.
L'HOMME DU 18 JUIN

18 juin 1940. La campagne de France est terminée. La France est vaincue. Au Conseil des ministres, à onze heures, le général Weygand fait le bilan de la situation militaire : à l'ouest, l'armée allemande a franchi la Loire. Elle progresse vers le sud sans rencontrer de résistance. A l'est, la Haute-Saône est occupée et nos troupes se débandent. « Nous avons été très coupables, dit Weygand, en retardant la demande d'armistice. »

Mais, au gouvernement, certains se préoccupent de la suite des événements. D'abord de sauver l'aviation et la flotte : l'amiral Darlan donne des ordres pour continuer le combat. Le cuirassé *Jean-Bart* s'échappe des chantiers de Saint-Nazaire, sous le nez des Allemands. Le *Richelieu* quitte Brest. 900 avions doivent rallier l'Afrique du Nord. Et le gouvernement ? Il est actuellement à Bordeaux. Va-t-il passer en Afrique du Nord ? Lebrun, le Président de la République, veut partir. Pétain, président du Conseil, refuse. Il ne veut pas poursuivre la guerre en Afrique du Nord. C'est lui qui a demandé l'armistice aux Allemands, par l'intermédiaire de l'Espagne, le 16 juin.

A Paris le général von Stutnitz a fait placarder une affiche : « Les ordres des autorités militaires devront être exécutés sans conditions. Il dépend de la prudence et de l'intelligence de la population que la ville de Paris profite des avantages réservés à une ville ouverte. » Paris n'a plus que 700 000 Parisiens sur plus de 3 millions. Les autres sont sur les routes de l'exode. Les rues sont vides, les cafés fermés. Tout le monde attend l'armistice.

A Bordeaux, Herriot a passé une nuit blanche. Il a cherché fébrilement l'adresse du maréchal Pétain, pour lui demander de faire déclarer sa ville de Lyon, dont les Allemands s'approchent, ville ouverte. Weygand le lui accorde. Mais le commandant de l'armée des Alpes veut résister. Il résiste. Le maréchal Pétain hausse les épaules. Il y a maintenant dix-huit heures qu'il attend la réponse des Allemands à sa demande d'armistice. Il l'a dit au Conseil des ministres : « L'armistice est, à mes yeux, la condition nécessaire à la pérennité de la France. » Et le maréchal attend, attend les conditions de l'ennemi. Hitler, bien sûr, a intérêt à le faire attendre. La Wehrmacht progresse tous les jours. Toutes les armées françaises ne sont pas comme l'armée des Alpes.

Il pleut sur Bordeaux. En fin de journée, on apprend qu'un général français, du micro de Londres, a lancé un appel à la résistance. La nouvelle est fort mal accueillie. La dépêche, qui vient de Londres, circule dans les salles de rédaction. *Le Progrès de Lyon* compose : « Un appel du général de Gaulle. » Mais qui est de Gaulle ? « L'auteur de nombreuses études sur les chars d'assaut », dit *Le Progrès*. *Marseille-Matin* et *Le Petit Provençal* annoncent également la nouvelle. Le gouvernement doit se manifester. Il le fait par la bouche de Raphaël Alibert, le sous-secrétaire d'Etat de Pétain. « Le général de Gaulle, dit Alibert, ne fait plus partie du gouvernement et n'a aucune qualité pour faire des communications au public. Ses déclarations doivent être regardées comme non avenues. »

Qui est donc ce général, qui ose prendre la parole à Londres, alors que le gouvernement de Bordeaux ne connaît pas encore les conditions d'armistice offertes par les Allemands ? Charles de Gaulle a été en effet nommé, le 5 juin, sous-secrétaire d'Etat à la Guerre par le président du Conseil Paul Reynaud. Le vice-président était Pétain, le ministre de la Guerre Weygand. A cette date 4000 Anglais — les derniers — s'embarquaient à

Dunkerque et les Français étaient capturés sur les plages. La bataille était déjà perdue, et de Gaulle ne pouvait être d'aucune utilité, d'autant qu'il n'avait jamais partagé les vues stratégiques de Pétain ni de Weygand. Le général, qui avait presque cinquante ans, avait jadis commencé sa carrière, au 33e régiment d'infanterie d'Arras, sous les ordres du colonel Pétain. Trois fois blessé en 1914-1918, il avait combattu dans l'armée de Pétain à Verdun : prisonnier au fort de Douaumont, capitaine en 1918, il avait fait campagne en Pologne, où le général en chef s'appelait Weygand. Ancien saint-cyrien lui-même, il avait enseigné à Saint-Cyr, puis à l'Ecole de guerre avant d'entrer au cabinet de Pétain en 1925, puis au secrétariat général de la défense nationale. Mais ses idées sur la guerre moderne n'étaient pas du goût de tout le monde et sa carrière s'en ressentait. Il avait publié en 1932 *Le Fil de l'Epée,* puis, en 1934, *Vers l'armée de métier,* où il montrait que la guerre moderne serait cuirassée, mécanisée, et que la France, au lieu de s'enterrer dans la défensive, devait se donner les moyens de livrer un combat moderne. Depuis 1935 il faisait campagne pour faire connaître ses vues mais personne ne l'écoutait, sauf Paul Reynaud, le seul, dans le monde politique, qui ne fût pas fermé à ses idées. Il n'avait pas eu l'occasion de les appliquer, car sa carrière ne lui permettait pas d'accéder aux postes où l'on peut influer sur la stratégie, et d'ailleurs toute la conception républicaine de la guerre était, avec la ligne Maginot, complètement défensive. De Gaulle, en 1939, était colonel. Il commandait les chars de la 5e armée. En janvier, à la tête d'une division cuirassée, il avait lancé l'opération de Moncornet. C'est alors que Paul Reynaud l'avait fait entrer au gouvernement. Il était le seul général français qui eût tenté de répondre à l'attaque allemande des Panzerdivisions avec des moyens appropriés.

Il est donc à Bordeaux, quand il prend la décision de s'envoler pour Londres, afin de poursuivre la guerre. Il part avec son aide de camp, le lieutenant de Courcel, et le général anglais Spears. Il a raconté lui-même cet épisode : « Le 17 juin à neuf heures du matin, je m'envolai... Le départ eut lieu sans romantisme et sans difficulté. Nous survolâmes La Rochelle et

Rochefort. Dans ces ports brûlaient des navires incendiés par les avions allemands. Nous passâmes au-dessus de Paimpont où se trouvait ma mère, très malade. La forêt était toute fumante des dépôts de munitions qui s'y consumaient. Après un arrêt à Jersey, nous arrivâmes à Londres, au début de l'après-midi. » Là, raconte Maurice Schuman, « les compagnons de route et d'évasion allèrent déjeuner au Royal Automobile Club... Ce n'est pas loin de Downing Street. Spears y conduit de Gaulle. Churchill, assis dans le jardin, profite du beau soleil ». Va-t-il accueillir de Gaulle, et l'encourager ?

Le cabinet anglais de guerre n'a qu'une préoccupation : l'avenir de la flotte française. Il ne fait aucun doute que Hitler va tenter de mettre la main dessus. Les Anglais restent en contact étroit avec Bordeaux et se renseignent constamment sur la position des navires. A la séance du matin du 18 juin, le cabinet de guerre estime « que le général de Gaulle étant *persona non grata* auprès de l'actuel gouvernement français, la B.B.C. ne devra pas être mise à sa disposition tant qu'il y aura une possibilité de voir ce gouvernement agir d'une manière conforme aux intérêts de l'alliance ».

Pourtant, dès le 17 juin, et le général de Gaulle l'affirme dans ses Mémoires : « J'exposai mes intentions à M. Winston Churchill. Naufragé de la désolation sur les rivages de l'Angleterre, qu'aurais-je pu faire sans son concours ? Il me le donna tout de suite, dit de Gaulle, et mit, pour commencer, la B.B.C. à ma disposition. » Mais il ajoute : « Nous convînmes que je l'utiliserais lorsque le gouvernement Pétain aurait demandé l'armistice. Or, dans la soirée même (donc du 17 juin), on apprit qu'il l'avait fait. » Et Churchill n'a aucun mal à convaincre le cabinet de guerre que l'Angleterre n'a plus rien à attendre du gouvernement français de Bordeaux. Dans les archives du War Cabinet, on peut lire : « Ultérieurement, les membres du cabinet de guerre furent de nouveau consultés, à titre individuel. Il fut décidé que le général de Gaulle devrait être autorisé à parler, ce qu'il fit donc le même soir. »

Voilà donc le général de Gaulle autorisé à parler au micro de la B.B.C. Il pénètre à la fin de l'après-midi du 18 juin dans Broadcasting House, le siège de la B.B.C. au-dessus d'Oxford Circus. Un journaliste du service étranger de la B.B.C., Gibson Parker, introduit le général et le conduit en studio. Il lui fait faire un essai de voix. Le général dit : « la France ». « C'est parfait, dit Gibson Parker. Nous sommes prêts. »

Et le général lance les « paroles irréversibles » : « Les chefs qui, depuis de nombreuses années, sont à la tête des armées françaises ont formé un gouvernement. Ce gouvernement, alléguant la défaite de nos armées, s'est mis en rapport avec l'ennemi pour cesser le combat. Certes nous avons été submergés par la force mécanique, terrestre et aérienne de l'ennemi... Mais le dernier mot est-il dit ? L'espérance doit-elle disparaître ? La défaite est-elle définitive ? Non. »

Et de Gaulle montre que la guerre est mondiale, qu'elle n'est pas terminée, que la bataille de France n'est qu'un épisode.

« Moi, général de Gaulle, actuellement à Londres, j'invite les officiers et les soldats français qui se trouvent en territoire britannique ou qui viendraient à s'y trouver avec leurs armes ou sans leurs armes, j'invite les ingénieurs et les ouvriers spécialistes des industries d'armement qui se trouvent en territoire britannique ou qui viendraient à s'y trouver à se mettre en rapport avec moi.

« Quoi qu'il arrive, la flamme de la résistance française ne doit pas s'éteindre et ne s'éteindra pas. »

Et le général ajoute, ce qui fait frémir d'horreur tous les membres du cabinet de guerre qui étaient hostiles à son intervention au micro : « Demain comme aujourd'hui, je parlerai à la radio de Londres. »

Oui, il est le « général micro », comme disent les Anglais. Il n'existe que dans la mesure où il peut parler. Les Français l'ont-ils entendu ? C'est le miracle de la radio que d'avoir une écoute imprévisible. L'habitude de capter la B.B.C. n'était pas alors installée. Pourtant, dans la déroute, les radios françaises étaient désorganisées, les gens cherchaient naturellement à s'informer en captant d'autres radios que les premières radios aux mains des Allemands, qui développaient déjà leur propagande. Beaucoup de témoignages attestent que le message de De Gaulle a été reçu. Par contre la plupart des Français ignoraient qui pouvait être ce général réfugié à Londres.

Le message fut peu efficace, du point de vue des ralliements immédiats. Un tout petit groupe d'hommes vint rejoindre le général. Beaucoup de soldats français qui se trouvent en Angleterre demandent à rentrer en France : c'est le cas du corps expéditionnaire qui rentre de Norvège. Seule la Légion étrangère, avec Kœnig, se met à la disposition du général de Gaulle. Les marins sont réservés, hostiles, sauf exceptions. Les premiers partisans du général viennent de France : les marins de l'île de Sein, des isolés, des volontaires, des gens qui, écoutant l'appel sur les plages normandes ou bretonnes, cherchent un embarquement de fortune pour le rejoindre.

L'accueil en France est hostile. De la France officielle, bien sûr. Tous les membres du gouvernement frémissent d'horreur. En Afrique du Nord, Noguès, qui commande en chef, fait télégraphier au ministre de la Guerre Weygand : « Ai fait censurer dans toute la presse Afrique du Nord appel adressé radio anglaise par général de Gaulle. » Pourtant de Gaulle lui a envoyé personnellement un télégramme où il lui propose même de combattre sous ses ordres. Mais pour Noguès le 18 juin est « une inconvenance ». C'est ce qu'il dit au général anglais Dillon, chef de la mission militaire britannique en Afrique du Nord. Et Dillon commente : « Je compris que j'étais en présence d'un homme faible, qui ne désobéirait pas aux ordres d'un maréchal de France... Mais si le gouvernement lui avait donné le moindre encouragement, il aurait conduit l'Afrique du Nord vers la résistance, ce qui aurait pu avoir un effet incalculable sur le développement de la guerre. »

Les Anglais étaient bien informés : le matin du 19 juin, à six heures trente, l'ambassadeur d'Espagne, Lequerica, informe le gouvernement Pétain que les Allemands ont accepté d'ouvrir les négociations d'armistice. Il est signé avec l'Allemagne le 22. Le 28, de Gaulle est reconnu par le gouvernement anglais comme le chef des Français libres. Le 2 août un tribunal réuni à

Clermont-Ferrand condamne le général de Gaulle à mort par contumace. La Résistance commence. Ceux qui n'ont pas accepté l'armistice, ceux qui ne supportent pas l'armée d'occupation, ceux que le régime de Vichy indigne vont, de plus en plus nombreux, entendre le général de Londres. C'est la voix de l'espoir pour la France écrasée. Elle ne sait pas encore que c'est aussi la voix de l'histoire.

TABLE DES MATIÈRES

Achevé d'imprimer en janvier 1981
sur presse CAMERON
dans les ateliers de la S.E.P.C.
à Saint-Amand-Montrond (Cher)
pour le compte de la librairie Arthème Fayard
75, rue des Saints-Pères — 75006 Paris

ISBN 2-213-00948-1

Dépôt légal : 1er trimestre 1981.
N° d'Édition : 6120. N° d'Impression : 2461-1131
Imprimé en France

H/35-6718-7